Jerónimo Tristante

EL MISTERIO
DE LA CASA ARANDA

VÍCTOR ROS, UN DETECTIVE
EN EL MADRID DE FINALES DEL SIGLO XIX

EM BOLSILLO

Madrid

s. XIX

1. Redacción de "La Época"
2. Palacio del Marqués de Salamanca
3. Plaza de Toros de la Puerta de Alcalá
4. Palacio Real
5. Plaza Oriente
6. Teatro Real
7. La Casa Aranda
8. Plaza Mayor
9. Ministerio de la Gobernación
10. Hotel de Londres
11. Hotel del Universo
12. Hotel de los Príncipes
13. Fonda de la Cruz de Malta
14. Café "El Suizo"
15. Palacio de Liria
16. Salón del Prado
17. Mercado de Plazuela de la Cebada
18. Redacción de "El Imparcial"
19. Palacio de Hifré
20. Fábrica de Tabacos
21. Embarcadero de Atocha
22. Café "Levante"

CAPÍTULO 1

Madrid, primavera de 1877

—Hemos llegado, señor —dijo el cochero que tras bajar del pescante golpeó con los nudillos el cristal de la portezuela de su elegante hansom inglés.

El pasajero, por su parte, parecía perdido en sus propios pensamientos.

—¿Señor? —repitió—. Número cuatro de la calle de los Lucientes.

—¿Cómo? —repuso el caballero que parecía volver en sí.

—Hemos llegado a la dirección que me ha dado usted. Calle de los Lucientes cuatro.

—Ah, sí, sí, perdone. Estaba distraído. Tome —dijo el desconocido, tendiendo unas monedas al cochero a la vez que bajaba del carruaje que en apenas un momento rodó calle abajo, dejándole, quieto, frente al portal y mirando los desgastados adoquines del piso. Había vuelto a casa y se hallaba perdido, pensó para sí Víctor Ros. Otra vez se hallaba en Madrid, donde todo comenzó y se sentía igual que el día de su llegada desde Extremadura con su madre. Se estremecía como entonces, sintiéndose extraño, asustado y perdido, así que se armó de valor para entrar en la casa donde su mentor yacía recibiendo el último adiós de sus amigos, compañeros y familiares. Don Armando había fallecido.

Antes de entrar en aquella vivienda de la calle de los Lucientes, el joven investigador se sintió invadido por una oleada de pesar y profundo desánimo. Se sentía triste por la muerte de aquel amigo, don Armando Martínez, sargento de policía, la persona a quien debía todo lo que tenía ahora. El bueno del sargento Martínez había sabido entrever las cualidades ideales del sabueso en un mugriento raterillo de dieciocho años al que supo hacer ver que el camino recto era duro pero más digno y, sobre todo, seguro. Por eso seguía vivo y libre a los veintisiete mientras que la mayoría de sus compinches de aquella época de delincuente estaban muertos, fugados o presos.

Víctor Ros llegó a Madrid junto a su madre, como tantos emigrantes extremeños, para huir del hambre. Su padre había muerto de tuberculosis y su madre, Ignacia, consideró que podría ganarse la vida con más facilidad en el moderno Madrid que aparecía a ojos de aquellos desgraciados como la Tierra Prometida, el lugar donde el maná caía del cielo y los reales se encontraban a puñados por las calles esperando ser recogidos por los más listos y audaces.

El sueño resultó ser eso, una quimera, y enseguida, el joven de catorce años y su madre se vieron malviviendo en un minúsculo habitáculo, una buhardilla de la calle Lechuga de las que llamaban «cochiqueras» y por la que pagaban una renta a todas luces excesiva. El edificio era de cinco alturas, pues Madrid se desarrollaba «hacia arriba». La mayoría de los inmuebles del barrio que vio crecer a Víctor eran así, demasiado altos para un crío de provincias, una manera de obtener el máximo beneficio a un terreno que comenzaba a escasear en la zona. Muchos burgueses se dedicaban a la compra o construcción de edificios que luego alquilaban por pisos para vivir de las rentas. Desde el primer momento, Ignacia y su hijo comprobaron que en La Latina existía una segregación social que no se daba por calles o sectores, sino por alturas, por pisos. Así, en su pequeño edificio, el bajo y el entresuelo estaban ocupados por un comerciante de telas, Salustiano. En el principal, que equivalía a una segunda altura, vivía el casero, don Braulio. Dicha vivienda era siempre la más cotizada de los inmuebles y se accedía a ella incluso por una escalera independiente y más amplia que la que daba acceso al resto de los pisos, ocupados tanto el primero como el segundo por familias humildes. El tercero, o sea, la buhardilla, sólo tenía una habitación y una pequeña cocina. Allí creció Víctor acurrucándose junto a su madre en las frías noches de invierno. Una y otra vez se veían obligados a hacer auténticos equilibrios para llegar a final de mes y conseguir pagar la deuda de la tienda de ultramarinos de doña Julia. Además, los sueldos de la capital resultaron ser aún más míseros que los de la lejana y deprimida Extremadura, por lo que doña Ignacia se veía forzada a hacer jornadas de hasta dieciocho horas en el taller de confección de doña Prudencia, una vieja arpía y tacaña que explotaba a sus costureras sin un solo atisbo de humanidad. El hecho de que Ignacia pasara tantas horas fuera de casa favoreció que el pequeño Víctor se hallara libre para hacer novillos al principio y para, más tarde, comenzar a frecuentar amistades poco aconsejables.

Poco tardó aquel rapaz en comprobar lo sencillo que era hacerse con un dinero fácil colaborando con los pilluelos del barrio en sus continuas fechorías, por lo que en apenas un par de años duplicó los ingresos de su madre.

Ora sisando una cartera a un turista, ora timando a un palurdo y las más de las veces tirando de navaja y aliviando el bolsillo a algún honrado transeúnte, acompañado de dos o tres de sus compinches, Víctor supo abrirse camino en el duro mundo de la capital.

Como cabía esperar, el joven no tardó en visitar las comisarías de Madrid, aunque, bien por su edad, bien por lo insignificante de sus delitos, evitó acabar en la cárcel y pudo salir de aquellas aventuras con alguna que otra paliza recibida en los calabozos, propinada por los agentes de la ley.

Lejos de amedrentarse, Víctor exhibía aquellos moratones, cicatrices y marcas como el que muestra una herida de guerra, lo que le hacía saberse temido por la vecindad y verse reconocido entre sus iguales en el mundo de los bajos fondos. Sus conocidos se apiadaban en los corrillos de la pobre doña Ignacia, quien sufría en silencio las correrías de su hijo, al que intentaba, sin éxito, llevar por el buen camino. Una cosa era cierta, y es que el joven Víctor mostraba un cierto «talento natural», un sexto sentido o una gran capacidad de observación que le hacían saber cuándo un golpe era «ful» o cuándo se acercaba la «pestañí». Intuición. Era listo, muy listo, y rara vez renunciaba a un negocio que no resultara un fiasco. Por eso eran muchos los chavales más jóvenes que se le arrimaban y seguían sus pasos, lo cual aumentaba el prestigio y el poder que en el barrio ostentaba Víctor «el Extremeño».

Y ocurrió que, cuando Víctor cumplió los dieciocho, el joven ratero fue detenido por robar el monedero a una dama junto a la Puerta del Sol; esta dama resultó ser una policía.

El buscón era listo, así que, al no oler a ningún agente en las inmediaciones y tras comprobar que la víctima parecía distraída eligiendo unas flores en un tenderete, decidió actuar y sustraer el monedero del bolso de mano de la ingenua joven.

En el momento en que los ágiles dedos de Víctor se hacían con el ansiado tesoro, notó que unas manos rudas y fuertes le sujetaban ambos brazos por detrás.

—¡Has caído, pardillo! —dijo una voz varonil tras él.

Víctor volvió la cabeza lo poco que pudo y comprobó que lo sujetaba un enorme y bigotudo individuo con traje de mil rayas, a quien acompañaban dos agentes uniformados. Olía a loción de afeitar y a tabaco. ¿De dónde había salido aquel energúmeno?

Víctor escupió al agente de paisano y gruñó:

—¡Piérdete, gorila!

Un porrazo de uno de los guardias le hizo perder el sentido.

Despertó sobresaltado. No sabía dónde estaba. La débil luz de una lámpara de gas le hizo sentirse invadido por una desagradable sensación de irrealidad.

—Mira, la marmota se ha despertado —dijo una voz a su derecha.

Gimió al notar un insoportable dolor en la nuca.

—Te han atizado fuerte —comentó un gitano de aspecto avieso y amenazador.

—¿Dónde estoy? —preguntó medio aturdido el joven raterillo.

—En los calabozos de Sol —contestó un hombre algo orondo, moreno y de pobladas patillas que acompañaba al gitano—. Me temo que te han pillado con las manos en la masa.

Víctor recordó el incidente con los guardias y el monedero de aquella incauta. Tenía un bulto en el lugar del golpe que le impedía mover el cuello sin sentir que le clavaban mil agujas en la cabeza.

El grandullón le acercó un botijo que había en un rincón de la celda y Víctor bebió un trago de agua para calmar la sed y librarse de la horrible sequedad que sentía en la boca.

—Me llaman Víctor «el Extremeño».

—García —dijo el gordo.

—Yo soy Francisco Heredia —añadió el gitano—. Carterista, ¿no?

—Yo soy inocente —dijo el joven a la vez que una mirada brillante y maligna, cargada de furia, fulgía en sus hermosos ojos verdes.

—Ozú con el gashó —dijo el gitano—. Aquí todos somos inocentes. ¡Las hermanitas de la caridad!

El gordo soltó una sonora risotada.

—Sí, eso, inocentes. Ni yo vivo de mis putas, ni aquí el Heredia trafica con quincalla robada. Ja, ja, ja...

—¡Callad! —gritó Víctor.

—No te preocupes hijo —lo calmó el orondo García—. Aquí todo el mundo es inocente hasta que lo trabajan un poco en la sala de interrogatorios. ¿Quién está hoy de guardia, Heredia?

—El sargento Martínez.

11

—¡Rediós! —gritó el otro llevándose las manos a la cabeza—. ¡El Molinillo!

—¿El Molinillo? —preguntó Víctor algo asustado ante la reacción del curtido proxeneta.

El gitano tomó la palabra:

—Sí, le llaman así porque hace cantar al más templao. Tiene una facilidad para soltar guantazos que es algo impresionante, un don. Mira, zagal, empieza a darte así, primero con una mano, luego con la otra, con la derecha, la izquierda, la derecha y te pone hecho un eccehomo —explicó el preso haciendo girar los brazos como las aspas de un molino de viento, en un ademán que, según pensó Víctor, le hubiera parecido gracioso de haberse encontrado en otras circunstancias.

—¡Como un molinillo! —terció García—. No he visto cosa igual. Te larga una ensalada de hostias en menos que dura un Padrenuestro. No hay quien se le resista. Es una mala bestia.

—Sí, chaval —reafirmó el gitano—, así es. Si aceptas un consejo, te diré que contestes con educación a sus preguntas y que le digas lo que quiera saber.

—¡A mí no me da miedo ese hijo de puta! —declaró Víctor con aire resuelto.

Heredia, el traficante de quincalla, se lanzó hacia el joven como una fiera y lo asió por el cuello con violencia. De no ser por la intervención de García, lo hubiera estrangulado allí mismo.

—Pero ¿qué carajo te pasa? —repuso Víctor frotando su maltrecho cuello a la altura de la nuez. Había perdido el resuello.

—¡Nadie habla así de don Armando en mi presencia! ¡Es el padrino de uno de mis hijos!

—¿De cuál? —dijo el chulo de García con retintín—. ¿Del que hace el número veinte?

—No señó, del octavo, er Miguelín.

—¿Has hecho a un policía el padrino de tu hijo? —preguntó Víctor incrédulo.

—Pues claro, don Armando es un hombre hecho y derecho.

—Pero si acabas de decir que os da unas palizas tremebundas.

—Él hace su trabajo —repuso García—. Y nosotros el nuestro. Pero, fuera de aquí, es hombre con el que da gusto echar unos vinos.

—Además, cuando nos zurra es porque nos han pillao de lleno en algún negocio de los nuestros —dijo el gitano con resolución.

—Estáis como cabras —contestó Víctor buscando refugio sobre el banco más alejado de la luz de la lámpara. No podía creerlo. Qué idiotas. Buscó un poco de soledad. No le agradaban aquel par de locos.

Debió de quedarse dormido porque, cuando fueron a buscarlo, hacía mucho frío en la celda. Calculó que debía ser de madrugada. No había ni rastro de sus compañeros de cautiverio.

—Vamos, don Armando quiere verte —dijo un guardia de enormes bigotes y fiero aspecto.

Víctor, con la chulería que caracteriza a la gente de su ralea, se abrochó los botones del chaleco, tomó su chaqueta al hombro y salió de la celda caminando como si fuera un almirante. Le sorprendió que no lo llevaran a un sórdido y escondido calabozo, sino que lo instalaron en un coqueto y cómodo despacho del primer piso.

—Siéntate aquí y espera —ordenó el guardia—. Ahora vendrá don Armando.

Por un momento, tras quedar a solas, el joven raterillo barajó la posibilidad de escapar, pero la ventana que iluminaba el cuarto se hallaba protegida por una inexpugnable reja de sólido y repujado hierro.

—Qué, ¿pensando en huir? —oyó un sonoro vozarrón detrás de sí. Se volvió y comprobó que en mitad de la puerta había aparecido una figura imponente, un individuo

13

corpulento con un uniforme oscuro, un tipo que al parecer le leía el pensamiento.

—Estamos en un primer piso, zagal. Además, esas rejas son fuertes y resistentes.

El sargento pasó junto a él y se sentó. Los dorados botones de la guerrera brillaban a la luz de un quinqué que mal iluminaba la mesa del despacho. Víctor echó un vistazo y tomó con curiosidad un volumen encuadernado en lujosa piel con ribetes dorados.

Leyó el título en silencio.

—Deja eso, hijo, no es para ti —dijo el sargento mirando al joven con sus inquisidores ojos negros. Su cara era grande y rubicunda, y sus cejas, erizadas, negras y pobladas, como las de un inmenso búho, llamaban la atención.

—¿La *Odisea* no es para mí? —replicó Víctor con fastidio.

—Vaya —contestó el sargento sorprendido—. Un raterillo que sabe leer...

—¿Tanto le sorprende que un emigrante extremeño conozca las andanzas de Ulises?

El sargento estalló en una estruendosa carcajada.

—Vaya, vaya con el joven Víctor Ros, pensaba que sólo habías leído el título. O sea que, además de no ser analfabeto, debemos sumar a ello que eres un joven leído, ¿no?

—Mi tía Encarna me enseñó, es maestra en el Valle del Jerte.

—Bonito lugar —dijo el policía.

—¿Lo conoce? —preguntó Víctor, dándose cuenta de que el hábil sargento lo había encarrilado hacia una conversación amable y cordial que él no esperaba. Desconfió al instante.

—Sí, estuve allí una vez. De joven.

—¿Qué pretende? —preguntó el chico con recelo—. ¿Cuándo vienen los sopapos?

—¿Cómo? No entiendo...

—Sí, hombre —dijo Víctor con tono chulesco—. Quiero decir que toda esta amabilidad suya me parece algo ficticio. Es evidente que pronto llegarán los trompazos. Y sepa que no le tengo miedo.

—¡Esto es el acabóse! —se asombró el sargento soltando otra sonora carcajada—. ¡«Fingida amabilidad»! ¡«Ficticio»! ¡Un raterillo que habla como un académico de la Lengua! ¡Qué barbaridad!

—¿Qué pasa? ¿Por qué no puede un extremeño como yo haber leído la *Odisea* y sí en cambio un advenedizo murciano como usted?

—Ja, ja, ja —rió más divertido aún el severo policía—. ¿Cómo sabes que soy murciano? ¡Si llevo más de cuarenta años en Madrid! ¡Eres el no va más, chaval!

—Es evidente que ese acento madrileño suyo es fingido, se le nota en las «eses» de algunas palabras como «habías» o «además». Por otra parte, la palabra zagal es típica de tierras murcianas.

El curtido sargento se quedó boquiabierto mirando a aquel petimetre de barrio. Entonces añadió como el que pone a alguien a prueba:

—Vaya. Sí que estás informado. ¿Estoy casado Extremeño?

—Sí y hace bastantes años. Lo sé porque su anillo parece gastado y, por supuesto, por su edad. Tiene nietos —dijo mirando una fotografía de tres niños pequeños que había sobre la mesa—. Y debería pensar en dejar el tabaco.

—Eso me dijo el médico, sí. Pero ¿cómo lo has...?

—Sus dedos índice y medio están amarillos de sujetar los cigarrillos y el borde de su bigote también amarillea. Además, su voz es muy ronca. Demasiado «fumeque», don Armando.

El sargento volvió a reír divertido. Entonces, abrió la carpetilla de cartulina que contenía el informe del joven y con un tono más serio dijo, leyendo por encima:

—Es una pena, joven Víctor, que te dediques a delinquir en lugar de estar del lado de la ley. Serías un excelente policía. Aunque has estado detenido pocas veces, tienes aquí un expediente bastante completito, me resultas conocido. Además, te diré que somos casi vecinos y conozco algo sobre tus correrías. Mis compañeros han ido elaborando un buen informe sobre ti y debo reconocer que no pareces un raterillo de los de a pie, uno del montón.

—Procuro no serlo —contestó el joven muy seguro de sí mismo.

—Ya, claro. Tú aspiras a más.

—Usted lo ha dicho —repuso el joven con chulería—. No pienso trabajar de sol a sol por cuatro perras. Robando se hace uno rico en poco tiempo.

—Y vivirás a lo grande.

—Exacto. Como la gente pudiente.

—Eso, eso, y a ti nunca te trincarán, ¿no es así?

El joven asintió.

—En efecto, yo no soy como todos esos tontos que pululan por las calles.

—Pues de momento, que yo sepa, te hemos pillado con las manos en la masa, ¿no?

Víctor quedó por un momento desconcertado, sin saber qué decir, pero enseguida su carácter resuelto y atrevido le llevó a protestar:

—¡Ustedes me han tendido una trampa infame! ¡Utilizar a una mujer! Eso es de chulos.

—Emilia. Es una eficaz mecanógrafa. Trabaja aquí mismo por horas, en el Ministerio de Gobernación, con el comisario Ruiz Funes, es su sobrina. Aunque haríamos bien en incorporar mujeres al cuerpo, la policía de Londres lo ha hecho y debo decir que con excelentes resultados. De hecho, tú caíste como un pardillo. Pero volvamos a lo que nos ocupa. De momento la has pringado, luego quizá no seas tan listo, ¿no te parece? Esto puede costarte un mínimo de cinco años.

Víctor miró hacia abajo por un momento.

El veterano policía, atisbando un momento de debilidad en el joven, añadió:

—Según se lee en este informe tienes madre, ¿no? Costurera. ¿Sabe ella...?

—¡No la meta en esto!

—No le va a hacer gracia cuando se entere de que vas al penal. Es más que probable que la mates del disgusto; lo sabes, ¿no? Dios sabe dónde estará la pobre dentro de cinco años. ¿Está bien de salud?

—No —dijo el chico con un sollozo y echándose las manos a la cara.

Don Armando se levantó y sacó un reluciente reloj de su bolsillo. Miró la hora y encendió un cigarro. Lo hizo con pausa, en un estudiado gesto que le había dado resultado en miles de ocasiones y con tipos mucho más duros que aquel.

—No llores, nene —dijo tendiendo un pañuelo al duro chaval de la calle—. Es de bien nacidos querer a una madre. Tienes buenos sentimientos y eso te honra. Dices que tu madre es costurera, ¿no?

—Sí —asintió sorbiéndose los mocos—. Está casi ciega, pero sigue trabajando.

—Y tú querías acabar con eso, ¿no? Así empiezan muchos.

El chico asintió. A don Armando le agradaba aquel crío. Era ya casi un hombre, de estatura media, rostro agraciado y hermosos ojos verdes. Tenía la tez morena y el cabello lacio y castaño. Ceñía el chaleco a su estilizado talle al estilo de los chulos de Chamberí y llevaba los pantalones muy bien planchados, mucho para ser de La Latina. Parecía un maniquí.

—¿Lees mucho, hijo?

El otro asintió.

—¿Y qué lees? ¿Qué te gusta?

—No sé. A los clásicos: Calderón, Lope, Quevedo, algo a Voltaire, Feijoo y la prensa, claro. Vamos, lo que pillo por ahí.

—¿Y los libros, de dónde los sacas?

El joven miró al policía como se mira al que ha dicho una estupidez y contestó:

—De la Biblioteca.

El sargento rió divertido. Hizo otra pausa.

—Mira, hijo —dijo muy serio—. Lo tienes mal, muy mal, pero puedo plantearte dos alternativas. La primera, ya la conoces. Te bajamos a los calabozos, donde los interrogatorios, y te trabajan un rato. Lógicamente, si nos metemos

17

en faena no es para condenarte por un simple monedero. Ya que estamos en ello, tendríamos que averiguar qué te remuerde la conciencia. Me da la sensación de que debes de tener muchas cuentas pendientes por ahí. Por citar un ejemplo: el robo a la vieja en la plaza de la Cruz Verde, el asalto al estanco de doña Matilda en Leganés o el robo con escalo en la calle Ángeles. −Al oír todo eso, el joven levantó la cabeza sorprendido−. No, hijo. No te sorprendas. Es nuestro trabajo. La gente habla más de lo que tú te imaginas. Con tu segura confesión te auguro más de veinte años de condena. Por supuesto, nos encargaríamos de llevarte al juzgado cuando estuviera de guardia don Roberto Meseguer. Es un reaccionario. Sólo te diré que lo echaron del partido conservador por duro e intransigente. Si pudiera, daría garrote a todos los raterillos de Madrid. Unos desalmados le deshonraron a una hija, ¿sabes? No quieras saber qué fue de aquellos dos desgraciados. En fin, que con esa opción, despídete de volver a ver a tu madre con vida.

Don Armando volvió a hacer una larga pausa.

−¿Y la otra opción? −dijo el joven semiparalizado por el miedo.

−Ah, la otra opción. Sí, sí... Por cierto, ¿has leído a Lord Byron?

−No. No sé quién es.

−Delicioso. En ocasiones, claro. −El sargento expulsó el humo del cigarro y añadió−: La otra opción es una apuesta personal mía, digamos que te vas a tu casa.

Víctor enarcó las cejas y abrió la boca con asombro. El sargento continuó hablando.

−Te vas a casa y no vuelvo a oír hablar de ti en lo que te queda de vida. ¿Se entiende?

El raterillo asintió.

−Y el lunes a las cinco, te espero en mi domicilio. En la calle de los Lucientes. Tenemos que hablar.

Hubo un silencio.

−De acuerdo. Me quedo con la segunda opción −se apresuró a decir el joven.

—Espera, espera. No corras tanto. Medítalo esta noche en el calabozo. Como comprenderás, tengo que hablar con algunas personas antes de poder soltarte así como así.

—Sí, lo entiendo.

Entonces el sargento pulsó un ruidoso timbre que había sobre la mesa y dijo:

—Ahora, medita chaval, medita. Mañana por la mañana veremos qué camino eliges. ¡Padilla, baje al preso!

Don Armando Martínez salió del despacho y caminó a lo largo del estrecho pasillo. Bajó una angosta escalera y, tras abrir una chirriante puerta, accedió a una cómoda estancia donde los guardias descansaban en las largas noches de invierno al calor del brasero. Dos damas que aguardaban sentadas en la mesa camilla se levantaron al unísono al ver entrar al corpulento policía.

—Hola, cariño —dijo el sargento besando a una de ellas para dirigirse de inmediato a la otra, más avejentada y macilenta. El severo policía la miró compasivo y añadió—: Y usted, doña Ignacia, no se preocupe más. Su hijo no volverá a delinquir, se lo aseguro. Es cosa mía.

Aquella honrada mujer rompió en sollozos. Flaca, con una humilde toquilla sobre los hombros y casi ciega por coser horas y horas en el mal iluminado taller de costura, tomó las manos de don Armando y, tras besárselas, se deshizo en bendiciones para con el curtido sargento y su familia. La madre de Víctor era la viva imagen de la gratitud. No podía dejar de llorar.

CAPÍTULO 2

Al entrar en el piso del que fuera su mentor, el ahora fallecido don Armando Martínez, Víctor volvió al presente desde sus recuerdos y quedó impresionado por el gentío que atestaba aquel estrecho pasillo. Saludando a unos y a otros sombrero en mano y abriéndose paso con un empujón por aquí y un «perdone» por allá, Víctor logró llegar al iluminado salón en el que se hallaban los dolientes. Sentada en una silla lloraba doña Angustias, la esposa del sargento, a la que Víctor se apresuró en abrazar. La mujer se echó en sus brazos y al momento aumentó la intensidad de su llanto como muestra del cariño que su marido sentía por aquel joven al que había tratado como el hijo que nunca tuvo.

—¡Ay, Víctor, ay, se nos ha ido! —gritaba la mujer—. Aquí está, aquí lo tienes.

Víctor, de la mano de doña Angustias, atravesó el gabinete que hacía las funciones de vestidor con sus armarios y el lavabo, y entró en el dormitorio del finado donde yacía el cuerpo del retirado sargento de policía. Allí le esperaba don Armando, en una caja de pino y rodeado de sus amigos y seres queridos.

El joven subinspector miró de soslayo al muerto, que le pareció, como siempre, inmenso. Pero ahora tenía la cara cerúlea, delgada, ajada, y en ella destacaba sobremanera la larga y puntiaguda nariz. ¿Por qué llevaba puesto su uniforme de sargento? Le quedaba grande. Era cierto, como se decía, que los viejos se consumen poco a poco.

A pesar de estar familiarizado con la muerte por su oficio y de haber visto cientos de cadáveres, no pudo evitar sentir un nudo en el estómago, una desagradable sensación que apenas le permitió esbozar un par de frases corteses.

—¡Qué guapo estás! ¡Estás hecho todo un hombre! —dijo entre sollozos la anciana.

Los sobrinos de doña Angustias la convencieron para que se sentara otro poco, pues el esfuerzo y la impresión la hacían jadear de manera preocupante, así que Víctor echó una mirada en derredor para repasar la lista de asistentes al duelo. Vio al comisario Buendía, al subcomisario Férez y a dos o tres sargentos de Sol. Había policías de otros distritos pero no los conocía. Inclinó la cabeza saludándolos y ellos hicieron otro tanto. Hacía calor allí pese a que los postigos estaban abiertos de par en par. Olía mal. Sintió un gran desagrado. Se dirigió a la cocina, situada al fondo, donde pidió a la criada un vaso de agua. Volvió a la estancia mortuoria y decidió sentarse en la única silla que encontró libre en el atestado salón, junto a la ventana. Estaba sofocado, le apretaba el nudo de la corbata y, además, le sudaba la frente sin cesar, por lo que se vio obligado a sacar el pañuelo para secarse el sudor una y otra vez. Se sentía incómodo. Entonces escuchó voces y comprobó que la calle se hallaba atestada de putas, chulos y chorizos que daban, a su manera, el último adiós al Molinillo, el último policía «como Dios manda» del viejo Madrid, un Madrid que se moría como el propio don Armando para dejar paso a una ciudad más moderna, más grande y más impersonal. Aquella urbe era ya un gigante que se nutría de la personalidad y las costumbres de los nuevos madrileños, los emigrantes, que llegaban a millares para construir una nueva y cosmopolita urbe orientada hacia los nuevos tiempos.

A Víctor no le agradaba demasiado verse rodeado por extraños, así que allí sentado, en aquella incómoda silla, y envuelto literalmente por una multitud de dolientes, el joven policía terminó recordando aquellos momentos en que don Armando Martínez, el sargento Molinillo», cambió su vida.

Después de su detención junto a Sol, justo al lunes siguiente, Víctor acudió a casa del sargento como éste le había ordenado. Era una tarde fresca de otoño, pero el joven no vestía abrigo ni capa. Le gustaba que la chaqueta le ciñera el estilizado talle, ya que, a su juicio, un gabán no hacía sino ocultar el gallardo porte que tan buenos resultados le daba en el galanteo con las chulapas, amas y criadas del Madrid céntrico.

Una vez en el primer piso donde vivía don Armando, situado en una humilde comunidad de vecinos de la calle de los Lucientes, Víctor mantuvo una larga y esclarecedora conversación con el rudo sargento, quien le hizo ver de alguna manera que había sido dotado por la naturaleza con las mejores cualidades que puede tener un investigador, a saber: buena memoria, capacidad de observación e intuición.

—A ello debemos añadir que eres un joven leído, Víctor, de manera que, si tú quisieras, yo podría garantizarte un futuro más que brillante en la carrera policial. Sé que estás resentido, sé que opinas que es más fácil arrancar por la fuerza a los poderosos lo que tú envidias, pero piensa en Ignacia, que te dio la vida. ¿Quieres que sea la madre de un delincuente?

—No —contestó el joven—. Eso es lo único que me convence de su argumentación.

—¿Sigues leyendo, hijo?

—Sí —contestó con aire cansino mirando hacia la ventana del salón de don Armando.

—¿Qué lees ahora?

—*La vida es sueño*, de Calderón.

—¿Y qué te parece?

—Pues eso, que bien podría ser todo un sueño —contestó con tono chulesco.

—Bien, bien. Y de política, ¿cómo andas?

—Leo los periódicos, pero eso no me da de comer.

—¿Eres liberal?

—No soy nada, soy de mi propio partido, soy de Víctor Ros Menéndez.

—Bien dicho, hijo. No te metas en politiqueos. ¿Sabes, Víctor? He hablado con un jefe de sección del Ministerio de Gobernación, que, por cierto, me debe un par de favores, y me ha dicho que necesitarían algo así como un ayudante allí mismo, en Sol.

—¡Ya, un chico de los recados!

—No, hombre, no. Una especie de hombre de confianza para llevar y traer despachos, hacer alguna faena dura, ya sabes, un poco de todo.

—Un chico de los recados —repitió el joven con fastidio.

—Pero de confianza. No todo el mundo entra en el Ministerio de Gobernación. Se tratan asuntos delicados, a veces de importancia. Conocerías gente, te irías curtiendo. Terminarías siendo un gran policía y, ¿quién sabe?, igual podías llegar muy lejos. La paga sería decente y, por otra parte, sé que el chaval que ocupaba ese puesto ganaba más sólo con las propinas que algunos agentes de a pie.

—¿Y qué ha sido de ese chaval?

—Ahora es policía en Alcalá de Henares. Va camino de ser el sargento más joven del cuerpo en breve plazo. Comprenderás que si te quiero colocar ahí es por algo. Sé que parece poco de momento, pero si tienes paciencia, en poco tiempo estarás bien situado. Piensa en doña Ignacia.

Muchas veces había pensado Víctor en ello en los años siguientes, pero el caso era que, sin saber muy bien por qué, aquel severo grandullón, aquel sargento rebosante de saber popular y don de gentes siempre lo convencía para que hiciera lo que él quería. Siempre fue así en los años que siguieron. De hecho, aquel lunes de noviembre, Víctor había acudido a casa de don Armando con un preparado y efectista discurso para que los dejara en paz a él y a su madre. Venía a ser un «váyase usted al cuerno, don perfecto» que nunca llegó a pronunciar. Salió de allí, en cambio, convertido en un simple recadero de un comisario de Sol, negándose una vida de lujo y desenfreno como delincuente para cambiarla por otra de abnegado y pobre proyecto de funcionario policial. ¿Era tonto? ¿Se había vuelto loco acaso? ¿Qué tenía aquel sargento que le hacía confiar en él?

Quizá don Armando era la ausente figura paterna que, sin saberlo, tanto había echado de menos, o quizá el joven encarnaba el hijo que el policía añoraba en secreto, pero desde aquel momento ambos hombres mantuvieron una relación de complicidad que halagaba a la madre del chico, doña Ignacia, y hacía que doña Angustias se felicitara por el indudable cambio que aquél había provocado en el severo y rígido sargento. Eran tal para cual. A don Armando le enternecía la chispa del chico, su rapidez mental y su carácter apasionado y fogoso. Le recordaba al joven emigrante murciano que llegara a Madrid con una mano detrás y otra delante para terminar siendo sargento de policía. El crío era una mina, tenía potencial y él lo sabía.

Por otra parte, el joven halló un guía, un referente que no sólo le ayudó a encaminar su vida del lado de la ley, sino que le transmitió todo lo que había aprendido a lo largo de su experiencia como servidor público. El veterano sargento era un perspicaz conocedor de la psicología del delincuente, y con él aprendió Víctor a juzgar a la gente a simple vista, a leer en sus ojos y en sus gestos como en un libro abierto. No era tan difícil. Al menos, con un buen maestro.

También don Armando contaba al joven historias y sucesos del Madrid antiguo que permitieron a éste descubrir otra ciudad diferente a la que conocía.

Por ejemplo, pasó a ver el mercado de la Cebada de manera distinta: de ser un vivero de pardillos donde sisar una cartera o una bolsa entre la multitud, aquel espacio se convirtió para él en el lugar donde dieron garrote a Luis Candelas. El bandolero por excelencia, el delincuente más querido por los madrileños, famoso por sus golpes audaces, que murió sin haber agredido a nadie, sin haber tirado

25

nunca de navaja y sin haber recurrido a la violencia jamás. Era un tipo peculiar que usaba el cerebro en lugar de los músculos. Víctor tomó buena nota de ello.

O la Cuesta de la Vega, sin ir más lejos, que dejó de ser para el joven un lugar en el que dejar atrás a los guardias menos ágiles que él y más lentos y achacosos, para convertirse en el rincón en el que, según la leyenda, el rey Pedro I el Cruel había desenmascarado con un truco simple y eficaz al verdadero asesino de un noble muy apreciado por él: el monarca se personó en el lugar de los hechos al enterarse y ordenó que nadie tocara el cadáver. Todos los paisanos que pasaban por allí miraban al muerto excepto uno, embozado, que pasó sin siquiera echar un vistazo. «Ahí tenéis al asesino», sentenció el monarca, que ordenó la detención del rufián.

Todas esas cosas le contaba don Armando y él las escuchaba fascinado.

A veces el raterillo se preguntaba cómo había surgido en el sargento el interés por ayudarle. Y es que Víctor no supo hasta mucho tiempo después que su madre cosía algunas tardes de domingo, a ratos, en casa de doña Angustias (ahora un zurcido, ahora una falda o un dobladillo) y que la pobre doña Ignacia había contando sus penas a la esposa de don Armando en más de una ocasión. Y precisamente la intervención de la mujer del policía hizo posible que el ocupado sargento se encargara de dar un buen susto a un audaz jovenzuelo que, la verdad, apuntaba alto en el mundo de la delincuencia.

A veces un destino se tuerce o se endereza ante una encrucijada, y Víctor Ros Menéndez sabía que don Armando los había salvado, a él y a su madre, de una vida de peligro, dolor, prisión y muerte. Y le estaría siempre agradecido por ello. Por eso se sentía huérfano ante la pérdida de aquel hombre. Pese a la distancia, nunca había dejado de pedirle consejo, se carteaban y se contaban sus cosas. Ahora que su madre y don Armando se habían ido, este mundo le parecía más frío y triste, muy triste.

–¿De vuelta a casa, Ros? –preguntó una voz sacando a Víctor de sus ensoñaciones. El joven policía se puso en pie y estrechó la mano de su interlocutor, Antonio Irún, un antiguo conocido de su época de recadero.

–Don Antonio, no le había visto.

–Apea el tratamiento, hombre. Entre colegas está mal visto. Por cierto, me han dicho que has ascendido a subinspector, ¿no?

–Sí, tuve suerte. ¿Y usted? Perdón, ¿y tú?

–Inspector, estoy en Chamberí. ¿Dónde paras?

–De momento creo que en Sol, en la sede del Ministerio de Gobernación. Allí me conocen y algo me dijeron de una brigada nueva.

Antonio Irún, alto, delgado, de amplio bigote y vestido con traje claro de mil rayas emitió un silbido de admiración.

–¡Vaya, vaya! ¡Quién lo hubiera dicho de aquel chico de los recados! Aprovecha ahora que tu estrella es ascendente. Avanzas rápido, porque tú andarás por los veinti...

–Veintisiete.

–Buena edad, Ros, veintisiete y subinspector, a mí me costó más quitarme el uniforme. A los treinta y cinco pasé a ir de paisano. Bueno, bueno... Entonces, por lo que veo, te quedas por aquí.

–Eso espero –asintió sonriendo Víctor.

–Nos hace falta gente como tú. ¿Has buscado casa?

–Estoy en una pensión, en la calle de las Huertas.

–Si necesitas algo, ya sabes. Me avisas y te busco otro lugar.

–No, no. Doña Patro, la dueña, parece una buena mujer, tengo un cuarto amplio y bien ventilado, la comida es buena, lavan y planchan bien y estoy a un paso del Paseo del Prado.

–Para pelar la pava, ¿eh?

Víctor rió la ocurrencia de su colega y repuso:

–No, no tengo tiempo para novias ahora.

–Pues aprovecha entonces y diviértete –repuso con expresión pícara Irún–. Ya sabes dónde me tienes, si se te ofrece algo, me mandas recado. No hace falta que te insista. He oído hablar maravillas de ti. Ya sabes, de lo de Oviedo.

Víctor bajó la mirada algo avergonzado ante el cumplido.

—Sí, aquello me valió el ascenso. Creo que tuve suerte en aquel trabajo —contestó con modestia.

—Bah, paparruchas. Ya lo decía don Armando: tú llegarás lejos. Te lo digo yo.

Capítulo 3

Al día siguiente, Víctor Ros Menéndez, flamante subinspector y prometedor miembro del cuerpo de policía, se presentó en las dependencias del Ministerio de Gobernación en la Puerta del Sol. Le asignaron un pequeño despacho que compartiría con Alfredo Blázquez, un veterano inspector. El nuevo compañero de Víctor resultó ser un hombre delgado, menudo y de incipiente calva, de mirada huidiza y bigotillo, que, al parecer, era un sabueso de reconocido prestigio en el cuerpo. Llevaba unas delicadas gafitas de alambre y de su aspecto apocado, sus lentes de gruesos cristales y una vocecilla que apenas le salía del cuerpo se desprendía una injusta imagen de timorato contable venido a menos que no hacía honor a la verdad. La realidad era bien distinta, como Víctor pudo comprobar en cuanto compartió un par de jornadas con su nuevo compañero y superior. Don Alfredo, por su parte, también quedó impresionado por las cualidades de su nuevo colaborador en el mismo momento de conocerse. Años después recordarían el incidente con cariño. Eran las diez de la mañana de un día soleado y hermoso. Al llegar a la oficina, don Alfredo se encontró con un joven sentado en su mesa. El desconocido estaba enfrascado leyendo un maremágnum de papeles que había desparramado sobre su desordenado cubículo y levantó la cabeza sonriendo al verle entrar.

–Vaya, don Alfredo, parece que esta mañana se le han pegado las sábanas.

—¿Cómo dice? ¡Si llego cinco minutos antes de la hora! —replicó, reparando en que el joven desconocido le había llamado por su nombre.

—¿Me equivoco entonces en mi apreciación?

—No, no —aceptó don Alfredo Blázquez asombrado—. Pero ¿nos conocemos?

El joven soltó una carcajada.

—Perdóneme, don Alfredo, tiene usted toda la razón. Pensará que soy un mal educado. Mi nombre es Víctor Ros Menéndez, aquí tiene mi tarjeta. Me acabo de incorporar a la brigada y me han comunicado que voy a trabajar con usted. Acabo de llegar del norte y he sido nombrado subinspector.

—Vaya. Entonces usted es el famoso joven que desarticuló la célula radical de Oviedo.

—El mismo —contestó con un aire lánguido en la mirada que don Alfredo no supo si atribuir a la modestia o a un rescoldo de cierta tristeza.

—Se dice que es usted un joven prometedor. Trabajó aquí, ¿no?

—Sí, empecé de botones. Por eso le he reconocido nada más entrar, don Alfredo, es usted una auténtica leyenda en el cuerpo.

—Naderías —dijo Blázquez halagado por el cumplido—. Por cierto, apéame inmediatamente el «usted». Somos compañeros.

—Dicho y hecho. Disculpa que haya utilizado tu mesa, pero aún no han traído la mía y quería ponerme al día.

—Nada, nada, joven, si vamos a ser compañeros, lo mío es tuyo.

—Muchas gracias. Me han indicado que me ponga a tus órdenes, que me mantendrías al corriente.

—Mejor salimos un rato y hablamos delante de un café. Me temo que tenemos trabajo por delante.

—Me parece una idea excelente, Blázquez. Habrá que organizarse y qué mejor manera de hacerlo que charlando ante un café.

Entonces, antes de salir, el inspector le preguntó:

—Por cierto, Víctor, ¿cómo has sabido que se me habían pegado las sábanas?

Él lo miró esbozando una sonrisa y le dijo:

—Una tontería, Alfredo, una tontería. Resulta que le recuerdo, perdón, te recuerdo como un hombre que aunque no demasiado atildado, vestía siempre con corrección y he observado que has llegado con un chaleco que no corresponde con esa chaqueta, efecto de la prisa, sin duda. La chaqueta es marrón clara y el chaleco es de color similar, sí, pero algo jaspeado y parece grueso, de invierno. No llevas tu reloj de bolsillo, objeto que, según recuerdo de mis tiempos de botones, siempre llevabas contigo y, además, tienes el bigote lleno de migas de lo que parece un bollo.

—Magdalenas.

—Pues eso, magdalenas. Migajas que también cubren parte de la pechera, lo cual demuestra que has desayunado a toda prisa por algún motivo. Si a ello unimos que llevas una marca que atraviesa en sentido longitudinal todo el rostro y que sin ninguna duda se debe a alguna arruga de las sábanas, podríamos decir que hace menos de media hora estabas aún acostado.

—Brillante. Simple, pero brillante —reconoció el veterano con la boca abierta—. Lamento no recordarte de tus tiempos de botones con la misma lucidez que tú a mí, pero debo confesar que dicho así tu razonamiento parece bastante simple.

—Ésa es la clave, la sencillez en los razonamientos, no olvides, mi admirado Alfredo, que la distancia más corta entre dos puntos es...

—¡La línea recta!

—Exacto. Soy un apasionado del razonamiento deductivo, la realidad está ahí, sólo tenemos que saber verla. A veces, uno o dos pequeños detalles nos permiten sacar evidentísimas y contundentes explicaciones sobre los hechos y personas que nos rodean. Es lo que muchos llaman pre-

31

juicios y yo califico, simplemente, como capacidad de observación, posjuicios en realidad.

—Pero eso se tiene o no de nacimiento.

—Aciertas, pero también te equivocas. Es cierto que algunas mentes tienen facilidad para entrever en los pequeños detalles aquellos aspectos que otros nos intentan ocultar, pero esta facultad es sin duda mejorable. Un buen entrenamiento en el método deductivo puede hacer que una mente digamos normal, termine convirtiéndose en un afilado instrumento de punción detectivesca. Aunque comprenderás que desvelando su método, el investigador en cuestión deja de parecernos un superdotado para asimilarse a uno más de los mortales.

—En efecto —dijo Blázquez, algo desbordado ante la verborrea del joven.

—Y ahora, creo que después de esta pequeña y humilde exposición, deberíamos acudir a hacer efectivo ese café prometido —añadió Víctor abriendo la puerta.

—No puedo estar más de acuerdo —contestó Blázquez tomando su sombrero y su bastón. Estaba impresionado, para qué negarlo.

Ambos policías salieron del cuarto rebosantes de ilusión. Pertenecían a la recién creada Brigada Metropolitana que tenía como objetivo erradicar de raíz el crimen del Madrid más céntrico así como vigilar los grupúsculos de delincuencia organizada que comenzaban a mostrarse más activos tras los sucesos de 1868. Las mentes pensantes del ministerio querían que el nuevo grupo centrara su atención en la resolución de homicidios que, por desgracia, comenzaban a incrementarse de manera alarmante con los nuevos tiempos y con el aumento de la población de la Villa.

Saludaron al agente Abenza, un tipo fortachón de enormes bigotes, de guardia en la puerta, y al que don Alfredo preguntó:

—Qué, ¿cómo se nos ofrece el panorama epidemiológico?

A lo que el otro repuso muy serio:

—Según el *Siglo Médico*, durante la semana que termina han predominado las fiebres gástricas, reumáticas y tísicas con predominio de los síntomas nerviosos así como las inflamaciones pulmonares y pleuríticas francas y de buen carácter.

—Vaya... —murmuró Víctor sorprendido.

—Y de las criaturas, ¿qué me dices, Aniceto?

—Que continúan presentándose con igual frecuencia que en la semana pasada las fiebres eruptivas, así que cuídese mucho de su nieta.

—Así lo haré —dijo Blázquez con aire divertido mientras se encaminaban ya hacia el café Levante—. Ahí donde lo ves, ese mocetón es un aprensivo de cuidado.

—Pero si es un animal. Nunca en mi vida había visto a un tipo tan grande.

—Pues ya ves. No hay pócima ni brebaje que no se compre y, lo peor, ¡se los toma! Teme mucho a las miasmas. Increíble, ¿verdad?

Cruzaron la concurrida Puerta del Sol caminando entre los tranvías de tracción animal y los coches de alquiler. Era un espacio amplio desde la última reforma que la había convertido en el centro neurálgico de Madrid con su perfecto empedrado surcado por los raíles de los tranvías y sus estilizadas farolas de color claro. Al fondo, los inmensos toldos de cafés y hoteles daban un aspecto colorista a la extensa plaza. La reforma de Sol había costado lo suyo, pues se creó una comisión a tal efecto que alcanzó a aprobar hasta siete proyectos diferentes. Llegó a darse el caso de que dicha comisión aprobara un diseño realizado por tres ingenieros para encargar uno nuevo al día siguiente... a uno solo de aquellos tres técnicos. Al menos el resultado final había gustado a los madrileños. La temperatura era agradable, pues ya estaba entrada la primavera y las jóvenes pululaban aquí y allá con sus sombrillas abiertas, pugnando entre ellas por cuál lucía el sombrero más primoroso. Los varones comenzaban a vestir sus trajes de entretiempo e incluso aparecía ya algún que otro sombrero de paja, más propio de la estación más cálida.

Se veía pasar aquí y allá a los pudientes huéspedes de hoteles como el Londres, el Príncipe o el Universo acompañados por criados y mozos de carga que portaban enormes baúles, amplios sombrereros y todo tipo de bagajes. Los gritos de los aguadores ofreciendo agua, azucarillos y aguardiente resonaban entre los de los vendedores de prensa, que a voz en grito pregonaban los titulares de los periódicos. Había mucho trasiego de paisanos a aquella hora de la mañana y el café Levante estaba casi lleno. Tuvieron suerte y encontraron una mesa libre. Don Alfredo pidió café y churros para los dos al camarero y, quitándose las gafas, preguntó:

—Y bien, compañero, ¿de qué pie cojeas?

—¿Cómo?

—Sí, de política. Te lo preguntaré de otro modo. ¿Cuál es tu café favorito?

—Quizá el Lorencini —dijo Víctor tras dudar entre varios.

—¡Acabáramos! Me ha tocado un compañero liberal. Allí se reúnen los Amigos de la Libertad.

—Sí, Alfredo, sí, pero me gusta frecuentarlos todos. Ya sabes, picotear aquí y allá. Oír lo que se comenta en los mentideros.

—Como buen policía.

—Exacto, sí. Por cierto —dijo Víctor, y tras una pausa ante la llegada del camarero, prosiguió—: Como buen veterano que eres, me has preguntado por mi filiación política y no me has dicho la tuya.

Alfredo Blázquez sonrió mojando un churro en su café.

—No se te escapa una. Bien, te diré que no soy ni de unos ni de otros; es más, te contestaré con unos encantadores versos que hace cosa de un par de años leí en *El Eco de España* y que decidí adoptar como guía de comportamiento a este efecto:

Yo no tengo antipatía / ni a la augusta monarquía / ni a la república augusta / viviendo como en el día/ cualquier sistema me gusta.

Víctor sonrió diciendo:

—No es mala filosofía.

—No, hijo, no. Pero te preguntaba porque si vamos a ser compañeros no debe haber secretos entre nosotros. Ya sabes que se dice que todo hombre debe hacer una triple elección en la vida: estado, profesión y café. Ya sé cuál es la tuya, pero, a mi manera de ver, a esa terna le falta un ítem.

—¿Sí?

—Torero. Hay que elegir torero.

—¿Te gustan los toros, Alfredo?

—Con locura.

—Vaya, pues yo no sabría decirte.

—Pero tendrás tus preferencias.

—Es que nunca he ido.

—¡Cómo! ¡Inaudito!, ¡un madrileño que no conoce el arte de Cúchares! Tendremos que arreglar eso. ¡La cuenta! —dijo Blázquez apurando su café.

Cuando salían del concurrido Levante, Víctor se detuvo y dijo:

—Alfredo, no me has dicho cuál es tu elección. Ya sabes, tu torero.

—¿Cuál va a ser? Frascuelo —repuso como el que comenta una obviedad—. Eso sí es toreo y no lo de Lagartijo, que la última vez que se arrimó a un toro fue en un mesón, a la cabeza disecada de uno que había matado Frascuelo, que ése sí que se arrima. Y ahora, hijo, vamos a trabajar.

Años después, con la perspectiva que proporciona el paso del tiempo y con la sabiduría que dan la edad y las muchas experiencias vividas, Víctor recordaba con nostalgia aquellos inciertos días de su regreso a Madrid. Estaba ilusionado por su vuelta a la capital y por el brillante futuro que, al parecer, le esperaba en el cuerpo de policía, pero, por otra parte, aunque lo ocultaba, se sentía más vulnerable que nunca.

Luego supo, ya en la edad madura, que en esos días se forjó su personalidad definitiva, la de su vida adulta. Estaba perdido, la verdad; había cultivado una fachada que impresionaba a los demás, la de un joven apuesto, brillante y de mentalidad moderna, renovadora, pero en el fondo, en muchos aspectos, era un mar de dudas. Se sentía huérfano por su madre y por don Armando, y Madrid había crecido mucho, demasiado.

Se veía como un extraño en su propia ciudad y tras los sucesos de Oviedo, donde había traicionado la confianza de muchos, percibía en él la misma falta de arraigo que tienen los perros callejeros.

Le gustó su nuevo compañero desde el principio. Alfredo Blázquez era un hombre tranquilo que sólo se alteraba al hablar de toros o cuando su nietecita caía enferma. Por lo demás, era hombre curtido en mil batallas, quizá algo escéptico o descreído, lo cual venía bien a la hora de frenar los impulsos de Víctor, que, más idealista debido a la juventud, a veces se dejaba llevar en exceso por sus ideas liberales.

A don Alfredo, por su parte, le agradaba el carácter transgresor de su ahora nuevo compañero, aunque en ocasiones le intimidaban un tanto sus disertaciones científicas y su afán de cambio. Aquel joven amante de la razón y la lógica destacaba demasiado en un cuerpo de policía que se movía con la torpeza de un dinosaurio. Cualquier cambio en el sistema era sopesado con parsimonia, analizado y sometido a consultas de los superiores. Era habitual que una reforma cualquiera, perdida en la inmensa burocracia que paralizaba el sistema, estuviera ya anticuada en el mismo momento de su aprobación. Así era aquel país que luchaba por adaptarse al nuevo siglo. Contradictorio, católico y tradicional a veces, anticlerical y abierto en otras ocasiones. Una locura. Víctor era un hijo de aquella nueva sociedad que empujaba con sus «moderneces» al antiguo régimen, y es que el mundo estaba evolucionando demasiado rápidamente para el gusto de Blázquez.

El pequeño despacho de Víctor y don Alfredo resultó ser una cálida estancia que daba a la parte trasera del edificio, a la calle de Carretas. Estaban a las órdenes del comisario Buendía, un madrileño de los de toda la vida, rechoncho, vital y de mandíbula inferior algo saliente, lo que había provocado que sus hombres le llamaran a sus espaldas el Mastín. Era un hombre terco, de la calle, que al igual que el joven Víctor había salido de la nada para llegar a desempeñar un cargo de responsabilidad.

Los primeros días en su nuevo puesto resultaron plácidos para don Víctor, pues así era como todo el mundo había comenzado a llamarle ya. Sentía que era tratado con respeto y consideración por sus compañeros y sabía que ello se debía a su decisiva participación en la desarticulación de la célula radical de Oviedo en los días previos a la revolución de 1868. Él, por su parte, no se sentía muy orgulloso de aquel trabajo, que le había valido un buen destino en Figueras y un posterior ascenso que le perfilaba como uno de los valores en alza de un cuerpo que pretendía modernizarse con los nuevos tiempos. Víctor continuaba siendo el hombre inquieto que gracias a su insaciable afán de lectura había abandonado su condición de raterillo para convertirse en alguien con un brillante futuro por delante, pero un pensamiento le asaltaba de continuo, un runrún de su mente que le hacía sentirse culpable por haber traicionado a quienes en un momento dado le habían considerado un amigo. Nadie en el cuerpo de policía había logrado infiltrarse de aquella manera en los círculos radicales. Para eso lo enviaron a Oviedo siendo aún un bisoño y desconocido agente que se hizo pasar desde el principio por un joven emigrante en busca de trabajo, Paco Gil.

Con su nueva identidad, Víctor supo, poco a poco, ganarse la confianza de los más reconocidos prohombres del Oviedo liberal para terminar por infiltrarse en el mundo de los radicales de la capital asturiana. Tres años tardó en ser reconocido como uno más. Tres años de lecturas en los que

Descartes, Voltaire, Jefferson y otros fueron ocupando su mente. Tres años de debates, de conspiración, de ilusiones....

Víctor remató aquel trabajo propiciando la detención de ocho individuos a los que se achacaba la autoría de tres atentados con explosivos y un asesinato. En la soledad de su cuarto se decía a sí mismo que no había traicionado los ideales que propugnaba el espíritu liberal que había terminado por impregnarle. Intentaba razonar y pensaba que aquellos eran unos radicales que perjudicaban la causa de la modernización de España, del anticlericalismo más pausado pero efectivo, del racionalismo, la democratización y la defensa de un pueblo sufrido, analfabeto y débil que necesitaba la ayuda de personas mejor preparadas que terminaran con el antiguo régimen desde dentro del mismo. Se hacía necesaria una revolución apacible que actuara de manera encubierta y paciente pero no por ello menos eficaz e inexorable. Los radicales amenazaban con dar al traste con todos esos sueños, los sueños de multitud de liberales del país. Y es que Víctor, por sus lecturas, había terminado por convertirse en un liberal. Eso era seguro. Demasiado tarde quizá, pero liberal a fin de cuentas. Por eso, tras el asunto de Oviedo, quiso evitar destinos relacionados con el control político de la población y prefirió centrarse en la lucha contra el crimen en su más cruda y triste expresión: los asesinatos, robos y violaciones que, por desgracia, se daban casi a diario en la bulliciosa capital del reino.

Solía frecuentar, en efecto, las tertulias de los cafés madrileños. Iba a escuchar y aprendía, gozando de veras con la compañía y las peroratas de las más abiertas y progresistas mentes del país. El subinspector aprovechaba también aquellos primeros días de su estancia en Madrid para disfrutar de la primavera, paseando al atardecer por Recoletos, el Paseo del Prado o el Retiro. Después frecuentaba el café Universal en la calle de Alcalá que le agradaba por sus parroquianos republicanos y progresistas, aunque lo mismo le ocurría con el Iberia, en la Carrera de San Jerónimo. Casi todos caían cerca de su pensión y allí escuchaba, leía la prensa y se cultivaba a diario. Conoció a un tal Galdós y a Pablo Iglesias. Ambos le causaron una gratísima e imborrable impresión. A veces se acercaba al café Levante, situado en la misma Puerta del Sol, y en otras ocasiones frecuentaba el Lorencini (quizá su preferido) o el San Sebastián. También le gustaban la Fontana de Oro y el Gato Negro. Al caer la noche, después de cenar, se retiraba a su cuarto a leer, fumaba en el salón con los otros huéspedes o tomaba el bastón y el sombrero y salía «a dar una vuelta». Casi siempre se encaminaba hacia la Ronda de Embajadores, a La Casa de Rosa, un elegante pero caro prostíbulo en el que el joven policía aplacaba sus ardores. Le gustaba sobre todo la Valenciana, una joven de unos diecinueve años, morena, de grandes ojos marrones, largas pestañas, prieto trasero y turgentes senos. Era despierta y graciosa. Le agradaba, aunque estaba ligeramente por encima de sus posibilidades: tres duros era mucho dinero para una sola noche. Víctor supuso que gustaba a la chica, pues ésta le rebajó su tarifa a doce pesetas, aunque luego pensó que quizá lo hacía simplemente porque era policía. Aun así, el caso era que al menos allí olvidaba sus penas por una o a lo sumo dos noches por semana. Lola era una joven de carácter alegre que había superado un pasado duro en su Sagunto natal. Supo Víctor por una compañera que la joven se había escapado de casa a la edad de trece años ante los continuos abusos que sufría, primero de su padre y más adelante de sus dos hermanos mayores. Al parecer, los tres eran unos desalmados que se ganaban la vida delinquiendo y tirando de navaja. Gentuza. Aunque formaba parte de su trabajo, a Víctor le resultaba difícil acostumbrarse a aquellas tragedias.

Ella nunca hablaba de aquello.

Por otra parte, el trabajo resultaba casi rutinario. Junto con su compañero don Alfredo, se veía obligado a recoger más y más información, ya que el comisario Buendía insistía en que se preparara un buen y nutrido archivo policial. Tenían que clasificar la información de criminales, asesinatos, desapariciones y robos del pasado de manera científica y eficaz, a fin de que cualquier agente pudiera acceder a dichas referencias con facilidad a la hora de perseguir delincuentes. Quitando un parricidio, el robo a la Fonda Europa o la desaparición del banquero Luis de Malta —cuando resultó que «el desaparecido» se había fugado con una puta a París—, el resto del tiempo en Sol no era más que rutina, pura rutina.

Por aquellos días, Víctor se sentía solo, huérfano en un mundo ruidoso y hostil que lo ignoraba con la más cruel indiferencia. El recuerdo de su madre muerta hacía ocho años arrollada por los caballos de un carretero borracho no era más que una neblina de un pasado que parecía haber desaparecido para siempre. Iba a verla al cementerio el primer domingo de cada mes y hablaba con ella. Suponía que allí donde se encontrara, debía de sentirse orgullosa de su hijo. También visitaba la tumba de don Armando. Era lo más parecido a un padre que había tenido en su vida.

El mundo le parecía triste, quizá por efecto de su trabajo, en el que sólo tenía conocimiento de tragedias, crímenes y el lado más cruel del ser humano. Había perdido la ilusión de los primeros días, no cabía duda.

A veces se cruzaba con antiguos compinches suyos de La Latina. La mayoría no le reconocía. Con su recortada barba y su complexión algo más atlética que en su adolescencia, aquellos correligionarios del pasado no caían en la cuenta de que se habían encontrado con el Extremeño. Había adoptado aquella barba corta y bien cuidada —que a decir de las jóvenes le sentaba bastante bien— tras salir triunfante del trabajo de Oviedo. Era una forma de cambiar de aspecto y empezar de nuevo. Una nueva cara para una nueva vida.

CAPÍTULO 4

Corrían los primeros días de abril cuando su compañero, don Alfredo, le invitó a visitar su casa por primera vez. Aquel día lo encontró de muy buen humor al entrar al despacho. Blázquez leía el periódico con una amplia sonrisa.

—Mira, hijo —dijo alzando *El Imparcial*—. Los han condenado a muerte.

—¿A quiénes?

—A dos maleantes cuyo caso llevé. Un hecho luctuoso. Habrás oído hablar de él: el crimen de la calle Feijoo.

—Ah, sí, claro. Recuerdo que hubo un revuelo importante con aquello. ¿Lo cerraste tú, Blázquez?

—Sí, Ros, sí, y debo decir sin miedo a ser inmodesto que me alegra que su señoría haya refrendando con su sentencia lo que yo concluía en mi investigación: que tanto Antonio Aguilar, barbero de treinta y dos años, como Pelayo Enrique Molló, teniente del ejército carlista de veinte, asesinaron al pobre cochero Antonio García en su propia casa para robarle su berlina Clarens y su caballo.

—¿Y seguro que fueron ellos?

—Pues claro; los vieron salir de la vivienda, un bajo. Y a doscientos pasos de allí, donde el muerto tenía arrendada una cochera, se localizó una tumba que habían excavado para ocultar el cuerpo. Los muy canallas...

—Vaya, premeditación y alevosía.

—Y nocturnidad. Pero el casero que escuchó gritos de «¡que me matan!», los vio salir manchados de sangre y les echó a la gente encima. Además, el más joven confesó.

—Lo trabajaron en el calabozo, claro.

—¿Cómo había de confesar, si no?

—No me gustan esos métodos, Blázquez. Soy partidario de demostrar con pruebas quién es el verdadero criminal. Creo que al cuerpo le sobra brutalidad y le falta seso.

—Pero si llevaban encima un cuchillo de carnicero y una navaja que coincidían con las heridas de la cabeza del fallecido…

—Eso es otra cosa. Y ese joven, el carlista, ¿dices que confesó?

—Le echó la culpa al otro.

—Lo normal. No te lo tomes a mal, Alfredo, pero me aburren estos casos tan brutales, tan claros. Qué tipos tan primitivos. Matar a alguien para robarle su coche de alquiler, qué simpleza. Era evidente que acabaríamos cazándolos. Me gustaría que nos enfrentáramos a criminales de verdad. Auténticos malhechores que pusieran a prueba nuestras verdaderas capacidades.

Víctor Ros no sabía lo profético de sus palabras en aquel momento.

—Ya. Como los de las novelas —respondió Blázquez.

—Exacto. Por cierto, pásame el periódico que lea el capítulo de hoy.

—*La caza de fantasmas*, novela escrita en francés por Armand Lapointe —leyó don Alfredo.

—La misma. Esas historias extraordinarias sí que estimulan la inteligencia y no ese caso truculento por el que sin duda te condecorarán.

—Truculento pero cerrado. Les darán garrote.

—Sus abogados apelarán, ¿no es así?

—Es cosa de tiempo, Víctor. Así que, aunque modesto, es un caso que merece celebración. Te espero en mi casa para tomar un chocolate con bizcochos. Esta tarde. Y no te acepto excusa alguna.

Aquella misma tarde, Víctor se presentó en casa de su compañero con unos deliciosos bartolillos. Allí conoció a la esposa de Blázquez, Mariana, a su hija Ginesa y al marido de ésta, Luis Alberto, un joven pasante que luchaba por abrirse camino en el ingrato panorama legal de la capital. El bisoño abogado era un hombre de familia humilde como Víctor. La niña estaba con los abuelos paternos, así que no pudo conocer a la nieta de su compañero aquella tarde. El «visiteo» era algo que formaba parte de la vida de Madrid tanto como el teatro por horas, la zarzuela o las verbenas. Todo el mundo visitaba a sus conocidos, sobre todo cuando había algún enfermo en la familia o se iba a partir de viaje. Cada visita debía ser devuelta en poco tiempo para cumplimentar a los amigos como era debido; se trataba de una manera de reforzar los lazos sociales entre iguales.

La familia de Blázquez ocupaba nada menos que el principal de un edificio situado en la calle del Prado junto a la esquina de la Banca de León y frente a la casa del ministro Sartorius. El piso era espacioso, de tres dormitorios con sus respectivos gabinetes, un amplio salón para las visitas, cocina, retrete y despensa. Una excelente vivienda de gente de cierto acomodo. Pasaron una tarde agradable degustando el delicioso chocolate que había preparado la propia Mariana y que fue servido por la criada, Loli, una murciana de formas generosas y desbordante desparpajo. Charlaron de política. Víctor y Luis Alberto se mostraban algo cansados de la actitud del gobierno, pues según denunciaban los periódicos liberales, Cánovas se resistía a ceder el poder, como debía, a los constitucionales de Sagasta, el sector más tibio de los liberales. Blázquez no entendía la indignación de los dos jóvenes, pues opinaba que todos los políticos eran iguales. «Los mismos perros con distintos collares», solía decir. Los más jóvenes, por su parte, entendían que había de cumplirse la alternancia que marcaba la Constitución que el mismo Cánovas había promulgado hacía un año para lograr reinstaurar una monarquía, esta vez parlamentaria.

—Si todo esto es una farsa —decía el yerno de Blázquez, que simpatizaba con los radicales—. La participación en las municipales de hace un mes fue apenas del treinta por ciento.

—¿Para eso queríais el sufragio universal? —terció don Alfredo sonriendo.

—Ése no es el problema, Blázquez —dijo Víctor—. La gente más humilde no votó porque en la mayoría de los municipios de España sólo se podía votar a los conservadores. El único sitio donde sé que ha habido más de dos opciones es La Latina, con un candidato conservador, uno de los constitucionales y otro de los radicales. Aunque no sirvió de mucho, la verdad, porque salió el candidato que apoyaba al gobierno, el conservador. Este sistema, de seguir así, terminará siendo caciquil.

—Ya lo es —dijo Luis Alberto.

—Espera a que Sagasta pueda formar gobierno y verás cómo las cosas cambian.

—Cánovas no dejará que ocurra. Eso de la alternancia es algo que dice sólo de boquilla —repuso el yerno de Blázquez.

—Sagasta sabe lo que se hace. Se gana mucho más siendo moderado. El sistema sólo podrá cambiarse desde dentro, gradualmente —replicó el joven subinspector—. Práxedes Mateo Sagasta ha sabido evolucionar desde los postulados más radicales de su inicial militancia política hasta la moderación que ha de traer la modernización del país. Incluso Cánovas, con el que no simpatizo, ha sabido vislumbrar que necesitamos un período de estabilidad para poder salir adelante. La idea de esta monarquía parlamentaria fue suya, él trajo al rey y creo que cumplirá su parte garantizando la alternancia de los dos partidos en el poder. Debemos ser pacientes y cambiaremos el mundo.

—Bueno, bueno —dijo Mariana—. Dejémonos de política y juguemos a algo. Yo elijo el juego.

Pasaron el resto de la tarde jugando a la berlina. Una distracción que consistía en que todos los invitados permanecían sentados cerca unos de otros, excepto uno de los jugadores que lo hacía aparte, «en la berlina». Entonces todos formulaban una frase ocurrente o un dicho que alguien se encargaba de transmitir al ocupante de la berlina.

Éste debía averiguar quién había pronunciado cada frase y, si acertaba, el desenmascarado pasaba a sentarse aparte para «pagar» por haber sido identificado. Era un juego inocente que resultaba divertido si los participantes eran ingeniosos y si reinaba, como solía, el buen gusto. Todos reían divertidos ante la perplejidad que mostraba don Alfredo, porque siempre era descubierto a causa de sus frases y dichos en los que de continuo atacaba a su odiado Lagartijo. Parecía un niño cuando hablaba de toros. Víctor se sintió amparado y querido con aquellos nuevos amigos. Él no sabía lo que era tener una familia como aquella. Se felicitó de haber entrado en la vida de aquella buena gente.

Una tarde, a principios de mayo, sucedió algo que hizo que Víctor saliera de la rutina. Hasta entonces se hallaba perdido, sin rumbo, pero desde aquel momento encontró una ilusión que no era malgastar la paga en los prostíbulos de Embajadores o de la plaza de las Armas. Ocurrió deambulando por el Paseo del Prado, junto a la elegante verja que lo separaba del Jardín Botánico que construyeran en su tiempo Francisco Arrillaga y Pedro José de Muñoz. Mataba el tiempo escuchando entre los corros a la gente, que se mostraba consternada por un suceso acaecido en Carabanchel: al parecer, un matrimonio de jóvenes había acudido a visitar a los padres de ella, ancianos y enfermos, cuando la casa se había derrumbado con todos dentro. Una tragedia.

Paró en un puesto y pidió una clara con limón para refrescarse. Fue entonces cuando, bajo el frescor de la sombra de los inmensos árboles y embriagado por la combinación de fragantes olores primaverales procedentes del magnífico jardín, Víctor Ros Menéndez se enamoró. La vio venir mientras saboreaba el ligero aroma alcohólico de su cerveza con gaseosa. Iba acompañada por su ama y caminaba con la sombrilla apoyada con gracia en el hombro derecho. La joven sonrió al ver a unos pilluelos que hacían rabiar a un perro de aguas que alguien había atado a la verja ornamental que rodeaba al Botánico. Le pareció un ángel. Su risa era agradable, fresca y suave. Su boca, su dentadura y sus labios, perfectos. El cabello, recogido en un moño y tocado por un discreto sombrero azul, parecía del color del trigo bañado por el sol de verano. Sus ojos eran claros y su talle esbelto. Tenía las mejillas algo sonrosadas.

—Vamos, Clara —dijo el ama con voz severa.

La chica, que había quedado rezagada, se apresuró a ponerse a la altura de su aya. Pasó junto a él dejando en el aire un maravilloso olor a lavanda.

Víctor quedó petrificado.

Las siguió hasta el Salón del Prado, una amplísima explanada de sección rectangular que acababa en una amplia plaza con una fuente circular en el centro, La Cibeles, un proyecto de Ventura Rodríguez desarrollado a instancias de Carlos III. Estaba situada sobre una gradería circular de cuatro peldaños y rodeada por una verja que impedía el acceso directo a la fuente. Al principio, ésta sólo constaba del carro con la estatua; más adelante se añadieron los dos leones, Atalanta e Hipomecos. A Víctor le parecía hermoso aquel inmenso conjunto, orientado hacia la otra fuente que señalaba el fin del Salón, la de Neptuno.

El Salón del Prado estaba situado entre San Jerónimo y Alcalá, entre Cibeles y Neptuno y allí se daba cita cada tarde el todo Madrid. Algunos privilegiados paseaban por un espacio dotado de bancos que llamaban «el gabinete» o «París», debido a la muy distinguida concurrencia que se daba cita en dicho lugar. Otros miembros de la nobleza o la alta burguesía preferían caminar por la zona más amplia o despejada, junto a los coches, donde también se podía hacer ostentación de carruajes y monturas, mientras que el pueblo llano, por su parte, debía conformarse con pasear en la arboleda próxima a San Fermín. Desde allí precisamente, Víctor Ros vio que la moza se reunía con su familia. Un hombre de edad —debía de ser el padre—, de porte aristocrático y poblado bigote, una distinguida dama −pensó que sería la madre, pues se le parecía− y una pareja de jóvenes que, a juzgar por su actitud, pelaban la pava. La carabina volvió por donde había venido y la joven y sus cuatro familiares caminaron durante un buen rato por el paseo. Víctor intentó no mirar con mucho descaro. No era educado. Aquella misma noche fue a ver a la Valenciana.

Apenas tres días tardó Víctor en averiguar cuanto quería sobre la bella joven y su familia. Ella se llamaba, en efecto, Clara. Clara Alvear. Acababa de llegar de un prestigioso internado suizo en el que había permanecido tres cursos y contaba veinte años de edad. En su reaparición en sociedad había causado una gratísima impresión al Madrid más selecto, en el que ya se rumoreaba que el padre de la joven andaba a la busca de algún pretendiente de postín para su hija. Gracias a sus contactos, a los archivos de la Dirección General de Seguridad y algún dinerillo invertido en sobornar a un par de cocheros −los mejores y más fiables observadores de toda la capital−, el joven subinspector pudo saber que el progenitor de la joven era don Augusto Alvear, conde de Teresillas, un noble asturiano venido a menos que desempeñaba el cargo de subsecretario de Fomento con más pena que gloria. Hombre políticamente conservador, había casado con doña Ana Escurza, duquesa de Castrobeniel, una mujer piadosa y tradicional que le había dado dos hijas, Aurora y Clara. La joven Aurora había sido prometida a Donato Aranda, hijo de don Antonio Aranda, «el Rey del Lino», un empresario de origen catalán famoso por sus factorías de Martorell y por sus continuas fiestas, cacerías y alardes que no tenían otro objetivo que conseguir que su primogénito emparentase con alguien de la alta sociedad y lograra un título nobiliario.

En el azaroso siglo que corría, muchas familias de la considerada nobleza tradicional habían visto cómo disminuía su patrimonio como resultado de la irrupción en sociedad de una nueva clase, la alta burguesía, toda una panoplia de nuevos ricos que gracias a lucrativas gestiones comerciales, inmobiliarias e industriales, habían llegado a amasar fortunas de proporciones grandiosas. Como la nobleza al uso debía su riqueza a la propiedad de enormes fincas en provincias, abandonadas e improductivas, ya que la actividad agrícola comenzaba a ser menos rentable que otros tipos de operaciones mercantiles, dicho estrato social comenzó a ver cómo iba mermando su riqueza hasta tener que malvender sus tierras y latifundios para poder mantener el elevado y lujoso ritmo de vida propio de la capital del reino. Sostener varios coches, caballos, servidumbre, dar fiestas, asistir a la ópera y al teatro era algo muy costoso que, indefectiblemente, terminaba por vaciar la bolsa de la familia más acaudalada. Además, la irrupción de la burguesía en la vida de sociedad había elevado el listón de celebraciones, ágapes y bailes. Muchas familias nobles se habían arruinado por ello. Al principio, la actitud de la aristocracia madrileña fue clara, no se permitió el acceso de los advenedizos a los círculos más selectos, pero poco a poco fueron muchos los que comprobaron que el contacto con los nuevos burgueses les reportaba evidentes y jugosos beneficios. Los recién llegados no tenían inconveniente en gastar el dinero a manos llenas si con ello conseguían ser aceptados en la alta sociedad, por lo que muchos de ellos comenzaron a emparentar con la rancia nobleza adquiriendo los unos un título nobiliario que tanto ansiaban y, los otros, unos caudales que les permitían seguir adelante y mantener su elevado tren de vida.

Tal era el caso de don Augusto Alvear, quien, al decir de las malas lenguas, se había visto obligado a vender la casona familiar que heredó en Asturias, así como sus tierras en el Principado y una enorme finca de Extremadura que correspondió en herencia a su esposa. Por ello, para mantener el nivel de vida en la corte y para reponerse de las pérdidas que al parecer había sufrido en la Bolsa, don Augusto había prometido a su primogénita con el hijo del

Rey del Lino, otorgándole una dote testimonial y recibiendo por el casamiento una suma que los más osados cifraban en unos cinco millones de reales. Ése era el precio que había pagado el rico industrial de Martorell para que su hijo, Donato, abogado de prestigio, heredara el título de conde de las Teresillas al fallecimiento de su empobrecido suegro. Se rumoreaba que don Augusto había perdido un dineral en el famosísimo Timo de doña Baldomera, asunto que Víctor conocía a la perfección, pues el caso había sido resuelto el año anterior con diligencia por don Alfredo, quien le había contado todos los detalles. Al parecer, doña Baldomera, una de las hijas del célebre escritor y periodista Mariano José de Larra, había fundado en 1876 un banco en el que prometía beneficios de a duro por peseta invertida. Al principio, la inteligentísima timadora pagaba religiosamente, por lo que miles de madrileños se lanzaron en masa a invertir sus ahorros en aquel negocio seguro. De entre todos los delincuentes, Víctor sentía cierta simpatía por los timadores, gente que utilizando su ingenio era capaz de levantar el dinero a sus cándidas víctimas sin derramar un sola gota de sangre. Doña Baldomera había tendido hábilmente el anzuelo y la mayoría de los timados no fueron víctimas sino de su propia codicia. El 1 de diciembre de dicho año, la señora acudió al Teatro de la Zarzuela; a la salida le esperaba un carruaje que la condujo a Pozuelo, desde donde tomó un tren que la llevó hasta París con un botín inmenso: ¡ocho millones de reales! Más de uno llegó incluso a suicidarse al comprobar que sus ahorros de toda la vida habían volado. Y don Augusto era uno de los timados. Pobre tonto...

La familia Alvear habitaba en un regio y espacioso caserón situado en la calle de Santa Isabel y todo hacía suponer que el patriarca de aquella estirpe pondría en breve a la venta el título de su mujer, la duquesa de Castrobeniel, prometiendo a su segunda hija, Clara, con algún rico heredero que permitiera a la familia Alvear continuar viviendo en la opulencia. De hecho, Víctor había detectado ya la presencia de dos o tres moscones que pululaban alrededor de la familia en sus paseos vespertinos por el Prado. Es más, había uno que le había parecido un rival peligroso. No por apuesto o bien parecido, ya que el caballero en cuestión debía de rondar la cuarentena y estaba entrado en carnes, sino porque hacía continua ostentación paseando a caballo por el Salón del Prado. Un día lo hacía a lomos de una inmensa, blanca y bella jaca jerezana, otro montando un purasangre irlandés y los más guiando un magnífico tronco inglés enganchado a una maravillosa calesa que tenía embobadas a las damas más distinguidas de Madrid. En suma, Víctor sabía que hacer realidad aquel amor era algo imposible. Lo más probable era que no llegara a cruzar ni una palabra con la joven en toda su vida de abnegado funcionario policial, pensaba mientras se consumía contemplándola en sus idas y venidas por el Prado o Recoletos. Apuraba cada segundo en los breves momentos en que se cruzaba con ella, como el que vive su último día en esta tierra, y se sentía solo y deprimido en este mundo complejo y materialista. ¿Se había enamorado? Nunca había pensado que algo así pudiera ocurrirle a él, tan racional, tan frío. Se volcaba mucho en su profesión, su verdadera ilusión, y luchaba a diario por mejorar, por formarse, por leer hasta el último detalle de los casos de más eco que resolvían los más afamados investigadores del Viejo Continente. Su trabajo era su vida y, al parecer, sin darse cuenta, comenzaba a sentir algo por Clara Alvear que le nublaba el seso. ¡Qué tontería! Si no la conocía... El amor era algo extraño, sin duda. Era fácil juzgar desde fuera los sentimientos de los demás, como si fueran pequeñas hormigas atrapadas por su inevitable fuerza. Algunos delinquían por amor, robaban, mataban. Era sencillo reírse de aquello, compadecerse de aquellos simples y pobres mortales que se comportaban como idiotas por amor. Desde la atalaya de la razón siempre se había creído, en el fondo, por encima del bien y del mal. Ahora comenzaba a recibir una buena dosis de humildad. No era tan fácil cuando le ocurría a uno mismo. Aquello no era racional ni por asomo. Sólo pensaba en verla, en acercarse al Salón del Prado a arrancar una mirada suya, a contemplar de reojo su bello rostro, a escuchar su risa.

Se sentía como un idiota. ¿Cómo se había ido a enamorar de una joven de la alta sociedad? Intentó mejorar su aspecto encargando un par de levitas en el taller del sastre Utrilla, situado en las Cuatro Calles. Según se decía, cortaba los mejores trajes de Madrid. Era caro, pero merecía la pena.

Por lo menos, en las tertulias daba rienda suelta a esos sentimientos de rabia y repulsa hacia los poderosos, la Iglesia y la Monarquía, que mantenían al país en ese estado de atraso, penuria y tradición, que amenazaba con llevar a toda la nación a la debacle. Por ejemplo, la situación en las colonias no era buena. Y se hacía saber en la Fontana o en el Iberia que ni la Armada ni el Ejército se hallaban en condiciones de resistir, y mucho menos vencer, en ninguno de los conflictos que se perfilaban como inevitables. Víctor compartía este parecer, pero la mayoría de los tertulianos –incluidos algunos liberales de postín– tachaban dichos argumentos de demagogia derrotista.

En el trabajo se podía decir que le iba bien. En un oficio donde la brutalidad era la conducta más habitual, los métodos del joven detective, su don de gentes, su inteligencia, su capacidad de observación y su extraordinaria facilidad para recordar de memoria hasta el más mínimo de los detalles de un caso, comenzaban a otorgarle un prestigio y una aureola de prometedor agente que a veces lograba hacerle olvidar sus penas de amor. Y así pasaban los días.

Corría la tercera semana de mayo entre jornadas de intenso debate político, pues el gobierno quería sacar adelante la Ley de Imprenta que debía instaurar la censura previa y obligaba a los periódicos a publicar las comunicaciones oficiales donde el Gabinete Ministerial quisiera. Algo inaceptable

51

para los liberales como Víctor, que consideraban aquello como una agresión peor aún que el decreto de prensa de 1875. Era evidente que se acercaban tiempos de debate, de confrontación política, y el Gobierno quería asegurarse el apoyo de la prensa. Las aguas andaban revueltas.

El vulgo, por su parte, parecía excitado por el extraño suceso del soldado que se había arrojado desde el viaducto de la calle Segovia. Víctor había llevado el caso; el joven militar, perteneciente al cuerpo de ingenieros, había muerto en el acto, y en el bolsillo se le encontró una tarjeta que decía: «Querido tío, adiós; no os he olvidado ni un momento porque habéis sido mi consuelo.» La gente de la calle estaba consternada, pues eran catorce los que se habían suicidado de la misma manera. Ya circulaban chismes de viejas al respecto.

Fue entonces cuando Víctor recibió una visita inesperada: Lola «la Valenciana» fue a verlo al ministerio. Un conserje le avisó entre risitas diciéndole que una joven lo aguardaba en la planta baja. El subinspector bajó de inmediato y se dio de bruces con la prostituta. Iba sin maquillar y vestía con mucha discreción. Nunca la había visto así, de manera que se sorprendió al ver a aquella Venus vestida como una joven sirvienta más de las que pululaban por Madrid. Aun así era guapa, lozana. De tez algo bronceada y pómulos salientes y apetecibles labios.

—Hombre, Lola, ¡cuánto bueno! —dijo él, algo cortado por las miradas de sus compañeros—. Pase usted por aquí, pase.

El joven policía entreabrió la puerta de la sala de visitas y haciendo un ademán con la diestra introdujo con prontitud a la chica en el cuarto, una estancia impersonal, de paredes desnudas, mal pintadas y sólo amueblada por una rústica mesa y cuatro sillas.

—Toma asiento, Lola —dijo con amabilidad Víctor.

—Gracias, subinspector —dijo ella con cierto retintín por el evidente embarazo con que la había recibido él.

—¿Quieres que te traigan algo? Agua, café...

—No, gracias.

Él giró una silla y se sentó en ella al revés, con las piernas abiertas y apoyando los codos en el respaldo de la misma.

—Dime, ¿ocurre algo?

—Sí. Y algo gordo, muy gordo.

—¿Estás bien? —preguntó él alarmado.

—No, no, yo estoy bien.

—¿Entonces?

—Ha aparecido otra.

—¿Otra?

—Otra chica muerta.

—¿Otra chica muerta? —repitió él algo extrañado—. ¿Quién? ¿Dónde?

—Una carrerista de Embajadores, una «arrastrá».

—¿Y?

—La encontraron ayer, tirada como un perro en un solar, en Carabanchel. No sé dónde vamos a ir a parar, al final nos matarán a todas.

—¿A todas?

—Sí, Víctor; eres policía, ¿no?

—Mira, Lola, llevo aquí poco tiempo y no estoy al corriente de todo lo que ocurre en Madrid, ¿sabes?

—Ya, la muerte de unas cuantas putas es algo que no importa a nadie.

—Espera, Lola, espera, no sé muy bien de qué estás hablando. ¿Cuántas chicas dices que han muerto?

—Tres.

—¿Y tú las conocías?

—A la segunda, Engracia.

—¿Y quién ha llevado el caso de tu amiga?

—Un tal Matías, de Chamberí.

—Sí, lo conozco, es un cabestro. —Víctor sacó una libretita del bolsillo interior de su chaqueta—. Supongo que quieres que te ayude.

—No estaría de más.

—Puedo preguntar a mi compañero Matías, sí. Dime los nombres de esas chicas.

—La primera era una pajillera de los bajos de Atocha. Rondaba los cuarenta y tenía sífilis: la Antonia; yo no la conocía.

—¿Sabes algo más de ella?

—No, pero podría enterarme de dónde vivía.

—Vale, bien. La segunda, tu amiga.

—La Chelito.

—Nombre y apellidos.

—María Engracia Pérez Hernández; era de Cuenca, tenía veinte años y llevaba toda su vida haciendo la calle.

—¿La conocías bien?

—Sí, llegamos juntas a Madrid.

—Pero ella terminó en la calle y tú en burdel de lujo.

—Sí, hijo mío, la que vale, vale.

—Perdona, Lola, no era ni mucho menos un reproche. Lo decía porque tu situación en una casa respetable es menos expuesta que la de estas chicas que están en la calle.

—No creas, hay cada bestia... Pero sí, no tengo que temer que me raje la cara cualquier chulo, como ellas. Y en cuanto a lo del reproche, estaría bueno que te permitieras echarme en cara que soy buena en el oficio, cuando vienes a verme tan a menudo.

—Tienes razón, Lola —dijo él bajando la vista algo avergonzado—. ¿Dónde vivía?

—Tenía alquilado un piso de mala muerte entre la fábrica de gas y el matadero.

—¿La chuleaba alguien?

—Sí, un degenerado, Adrián «el Marsellés». Le tenía sorbido el seso. La explotaba.

—¿Pudo ser él?

—No creo, porque, ¿y las otras dos?

—Sí, tienes razón. De todas maneras tendré que hablar con el tal Adrián. ¿Tenía familia tu amiga?

—No. Por eso vino a Madrid.

—Ya, es lo corriente. —El policía se sintió tentado de preguntar a Lola si mantenía algún contacto con su familia, si se sentía sola. Pensó que era mejor no hacerlo. No debía hurgar en la herida—. Cuéntame lo de la tercera —añadió.

—Ayer la encontraron, llevaba desaparecida una semana. Trabajaba por la noche; subía a los coches de los que buscan servicios baratos donde surgiera: en Embajadores, en el Retiro o a las afueras.

—¿Sabes cómo se llamaba?

—Ni idea, pero me puedo enterar. Trabajaba en la Fábrica de Tabacos de Embajadores. Como comprenderás, todas las compañeras están muy alarmadas. Tenemos la sensación de que las autoridades no se van a interesar mucho en resolver estos crímenes, y por eso he venido a verte.

—No te preocupes, haré lo que pueda. Pero de antemano te digo que poco se podrá averiguar. No te ofendas, pero ¿sabes cuántas prostitutas mueren en Madrid al cabo de un año? Hay más de dieciocho mil putas en esta ciudad. Y tú me hablas de tan sólo tres en...

—En un mes.

—No te enfades, pero es raro el mes que no encuentran alguna chica muerta, ya sabes, los chulos, un amante celoso, cualquiera puede hacerles daño. En fin, este mundo vuestro es así de duro. Ten en cuenta que la mayoría sois mujeres pobres, sin familia, nadie se interesa por vosotras.

La chica miró a Víctor con aire desvalido. Sus profundos y bellos ojos marrones traspasaron al subinspector como leyendo en su interior. Se sintió en la obligación de ayudar a la chica. Parecía asustada. ¿Qué otra cosa podía hacer?

—Miraré a ver qué puedo averiguar por ahí. Si me dejan, claro.

—Gracias Víctor, no esperaba menos de ti.

Víctor sabía que el encargado del caso, Matías, era un auténtico descerebrado. Había llegado a ejercer como policía secreta más por su bestialidad que por su perspicacia, y desde el primer momento se cerró en banda ante las preguntas del joven subinspector. Víctor lo citó en el café de la Princesa, en la calle Carretas, donde el pasaje de la Murga, y tomaron asiento en una mesa apartada, al fondo. Mientras el joven subinspector degustaba un humeante café solo acompañado de un cigarro, el animal de Matías se echó al coleto un par de aguardientes. Y eso que no eran más que las nueve de la mañana. El mismo Víctor pensaba que aquellas muertes entraban dentro de lo cotidiano y usual en el sórdido mundo de los bajos fondos madrileños, pero había prometido a Lola investigar el asunto. Matías comenzó diciendo:

—¡Qué importan unas putas muertas, Ros!

—A mí sí me importan —dijo de manera cortante Víctor, sin poder evitarlo; le desagradó el comentario: para él, todos los seres humanos eran iguales y la policía debía perseguir los delitos independientemente de quién fuera la víctima y quién el agresor.

Matías, aflojándose más aún el nudo de la arrugada corbata, barbotó entre risas:

—Pues poco hay, las tres murieron de una puñalada en el costado. Sería cosa de su chulo.

—¿Tenían el mismo proxeneta?

—No sé.

—¿No lo investigaste? —inquirió con expresión incrédula el subinspector.

—Pues no.

—¿Les habían rajado la cara?

—No, creo que no.

—¿Y no te parece que el hecho de que las tres murieran a causa del mismo tipo de herida indica que pudo matarlas la misma persona?

—Sí, parece lo más probable —asintió el otro mirando como un obseso a una joven que pasó junto a ellos acompañada del que debía de ser su marido.

—¿Y?

—Que sería cosa de su chulo, un chulo rival, algún acomplejado... ¡qué se yo!

—A las muertas, ¿las examinó algún forense?

—Sí, pero poca cosa, para certificar la muerte y eso.

—¿No se las sometió a ningún examen? Me refiero a fondo.

—¿Para qué?

—¿Y los cuerpos?

—Las enterraron sin tardanza. Total, ninguna tenía familia. Fueron a parar en donde los suicidas y los vagabundos, ya sabes.

—Todo el mundo se merece un entierro digno.

—Supongo que sí, Ros. ¿Te importa si pido otra?; tengo sed.

—Claro, claro —dijo pensativo Víctor—. ¿Y las pertenencias de las chicas?

—Quedaron en el depósito, tres meses, por si alguien las reclama.

El camarero trajo el tercer aguardiente para Matías, por lo que Víctor hizo una pausa. Cuando quedaron a solas preguntó:

—Matías, ¿podría echar una ojeada a los informes?

—¿Qué informes? —dijo el grandullón policía soltando una carcajada.

—Los de las tres muertes.

—Ros, despierta, ¡son putas!

—No hay informe alguno, claro —dijo Víctor con resignación.

—Pues eso. —Matías se endosó la copa de un trago—. Mira, estimado colega, me has pillado al paso de refilón porque casualmente tenía que venir a Sol a hacer una gestión, pero tengo algo de prisa, así que ¿se te ofrece algo más en relación con el caso?

—No, es suficiente; gracias por tu ayuda, compañero —contestó con estoicismo el subinspector, viendo que no sacaría nada de aquel energúmeno semianalfabeto.

—Pues hala, ya sabes dónde me tienes —se despidió levantándose el policía de Chamberí.

Víctor vio salir a su compañero de oficio del café y lo siguió con la mirada. Era triste que una simple puta como la Valenciana le hubiera proporcionado más información sobre el caso que un auténtico profesional que supuestamente había llevado la investigación. Aunque, mejor dicho, ¿qué investigación? No quería engañarse, aquello no interesaba a nadie. En algo tenía razón Lola: el asesino había sido el mismo en los tres casos. Tres putas asesinadas en un mes de una puñalada en el costado eran más que suficiente para corroborar que un tipo andaba matando meretrices, pero ¿en qué costado recibieron la fatal herida?; ¿habían abusado de las tres mujeres? Era evidente que faltaban datos. Las tres habían sido inhumadas. Quizá las matara algún chulo, alguien que estuviera intentando hacerse un hueco en el negocio labrándose fama de duro y despiadado. Decidió llamar a Ignacio, un joven cochero a quien utilizaba a veces de confidente, al que conocía desde que era un crío, de La Latina. Necesitaba saber si se decía algo sobre el particular en los bajos fondos. Además, alguien tenía que traerle las pertenencias de las putas desde el depósito del cementerio. No quería presentarse ante la Valenciana sin haberlo intentado al menos. Aunque sólo fuera eso, intentarlo. Se sintió culpable al ver que la propia policía, sus compañeros, no se tomaban aquel asunto en serio. ¿Es que no tenían en cuenta el valor de una sola vida humana? Aunque se tratara de una simple puta, bueno, de tres, a él sí que le importaba el tema. Estaba un poco deprimido así que aquella noche se fue al Teatro de Variedades para ver *La sombra de Torquemada* de Antonio Bermejo.

Capítulo 5

Al día siguiente Víctor zanganeaba leyendo la prensa. En ella se detallaban las últimas operaciones del general Martínez Campos en Cuba, que *La Época* calificaba de brillantes. Leía los pormenores con atención cuando recibió un cajoncito de madera con las pertenencias de las tres rameras. Contenía a su vez tres cajas más pequeñas, grises y de cartón, con los nombres de las asesinadas y sus escasas posesiones. Víctor se sentó; su compañero lo miraba con curiosidad. Abrió la primera caja, la de la pajillera, y esparció su contenido sobre la mesa: un pequeño camafeo —horrible por cierto—, unos pendientes de plata vieja, un anillo de casada y unas monedas.

—¿Qué es eso? —preguntó don Alfredo, intrigado, mientras se levantaba de su silla.

—Los objetos personales de tres putas asesinadas. Hago un favor a una amiga. Creemos que lo hizo el mismo tipo.

El compañero de Víctor se acercó a la mesa y examinó los objetos mientras el joven subinspector abría la segunda caja y dejaba caer sobre el escritorio cuanto portaba Engracia en el día de autos.

—Unos pendientes, una bolsita de tela con tabaco, un librito de papel de fumar y unas monedas —dijo en voz alta haciendo inventario de aquellas escasas pertenencias.

Abrieron la tercera caja. Esta vez habló don Alfredo:

—Una pipa, un pañuelo, un paño blanco, imperdibles y monedas sueltas.

—Aquí hay caso, y de los buenos —dijo Víctor Ros.

—¿Cómo dices, compañero? —preguntó Alfredo Blázquez.

—Cuenta las monedas que llevaba cada finada —dijo el subinspector, resuelto.

Don Alfredo contó mentalmente y dijo:

—Treinta reales cada una.

—¿Crees en las casualidades? —preguntó Víctor con sorna.

—En absoluto, compañero. No sé de qué va esto, pero me parece evidente que estas tres putas fueron asesinadas por el mismo sujeto. Y no me digas que fue un chulo porque si no de qué iba a haberles dejado treinta reales. Se hubiera llevado esos dineros.

—Pues *voilá*. Ahí quería yo ir a parar. Me voy a ver al comisario.

El comisario Buendía, que como siempre parecía ocupado y de muy buen humor, recibió a Víctor con los brazos abiertos:

—Hombre, mi más preciada promesa... ¿Qué se le ofrece, don Víctor? ¿Tienen todo lo que necesitan?

—Sí, sí, don Horacio.

—Tome asiento, Ros, tome asiento.

El joven se sentó en una de las dos sillas situadas frente a la enorme mesa repleta de papeles tras los que se adivinaba al rechoncho Buendía. Una lámina que representaba al monarca presidía aquella amplia estancia que daba a la concurrida Puerta del Sol.

—Tengo un caso que quisiera investigar —expuso Víctor.

—Pues diga, diga. Para eso estamos.

El subinspector Ros explicó a su superior cómo había sabido de la muerte de las tres prostitutas y le habló de su desconfianza inicial a estudiar aquel caso aunque de inmediato le relató lo poco que sabía sobre el asunto, a saber, que las tres habían sufrido idénticas heridas y el curioso detalle de los treinta reales. Solicitó a su jefe un operativo de quince agentes para «iniciar las pesquisas» y le aseguró que obtendría resultados si se ponía «manos a la obra inmediatamente».

El comisario Buendía estalló en una violenta y estruendosa carcajada:

—¡Ay, don Víctor, don Víctor! —exclamó secándose las lágrimas que por la risa se le habían acumulado en las horribles bolsas que tenía bajo los ojos—. Ustedes los novatos son la monda. ¡Así me gusta, leñe! ¡Jóvenes entusiastas como usted es lo que necesito yo aquí! Pero hágase cargo, ¡quince agentes! ¿De dónde saco yo quince agentes? Y aunque los tuviera, ¿cómo voy a volcar tantos recursos en proteger a las putas de Madrid de sus propios chulos? Sea responsable, hablamos de los dineros del contribuyente.

—Pero don Horacio, hay un patrón común, un *modus operandi*, hablamos de un loco que anda suelto por ahí.

El comisario negaba con la cabeza como ratificándose en su decisión.

—Tres putas. Me agrada su entusiasmo, joven. Pero la policía está para proteger a la gente decente y no a la chusma. Esas jóvenes han adoptado un modo de vida que termina indefectiblemente en eso. Trasnochar, malas compañías, chulos, pervertidos, ¿no es lo más normal del mundo que la mayoría de ellas acabe muerta en una cuneta o carcomida por la sífilis? Además, no sería la primera vez que a un fulano le da por despachar a tres o cuatro zorras; ¿y qué? Hágame caso, buen amigo, y déjese de monsergas. Siga a lo suyo, siga, y no se salga del buen camino.

—¿Del buen camino? —repitió el subinspector Ros.

—Sí, hijo mío, sí. Se rumorea que frecuenta usted las tertulias de liberales.

—¿Y? ¿Acaso soy por ello un mal policía?

—No me malinterprete, joven, que aquí donde me ve yo tampoco soporto a estos tiranos de los Borbones —dijo señalando con el pulgar el retrato que tenía tras de sí—; pero sea discreto, hombre de Dios, y olvídese de estas tonterías. Mire, don Víctor, el propio ministro de la Gobernación dictó un reglamento para censar y someter a inspección médica periódica a toda esta chusma, a las putas, o sea que se las controla e incluso se vela por su bienestar, pero eso es cosa de la guardia urbana. Vaya usted a lo suyo y no se hable más. Y aquí me tiene usted gustoso para que no le falte nada —añadió levantándose para acompañar al joven hasta la puerta—; quiero que me limpien Madrid de morralla, y eso no es trabajo de un día precisamente.

Después de aquella entrevista, a Víctor le quedó claro que el ministerio no invertiría ni una sola peseta en investigar la muerte de aquellas tres desgraciadas, así que habló con Alfredo y éste le aconsejó que, si tanto interés tenía, llevara a cabo discretas pesquisas en su tiempo libre para acallar su conciencia al respecto y comprobar si de verdad, como ellos pensaban, había un loco suelto por Madrid que podía resultar terriblemente peligroso. Resolvió preguntar al menos a las amigas de las finadas y al Marsellés, el chulo de la Engracia, alias la Chelito, al menos para tranquilizar a Lola y sus compañeras. De hecho, gracias a la Valenciana las putas de todo Madrid supieron que un joven subinspector, inteligente, recto y bien parecido estaba investigando el asunto de las tres prostitutas asesinadas. Y no era raro desde entonces que en sus visitas al burdel de la Rosa, o en sus paseos nocturnos por Los Paradores de Santa Casilda, la Plaza de Armas o el barrio de Huertas, las meretrices se le echaran literalmente en brazos para agradecer que al menos alguien se interesara por ellas. No se sentía mal por ello, ni mucho menos.

Y así, una calurosa tarde de primeros de junio, a la hora en que las mozas salían de trabajar, Víctor, preguntando aquí y allá, logró entrevistarse con las compañeras de la tercera y última víctima, Eva, en la Fábrica de Tabacos de Embajadores. Al principio se sintió violento por los piropos que le lanzaban aquellas jóvenes que salían del tajo, fumaban como carreteros y juraban como curtidos marineros. Llegó a sentir que se ruborizaba, pero intentó parecer impertérrito agarrando el bastón y los guantes e inclinando de vez en cuando la testa al paso de aquel mujerío. Hacía un bochorno terrible pese a que estaba a punto de oscurecer. Un penetrante olor a tabaco impregnaba el ambiente.

Se escandalizó un tanto cuando una joven pasó tarareando junto a él una copla muy famosa del momento que decía: «... *tu marido y el mío se han peleao, se han llamado cabrones, y han acertao...*».

Después de preguntar unas cuantas veces, pudo identificar a cuatro compañeras de la asesinada, que se empeñaron en hablar con él en lo que llamaron «un lugar más tranquilo». Lo llevaron a toda prisa hasta una taberna de la calle Humilladero, El Burladero, donde la entrada de aquel señoritingo acompañado de las cuatro mozas causó cierto revuelo entre la concurrencia. Un amplio mostrador de cinc presidía el centro de la taberna, cuya fachada se hallaba decorada con bellos azulejos pintados al fresco con motivos taurinos. El dueño, Moisés, «el Chispi», los situó en una mesa del fondo y les envió a un zagal medio atontado para que les sirviera. Pese a ser muy amigas de la muerta, a Víctor le costó tres raciones de callos, dos de riñones, una jarra de vino, tres de cerveza y ocho cafés con chispazo el que aquellas atolondradas jóvenes accedieran a contarle —entre proposiciones de amor eterno y matrimonio que el policía eludía con rubor— algunos detalles sobre la vida y milagros de la pobre muerta, Eva.

—Pa mí que estaba liá con un caballero de mucho postín —dijo con la boca llena de buñuelos una a la que llamaban la Coja.

—¿Y eso? —preguntó Víctor.

—Porque últimamente, cuando salía de trabajar, se iba a casa. Ya no hacía la calle.

—¿Alguna de vosotras lo vio? Me refiero al caballero.

—No, pero sí a la vieja —apuntó otra más menuda, Aniceta.

—¿A la vieja?

—Sí, una dama mayor, con una verruga feísima en la barbilla, «asín», de color verde, con pelos. ¡Buf, qué cosa más fea de verruga! —exclamó santiguándose la joven.

—¿Y esa señora...? —insinuó él intrigado.

—Le traía recado de cuándo y dónde se veía con el caballero.

—Sí —remachó la más rechoncha de las cuatro—, la Eva soñaba con dejar la Fábrica de Tabacos y la calle y vivir como una «mantenía».

Todas suspiraron y asintieron con la cabeza envidiando tal destino.

—Vaya, vaya, o sea que ya no hacía la calle. Bien. Es interesante. Me habéis sido de gran ayuda. ¡La cuenta, niño! —gritó Víctor ante la desilusión de las mozas al ver que la velada tocaba a su fin.

Tenía prisa, pues aquella misma noche don Benito Pérez Galdós pronunciaba una conferencia en la Universidad sobre «Influencia y ventajas de la enseñanza en la agricultura» y todo el Madrid liberal se daría cita allí.

En los días sucesivos, Víctor pudo paliar el aburrimiento que sufría por el caso del cajero corrupto de la Banca Sabatini gracias a que dedicaba sus ratos libres a investigar la muerte de las tres prostitutas. No encontró a nadie que admitiera ser amigo de la primera víctima, la pajillera, pero no se desalentó. Como buen sabueso, en cuanto percibía el tufillo, una vez daba con el hilo que desenmarañaba un caso, no lo soltaba aunque fuese lo último que hiciera en este mundo.

Abenza, el guardia grandullón de fieros bigotes, le acompañó a visitar a Adrián «el Marsellés». Aquel asqueroso tipejo malvivía en una casa de huéspedes situada junto al convento de las Jerónimas. Fueron a la noche para encontrarlo con seguridad, y la patrona los guió hasta el cuarto piso donde se hacinaban más de veinte varones, vagabundos, borrachos y gentes de mal vivir, que pernoctaban por unos céntimos en tan mezquina vivienda. Abenza levantó a aquel desgraciado, que se hallaba en mitad de una partida de cartas, dándole patadas en las posaderas y se lo llevaron a la calle, sacándolo a empellones a la plaza del Cordón. La noche era fresca y se oía a lo lejos el cri-cri de los grillos. No pasaba nadie por allí a aquellas horas.

—Pero ¿qué es este atropello? —dijo el chulo muy digno.

Abenza le atizó un sopapo que lo derribó.

El Marsellés era un tipo menudo, esmirriado, de rostro afilado, largas patillas y un ojo a la virulé. Tenía los dientes podridos. Se levantó como buenamente pudo del suelo de losa y morrillo de la plaza.

—Quieto, Aniceto —ordenó Víctor—. No soy amigo de violencias. A ver, tú, sólo quiero hacerte un par de preguntas.

—Yo no sé nada del golpe. Ni siquiera conozco al inglés.

Víctor y el guardia se miraron en la semipenumbra de las débiles farolas de gas.

—¿Qué golpe? ¿Qué inglés? —repuso el subinspector.

—Me parece, don Víctor, que debía usted permitirme unos minutos a solas con esta escoria —dijo Aniceto—. Sabe más de lo que parece.

—No, no. Olvidemos de momento otros casos. Sólo me interesa lo de la chica muerta.

—¿Cómo? No sé nada de ninguna muerta.

Otro sopapo de Abenza.

—Hablo de Engracia, «la Chelito».

—Yo no la maté, hombre de Dios. ¿No ve dónde tengo que vivir ahora? Si no tengo un real... Era mi única yegua. La Bilbaína se me murió de la «safilís» y la Rusti se me fue con un sargento de artillería. ¿A qué iba yo a hacerle daño a mi única fuente de ingresos?

Víctor lo vio razonable.

—Espero que no me estés mintiendo o te dejaré a solas en un calabozo con aquí, mi amigo Abenza. Necesita liberar tensiones. ¿Notaste algo raro en los últimos tiempos?

El otro miró al suelo y dijo como avergonzado.

—Que se me iba de las manos. Creo que algún señoritingo me la quería levantar.

—Y por eso la mataste —acusó el enorme guardia.

—¡No! La necesitaba.

—¿Por qué dices lo del señorito, Marsellés? —quiso saber Víctor.

—Porque sí, a veces venía a buscarla una «manuela»* con una vieja dentro que la llevaba a las citas con ese individuo. No la pude ver bien porque siempre venía de noche.

—¿Y sabes quién era él?

—Si lo supiera ya lo habría despachado. Nadie le estropea la mercancía a Adrián «el Marsellés».

—Vaya, qué detalle por tu parte —masculló el subinspector pensando que aquel desgraciado sólo veía a la joven como una fuente de ingresos—. Una vieja, dices. Volveremos a vernos. Interesante. No salgas de Madrid o te meto en chirona.

Dicho esto, Abenza y Ros se alejaron, perdiéndose en la noche.

—¿Qué opinas, Aniceto?

—Que no me gusta ese tipo.

—A mí tampoco, pero no lo creo culpable. ¿Para qué iba a acabar con su única fuente de ingresos?

—Esa gentuza es impredecible, igual se emborrachó y se le fue la mano. Además, ha dicho que la fulana se le iba. Un ricachón.

—¿Y las otras dos putas asesinadas? No eran cosa suya.

---

* Así se llamaba en Madrid a los landós, coches de alquiler de un caballo, abiertos y con espacio para dos pasajeros.

—Ha dicho que había perdido dos hembras recientemente; igual estaba luchando por abrirse un hueco en el negocio. Ya sabe usted, se carga a dos furcias para atemorizar a las compañeras.

—No sé, Abenza, no le veo arrestos al fulano.

Entonces el guardia sacó una pequeña petaca del bolsillo y le dio un buen trago.

—Pero ¿qué haces? ¿Bebiendo de servicio?

—No hombre, no —rió el grandullón—. Es agua alquitranada.

—¿Cómo?

—Sí, es lo mejor para el pecho. El Alquitrán de Guyot es mano de santo, previene la bronquitis, la tisis, la irritación de pecho y el catarro de vejiga.

—Pero ¿y lo tomas así, a palo seco?

—No, hombre, no. Se diluye en agua. Lo puede usted encontrar en Borrell Hermanos, en Sol 5.

—¿Y para qué quiero yo eso?

—Pues para la humedad de estas noches, que es muy traicionera.

—Pero si estamos en junio, Abenza, y usted es un tiarrón.

—Nunca se sabe, don Víctor, nunca se sabe, los agentes microbianos están por todas partes.

El subinspector pensó que aquel simpático guardia estaba como una cabra.

Pasaban los días y el verano se presentaba caluroso en Madrid. El subinspector parecía estancado en el caso: una vieja y un tipo importante. Eso era lo que había detrás de aquellas muertes, pero un tupido velo ocultaba qué había ocurrido con ellas tras ser recogidas. ¿A dónde habían ido después de bajar del coche en la calle Mayor?

Una mañana, Víctor llegó de buen humor al trabajo sorprendiendo así a su compañero. Parecía exultante, decididamente alegre.

—¿Y esa cara de satisfacción? —preguntó Blázquez—. ¿Fuiste anoche de «picos pardos»?

—Quiá, Alfredo. Anoche presencié un hito histórico en el devenir cultural de la Villa y Corte. Un momento legendario que habrá de perdurar en la historia del Parnaso madrileño.

—Vaya.

—Sí. Fui al teatro de la Zarzuela, se celebraba una velada artístico–literaria de las de relumbrón. Imagina, Alfredo, el teatro a reventar y el respetable expectante. Todos los liberales de Madrid, constitucionales o radicales se habían dado cita anoche allí.

—Menuda redada se hubiera podido hacer.

—En efecto, porque hablamos nada menos que de un recital del mismísimo Zorrilla, que comenzó declamando el *Canto del Fénix*, para continuar con la *Soledad del Campo* y el *Testigo de Bronce*. El público estalló en aplausos tras escuchar emocionados:

Lo sé,
Lo veo….
Mi sino.
Tal fue;
Cierto,
Sí;
Yerto
Voy,
Caí.
¡Muerto
Soy!
Nada
Hay
Aquí
Ay
Fui.

»¡Qué cosa, Alfredo, qué cosa! Todos nos pusimos en pie, regocijados por el retorno del poeta a casa, gritando entre

68

vítores y bravos. ¡Qué entusiasmo! La gloria. Sentíamos que nadie podría pararnos. Tres veces, tres, comenzó el recitante a decir:

> *Entre pardos nubarrones*
> *pasando la blanca luna,*
> *con resplandor fugitivo,*
> *la baja tierra no alumbra.*
> *La brisa con frescas alas*
> *juguetona no murmura,*
> *y las veletas no giran*
> *entre la cruz y la cúpula.*

»Pero el respetable estallaba en aplausos y Zorrilla se veía obligado a comenzar de nuevo.

—Qué espectáculo, ¿no?

—No lo sabes bien. «¡Silencio!», clamaban los unos. «¡Escuchen!», chistaban los otros.

»Cuando Zorrilla terminó, el teatro de la Zarzuela se venía abajo. Luego, al gran poeta le siguieron la señorita Bernis con su arpa (que te diré que fue un encanto) y Fernández y González, que leyó *El Poeta y los Espíritus,* entre otras obras, con un tono algo monótono que no nos entusiasmó ni mucho menos. El espíritu liberal nos imbuía a todos los presentes y flotaba en el ambiente llenando los corazones de entusiasmo. Todos querían saludar al poeta, estrechar su mano. Salí de allí como si flotase.

—Sí, hijo, he visto que *El Imparcial* se deshace en elogios para con el evento. Pero, veladas literarias aparte, ¿qué te parece si trabajamos un poco? ¿Cómo llevas tu asunto ese de las prostitutas?

—Un poco he avanzado. Mira, Alfredo, esto es lo que sé: tengo tres putas muertas con el mismo *modus operandi,* puñalada en el costado. A las tres les dejaron encima treinta reales. Y sé que la amiga de Lola, la Engracia, alias «la Chelito» y la pobre Eva, de la Fábrica de Tabacos, eran recogidas a menudo por una extraña mujer, una vieja de acento extranjero y con una horrible verruga, que las llevaba a verse con alguien de dinero. Un caballero de posibles se las beneficiaba.

—Vaya. Ahí hay caso, hijo.

—Pues eso creo yo. Si enviaba a la vieja es porque debe de ser alguien conocido, ¿no?

—Me parece razonable. Y peligroso. Ándate con tiento.

Víctor continuó con sus pesquisas los días siguientes y pudo dar con algunas compañeras de «oficio» de la primera víctima, Antonia, paseando de anochecida por donde se colocaban las carreristas y pajilleras. Allí supo por las propias jóvenes que se cubrían unas a otras tomando nota del número de coche en que subían sus compañeras si éste era de alquiler, o bien fijándose en las características del mismo si el carruaje era de un particular. Así averiguó Víctor, gracias a aquellas pobres desgraciadas, que la primera víctima del asesino había subido a un coche de alquiler que portaba la chapa identificativa de la Villa con el número 136. Fue sencillo contactar con el cochero a través de su conocido, Ignacio, que le concertó una entrevista con el citado profesional.

Resultó ser un tal Adolfo Guara, un joven bien parecido que se dedicaba en su tiempo libre a escribir poesía y conocía al policía de verlo en las tertulias liberales. Se habían visto en el recital de Zorrilla. Era alto, buen mozo y de pelo negro y ensortijado. Lucía unas inmensas patillas. El joven subinspector lo citó en una pequeña taberna de Chueca, y el otro se mostró colaborador desde un principio.

—¿No recordarás un trayecto que hiciste hace dos meses ya, en que una puta subió en tu coche en Embajadores? —preguntó Víctor tras las presentaciones de rigor.

—Mire, señor, hago muchos trayectos de esa clase, ya sabe, un caballero no va a recoger a una de esas arrastradas en su propio coche, así que es habitual que recurran a uno de alquiler para así no ser reconocidos.

—¿Me estás diciendo que los caballeros frecuentan ese tipo de ambientes, Adolfo? Pensaba que sólo irían a burdeles de postín.

—Buf, no lo sabe usted bien don Víctor, son los que más; ¿no ve usted que esas desgraciadas son lo más tirado?; hacen cualquier cosa por una peseta.

—¿Y recuerdas aquel día? La chica acabó muerta.

—Pues sí, lo recuerdo, precisamente por lo del asesinato, lo leí en la prensa y supe que era ella, Antonia, porque sus compañeras se interesaron al día siguiente por el asunto. Pero no debo hablar de mis clientes...

—Mataron a esa chica, Adolfo —dijo el subinspector Ros mirando al joven cochero a los ojos—. Quiero echar el guante al asesino.

De pronto, tras una pausa, el aprendiz de poeta comenzó a hablar como con prisa, soltándolo todo.

—Le he dicho que lo recuerdo porque fue algo raro, que se salía de lo normal. Iba en busca de algún cliente, despacio, por la calle Mayor, cuando una mujer me hizo una seña.

—¿Le viste la cara?

—No, iba de gris y llevaba velo. Era una vieja.

—¿Una vieja? —preguntó Víctor recordando a la anciana de la horrible verruga. Volvía a aparecer.

—Sí, lo sé por su voz.

—¿Y qué ocurrió?

—Me dijo: «A Embajadogues». Así, con un acento de «franchute». Yo dije: «Señora, es tarde y allí...» «A Embajadogues», repitió. Así que allí que fuimos. Me hizo dirigirme hacia un grupo de mozas que aguardaba en la esquina con la glorieta y habló algo con una de ellas. La chica subió.

—¿Y a dónde las llevaste?

—Al mismo punto en que recogí a la vieja. En la calle Mayor.

—Demasiado transitado para que nadie recuerde nada.

—Exacto —convino el cochero.

—¿Recuerdas algún detalle más?

El joven miró hacia arriba, como pensando y dijo:

—Pues eso, que aquella vieja tenía acento extranjero, como francés, «embajadogues», dijo.

—¿Te fijaste si tenía una enorme verruga en la cara?

—Pues ahora que lo dice «usté», sí, aquí, en la barbilla.

—Gracias, Adolfo, lo has hecho muy bien. Esto es para ti.

Víctor dejó un duro sobre la rústica mesa de madera y se despidió. Aquello prometía. En los tres casos aparecía aquella extraña vieja. ¿Casualidad?

Capítulo 6

La tarde del 6 de junio la suerte de Víctor dio un vuelco espectacular. A pesar del transcurso de los años, aun en su vejez, recordaba nítidamente lo ocurrido en aquella calurosa jornada. Lo más granado del Madrid aristocrático comenzaba a hacer las maletas para pasar el estío como era debido, esto es: en la Riviera, Biarritz o, como mínimo, San Sebastián. El calor comenzaba a apretar de veras. Serían aproximadamente las cinco de la tarde cuando Víctor repasaba un sumario intentando librarse del insoportable sopor que le invadía a causa de la pesada comida que le había servido doña Patro. ¡Nada menos que un cocido madrileño en un día tan caluroso!

El joven inspector comenzaba a barajar la posibilidad de bajar a tomar un café a alguno de los establecimientos que había en Sol para despabilarse y echar un cigarro, cuando don Horacio Buendía irrumpió en el despacho y despertó a don Alfredo, que por poco se cae de su silla, pues tenía la mala costumbre de dormitar en equilibrio, con los pies sobre la mesa y apoyando sólo en el suelo las patas traseras del asiento.

—Don Alfredo, don Víctor, les necesito. Tomen sus sombreros deben acompañarme de inmediato.

Sin saber muy bien el cómo ni el porqué, los dos policías se vieron con el sombrero y el bastón en la mano bajando las escaleras tras el vital don Horacio. Un coche les esperaba en la puerta. Subieron con premura y, antes incluso de que se cerrara la portezuela, el vehículo ya había echado a andar.

Volaron por las bulliciosas calles de Madrid. A pesar del incesante traqueteo, don Horacio acertó a quitarse el sombrero y consiguió pasarse el pañuelo por la inmensa frente para enjugarse el sudor. Hacía mucho calor.

—Bueno, caballeros —dijo mirando por la ventanilla el trasiego de paisanos por la Carrera de San Jerónimo—. Ni qué decir tiene que éste es negocio de máxima urgencia. Incumbe a una familia de las de toda la vida y es mi deber recordarles que todo cuanto vean y oigan a partir de ahora queda dentro de lo que llamamos secreto profesional.

—¡Eso no es menester ni decirlo, don Horacio! ¡Somos miembros del cuerpo de policía! —replicó don Alfredo.

—Así me gusta. El hombre al que vamos a visitar es importante. Suena como ministrable, con eso se lo digo todo. Está bien relacionado y mantiene una fuerte amistad con muchos de los miembros del gobierno. Háganse cargo de que este asunto debe ser tratado con la máxima discreción. Má-xi-ma-dis-cre-ción —repitió, recalcando todas y cada una de las sílabas—. Hasta el ministro se ha interesado personalmente por el tema. Les he llamado a ustedes porque son lo mejor que tenemos y sé que se van a complementar a la perfección, de manera que justifiquen lo que valen. Éste es su primer caso de postín, ¡demuestren lo que saben, leñe! Nuestro hombre les dará más detalles, ahora vamos hacia su casa.

Víctor observó de reojo que el coche de don Horacio cruzaba ya la calle de San Ildefonso y sintió que el corazón le daba un vuelco. Allí, a unos pasos apenas, se encontraba la casa de Clara Alvear. Un sueño que nunca se haría realidad.

El coche giró a la derecha y se introdujo bajo un amplio arco de piedra que daba acceso a un gran patio interior. El joven policía fue presa de un súbito escalofrío que subió por su espalda helándole el cuerpo y el alma. ¡Aquel era el patio de carruajes de la casa de la familia de Clara! Un criado abrió la portezuela y desplegó la pequeña escalera. En un instante, los acompañantes de Víctor estaban en tierra.

Tuvieron que girarse para ver qué le ocurría al subinspector Ros, quien, paralizado, permanecía en el interior de la berlina. Aquel era el acceso desde la calle San Ildefonso que la casa tenía para las caballerizas y los carros, pues la puerta principal, pomposa y decorada en exceso —para el gusto del joven policía—, daba a la calle Santa Isabel.

—¡Ros, vamos, hombre de Dios! —urgió el comisario a voz en grito—. Tenemos prisa.

Víctor bajó rápidamente. ¿Iría bien vestido para la ocasión? ¿Cómo iba a saber que en un día rutinario como aquel sería requerida su presencia en aquella casa? Temblaba de nerviosismo. Vestía un discreto traje de mezclilla color beige e iba tocado con un sombrero de los que llamaban bombín, de color marrón claro, que se estaban imponiendo entre las clases menos pudientes como contrapunto a la aristocrática chistera que solía lucir la gente de posibles. La corbata, de seda, era atrevida pero elegante; la había comprado en una excursión a Francia cuando vivía en Figueras. Pensó que tenía un pase. Delante iba don Alfredo, con su sempiterno traje gris y su sombrero negro, y, más allá, don Horacio, que arrastraba una pesada levita marrón, con sombrero del mismo color y pantalones color crema.

El mayordomo de la casa los guió a través de una pequeña escalinata por la que accedieron al recibidor; allí abrió unas puertas correderas y dijo:

—El señor vendrá enseguida; pasen y siéntense.

Los tres hombres entraron en la estancia y advirtieron que se hallaban en la biblioteca. Una amplia habitación, mayor que el piso donde creció Víctor, enteramente forrada de estanterías repletas de elegantes libros de lomos dorados, rojos, de añoso cuero… Aquello era un paraíso, pensó para sí el joven subinspector.

Había, en un lateral, un sofá con amplios y cómodos cojines. A cada lado del mismo, dos butacones que hacían juego con la pieza anterior, formando un bello conjunto de un estilo que a Víctor le pareció Luis XVI. Tras ellos, una inmensa mesa rodeada de sillas incitaba a la lectura. A pesar de la invitación del espigado mayordomo, los policías permanecieron de pie. Estaban desconcertados y se sentían como peces fuera del agua en tan suntuosa casa.

Víctor pensó que en aquella misma estancia habría pasado multitud de veladas la joven de sus sueños, leyendo junto a la regia e historiada chimenea. Sintió una especie de nostalgia. La puerta corredera de la biblioteca se abrió y en el umbral de la misma apareció don Augusto Alvear: alto, severo, imponente. Vestía una delicada bata de seda bajo la cual se adivinaban chaleco y corbata. Los pantalones eran oscuros y sus zapatos de charol brillaban con la luz que entraba por el inmenso ventanal de la estancia en que se encontraban. Tenía los ojos marrones, pequeños y semiocultos por las bolsas que delataban su edad y su estado físico. Parecía cansado pese a su altivez.

—Buenos días, caballeros —dijo cerrando las puertas tras de sí—. Tomen asiento.

Los policías hicieron lo que se les decía. Don Augusto tomó una caja de madera y marfil de una coqueta mesa de café que había delante del sofá y que era de auténtico mármol.

—¿Quieren un cigarro? —Los tres rehusaron el ofrecimiento—. En un momento nos servirán un café, ¿les apetece?

Don Horacio contestó por todos asintiendo con la cabeza.

—Bueno —comenzó diciendo con seguridad el hombre de la casa a la vez que encendía un soberbio habano—, no sé si me conocerán, pero soy don Augusto Alvear.

—Aquí presentes, don Alfredo Blázquez y don Víctor Ros, lo mejor que tenemos —dijo el comisario a modo de presentación.

—Favor que usted nos hace don Horacio. Debo suponer entonces que se puede confiar en la discreción de estos caballeros.

—Sin ninguna duda —afirmó Buendía.

—¿Les ha adelantado usted algo del asunto que nos ocupa, don Horacio? —quiso saber el conde de Teresillas.

—No, pensé que preferiría hacerlo usted personalmente.

—De acuerdo, entonces. Caballeros, debo decirles que intentaré ceñirme lo máximo posible a los hechos acaecidos para que ustedes tengan en su mano las cartas necesarias para resolver este desgraciado incidente que ha hecho que la desdicha entre en esta casa y que amenace con acabar con nuestro honor y nuestra honra. Resulta que, hace cosa de un año, mi hija mayor, Aurora, conoció a un joven y brillante abogado catalán que se había establecido en la ciudad como representante de un grupo de inversores cuyos valores gestiona él mismo con tino en la Bolsa de Madrid. Mi primogénita se enamoró del joven en cuestión y él de ella, como no podía ser de otro modo. Así que como el mozo era buen partido —proviene de una muy influyente familia catalana—, acepté su propuesta de matrimonio y prometimos a la pareja. Ya saben ustedes cómo son los jóvenes de hoy día, todo a la carrera, todo de prisa.

La entrada de una sirviente con la bandeja del café y las pastas interrumpió la disertación de don Augusto que, atusándose el inmenso y cuidado bigote, esperó mirando al infinito que la chica sirviera el café.

Víctor no pudo evitar sentir una innata repulsión hacia el interesado individuo que les había vendido la idea de que aquel matrimonio era cosa de enamorados, cuando a él le constaba que semejaba más un contrato mercantil firmado por los progenitores de los contrayentes que otra cosa. Una vez que la criada hubo salido, y tras tomar un sorbo del excelente café dominicano que les habían servido, don Augusto continuó:

—El caso es que los dos tortolitos se casaron hace cuatro días, y como no salían hacia París hasta dentro de dos, se instalaron, como es normal, en la vivienda donde han de residir. Don Donato Aranda, así se llama mi yerno, no reparó en gastos hasta encontrar la casa que hiciera feliz a mi hija, ¡y vaya si la encontró!, pero fue para nuestra desgracia. Y debo decir que no resultó barata, no. El bueno de don Donato mostró una casa a mi hija de la que ella quedó prendada. Una amplia y solariega casona de dos pisos situada en la calle de San Nicolás. Una casa antigua y de recios pilares, fresca en verano y cálida en invierno. Con dos amplios salones, caballerizas, un primer piso con seis dormitorios y un segundo nivel perfectamente equipado para albergar a la servidumbre. Es una casa de bella fachada con un pórtico labrado en piedra que algunos atribuyen a los mismísimos templarios. Las ventanas, inmensas, las rejas de los balcones, preciosas, y a un paso del Palacio Real como quien dice, en fin, una casa ideal para una joven esposa y su brillante marido que comienzan una nueva vida juntos. Y es en este punto donde me remito a lo que les cuente don Horacio, que está más versado que yo en el mundo de los sucesos y que habrá de narrarles con detalle lo que yo no sabía, y es que en esa casa se habían dado en el pasado hechos luctuosos y desgraciados que se repiten en esta época moderna y azarosa.

El anfitrión cedió entonces el testigo a don Horacio, que, tras apurar un sorbo de café para mejor tragar una pasta, comenzó a decir:

—Bueno, bueno, amigos míos. Empezaré diciendo que los datos que obran en nuestro poder demuestran que la casa no es tan antigua como la gente cree, aunque sí podemos calificarla de añeja o vetusta sin correr riesgo de equivocarnos. El caso es que hará cosa de cincuenta años, allá por 1826, en plena época de agitación política y conspiraciones, un noble caballero venido de las Filipinas compró la vivienda. Le acompañaba su esposa, una exótica mujer de rasgos orientales, hija de español y filipina que, según cuenta la leyenda, tenía, como todos los de su estirpe, lo mejor de las dos razas. Bellos ojos rasgados, rostro fino, delicado, de porcelana, y un cuerpo de ensueño como el que tienen aquellas mujeres menudas según cuentan los marineros venidos de tan lejanas tierras. Era esta mujer, de nombre Genoveva, hembra apasionada y de sangre caliente como suelen ser los de su raza. El comprador de la casa no era otro que don Diego Vicente Reinosa Barbas, individuo que había amasado una inmensa fortuna en las Américas y posteriormente en Filipinas, y que regresaba a la patria para pasar sus últimos días viviendo a cuerpo de rey. No en vano el hombre era ya sexagenario. Se dice que las fiestas eran suntuosas en aquella casona y que la llegada de tan exótica pareja causó sensación en el Madrid del momento, pero el caballero apenas pudo disfrutar de su retorno más de un año. Una noche del mes de junio, la esposa se levantó y bajó a la biblioteca situada en la planta baja. Sacó un ejemplar de una estantería, *La Divina Comedia*, de Dante Alighieri y, tras abrir el libro por una página determinada y subrayar unas líneas, subió a la habitación del marido, al que asestó dos certeras puñaladas en el pecho que le causaron la muerte. La mujer fue ajusticiada, le dieron garrote a pesar de que siempre sostuvo su inocencia, alegando que no recordaba nada de lo sucedido. Encontraron el libro sobre una mesita camilla en el cuarto de ella, abierto, claro, y con un párrafo subrayado, como ya he dicho.

—Fascinante suceso —dijo Víctor.

—Sí, pero no acaba ahí la cosa, no —terció don Augusto.

—Es verdad. Hasta ahí todo quedaría reducido a un crimen pasional —continuó don Horacio—. Pero es que ya saben ustedes cómo es la gente. Después de crimen tan sonado la casa quedó vacía y durante años fue prácticamente imposible venderla. Los vecinos decían oír voces y las puertas se abrían y cerraban solas aunque nadie vivía en ella. Unos decían que el espíritu del asesinado volvía pidiendo justicia, otros que era el de la filipina que clamaba por su inocencia. La gente empezó a decir que el crimen lo había cometido un caballerizo, amante de la esposa, al que ésta no delató por amor. Por eso volvía Genoveva del más allá protestando por su inocencia.

—Menuda historia —comentó don Alfredo Blázquez subiéndose las gafas con el índice.

Don Horacio siguió:

—A pesar de esos cuentos y chismes de viejas, hace diez años, un joven empresario santanderino que se vino a vivir a Madrid con su mujer y sus tres hijos, compró la casa sin hacer caso de aquellos rumores. Era hombre abierto y liberal, moderno. No creía en cuentos de fantasmas. Una noche, cuando llevaban ya ocho meses viviendo en la casa....

—Un momento, ¿una noche de qué mes? —preguntó Víctor.

Don Horacio miró a don Augusto con satisfacción y dijo:

—¿Ve usted? No se les escapa nada. Pues fue también en una noche de junio, como en el asesinato de hace cincuenta años. El caso es que don Benjamín, que así se llamaba el joven empresario, despertó y vio que su mujer no estaba en la cama. Bajó al piso inferior y comprobó con un nudo en la garganta que su mujer salía de la biblioteca con un libro oscuro en la mano. Se ocultó bajo la escalera. La dejó pasar y la siguió con mucho tiento al piso superior. Ella se sentó en la mesita camilla y abrió el tomo. La vio ojear una página y sin poder esperar más salió de su escondite y le preguntó qué hacía. ¡Ella tenía un cuchillo encima de la mesa! Lo empuñó con intención de usarlo, a la vez que hablaba en una jerga extraña, pero el marido, más fuerte, pudo detenerla a tiempo haciendo caer el arma al suelo. Avisó a los criados y éstos a la policía.

—¿Y qué dijo la mujer? —preguntó Blázquez.

—No volvió a ser la misma y la ingresaron en un manicomio. Doña Milagros, que así se llamaba la desgraciada, se volvió loca.

—¿No fue juzgada? —preguntó el subinspector Ros.

—No, no —negó don Horacio—; el marido no denunció el intento de homicidio y la familia prefirió correr un tupido velo. El libro resultó ser el mismo que en el caso anterior.

—¿Y él?

—Se fue de Madrid con sus tres hijos y malvendió la casa a un intermediario.

—Vaya, vaya —dijo Víctor frotándose la barbilla—. Un muy, pero que muy extraordinario suceso. Nada trascendió a la prensa, claro está.

—En efecto —asintió don Horacio.

—¿Y ha ocurrido algo similar con su hija, don Augusto? —inquirió don Alfredo con su característica vocecilla.

El aristócrata asintió:

—Me temo que sí. Parece una auténtica pesadilla. Yo no sabía nada sobre la leyenda negra de esa casa, háganse cargo. El caso es que fue hace dos noches exactamente.

—Cuatro de junio —puntualizó el subinspector Ros.

—Exacto, decía que hace dos noches, mi yerno, don Donato, sintió de madrugada, a eso de las seis, como si algo se moviera delante de él. Estaba profundamente dormido pero empezaba a clarear y por eso notó que una sombra se le acercaba, abrió los ojos y... y...

Don Augusto Alvear estalló en sollozos echándose las manos a la cara.

Don Horacio continuó en su lugar, algo azorado por la reacción del anfitrión:

—Me temo que doña Aurora intentó asesinar a su joven marido. Él fue rápido y desvió la mortal cuchillada, que lo hirió en el antebrazo, y luego, la segunda, le atravesó el hombro. Con la otra mano golpeó a la joven y pudo levantarse; los criados le salvaron la vida.

—¿Y en la mesita de noche? —preguntó Víctor.

Don Augusto asintió aún con las manos en la cara y los codos apoyados en las rodillas,

—*La Divina Comedia* —respondió don Horacio.

—Con el mismo párrafo subrayado —dio por supuesto Blázquez.

—Sabemos que es el mismo libro que utilizó la filipina. La casa se vendía amueblada, incluidos los volúmenes de la nutrida biblioteca —añadió el comisario.

Víctor tragó saliva. Él y Blázquez se miraron.

—Feo asunto —dijo—. Pero no se preocupe, don Augusto, que lo solucionaremos. ¿Y su hija?

—Lleva dos días en cama.

—¿Dónde?

—Allí, en esa maldita casa, pero no tema, la cuidan y la vigilan mi mujer y las criadas.

Entonces Víctor preguntó:

—¿Y cómo está ella, recuerda algo?

—No, el médico le ha diagnosticado fiebre cerebral. Está totalmente sedada —informó el anfitrión.

—¿Y su yerno? —inquirió el inspector Blázquez.

—Se repone en otro cuarto; se curará, es joven y fuerte, pero no en vano se llevó dos cuchilladas —contestó don Augusto.

—Caballeros —dijo don Horacio—, no tengo que recordarles que éste es un asunto muy delicado; ni una palabra a nadie. Cuidado con la prensa y no reparen en gastos.

—Tienen mi casa abierta. Empiecen por donde quieran, hablen con quien sea preciso, pero devuélvanme a mi hija, por favor —dijo aquel prohombre, que se incorporó y tiró de la campana—. El mayordomo les acompañará. Manténganme informado.

Parecía un hombre hundido. Salió de la biblioteca cabizbajo y arrastrando los pies.

Capítulo 7

Aquella misma tarde, Víctor conoció a alguien que ejercería una influencia decisiva en el resto de su azarosa y agitada vida. Después de salir de la casa de los Alvear, decidió caminar, dar un paseo hasta casa de doña Angustias, la viuda de don Armando Martínez, pues disfrutaba frecuentando el domicilio de la buena mujer y rememorando con ella otros tiempos más felices en los que ambos disfrutaban de la presencia de don Armando y doña Ignacia, la madre del joven subinspector. Tras despedirse de don Horacio y don Alfredo en la puerta de la casa de su amada, el subinspector Ros se encaminó hacia La Latina. Lamentó no haberse cruzado con Clara en el enorme recibidor de su casa al salir de la biblioteca, mientras el mayordomo les traía sus sombreros y bastones. Los tres policías habían permanecido allí durante unos minutos que a él le parecieron eternos. Le sudaban las manos y miraba fijamente hacia la regia escalera con la secreta ilusión de que Clara Alvear hiciera su aparición en aquel momento. No fue así.

Víctor callejeó dando un rodeo, haciendo tiempo para pasar por Sol a ver si tenía algún recado. Caminaba pensando en el escabroso caso que acababan de encargarle. Aquello pintaba mal para la joven hermana de Clara, Aurora. ¿Qué podía provocar que tres mujeres atentaran contra sus maridos tras leer unas misteriosas líneas de una obra de Dante? ¿Qué decía ese párrafo que hacía matar?

Parecía que el ejemplar en el que las tres damas habían leído aquellas terribles palabras era el mismo. ¿Podía un libro estar maldito? Y otra cosa: ¿no sería todo un ardid de alguna mente criminal? Pero ¿cómo iba alguien a conseguir que hechos tan execrables se repitieran una y otra vez en el tiempo tras cincuenta años? ¿No sería cosa de una especie de fuerza superior? Víctor se sentía culpable porque desde el primer momento había entrevisto en aquel caso una posibilidad más que factible de conocer a Clara y, sobre todo, de ganar el favor de su familia resolviendo el misterio. Se sentía como un miserable por aquello. No era profesional. Esa manera de pensar no encajaba en su código de conducta, era un policía racional, un enamorado del método científico y sabía de sobra que los sentimientos nublan la razón. Eso lo comprendía hasta el más lerdo. En lugar de preocuparse por la joven Aurora y por su afectado marido —el joven debía de estar pasando un auténtico calvario—, Víctor sólo vislumbraba la posibilidad de medrar para acercarse a su amada. «En el amor y en la guerra...», pensó.

Bajando por la calle de Toledo con sus inmensos toldos que colgando de viviendas y comercios caían verticalmente asemejándose a grandes sábanas de colores vivos, de rayas, reparó en que ardía en deseos de visitar la casa maldita, de ver a la febril Aurora y a su marido, don Donato. Se hizo a un lado para dejar paso a un tranvía de mulas con sus características cortinillas abiertas y su sempiterno tintineo, pensando que deseaba interrogar al servicio, a la mujer de don Augusto, anhelaba ver y analizar el libro maldito y, sobre todo, se moría de deseos de ver a su amada. Además, aquel era un caso extraño, apasionante, justo lo que su mente le pedía, lo que estaba esperando. Se sintió excitado, en forma. No podía dejar escapar aquella oportunidad.

Perdido en estas ensoñaciones, llegó a la casa situada en la calle de los Lucientes, subió los peldaños de dos en dos y se personó en el domicilio de doña Angustias. Le abrió la criada, una joven algo coja de Ciudad Real, que le hizo saber que la viuda de don Armando tenía otra visita en aquel momento.

Al llegar al pequeño salón —que siempre le recordaba el sepelio de su mentor— el joven subinspector pudo comprobar que, sentado junto a doña Angustias y tomando café con leche y pastas, se hallaba un individuo que de inmediato se puso en pie. Era alto, más que alto, estirado. Parecía hombre llegado a la cincuentena, pero se hallaba bien conservado; de cara atractiva y bien rasurada, lucía una cabellera abundante y tenía las sienes plateadas. Se mantenía esbelto y lucía levita de color gris, de solapas negras. El pantalón que vestía era negro, con una línea en el lateral de brillante terciopelo del mismo color. Completaba el conjunto una elegante corbata de rayas azules y rojas, audaz pero ajustada al conjunto, que aparecía sujeta por un precioso alfiler coronado con un discreto pero bello rubí. Los gemelos hacían juego con dicho complemento. El cuello de la camisa era blanco como la nieve y se ceñía, impecablemente almidonado, a su estilizada garganta de prominente nuez. Un caballero. Le miró con curiosidad con sus ojos grises.

—Vaya, vaya —dijo el extraño mostrando una sonrisa repleta de dientes perfectos y blancos como perlas—. Éste debe ser el célebre subinspector Ros; me moría de ganas de conocerle. Don Alberto Aldanza e Idiáquez —añadió tendiéndole una tarjeta en la que se leía «Conde del Rázes».

—Don Víctor Ros Menéndez —dijo el policía haciendo otro tanto.

—Aquí, don Alberto, era un gran amigo de mi marido —dijo doña Angustias a modo de aclaración.

—Sí, lo sé, don Armando me habló mucho de ello en sus cartas.

—Y a mí me contó maravillas de usted, joven.

—Lo mismo hizo con respecto a usted. Se conocieron por un robo en su casa, ¿no?

—Sí, me robaron unos objetos de arte y él se encargó. A partir de ahí, mi afición a lo policíaco nos unió. Usted había sido trasladado fuera y supongo que él necesitaba un amigo.

—Sí, me hizo saber en su cartas que se habían hecho íntimos y reconozco que sentía curiosidad por conocerle. Esperaba haberle visto en su sepelio.

—Viajo mucho, joven, viajo mucho. Sentí hallarme en París por aquellos días. Me contaba aquí, mi amiga doña Angustias, que anda usted metido en un caso de no se qué prostitutas muertas.

—Sí, pero no he tenido mucho apoyo oficial. De hecho, algo he investigado en mi tiempo libre, aunque con escasos resultados, me temo. Encima, para colmo, me han encomendado un caso rarísimo y de difícil solución que me va a ocupar mucho tiempo. No sé si podré avanzar en el asunto de esas pobres desgraciadas.

—¿Un asunto raro, dice? —preguntó don Alberto.

—Como ya ha dicho él mismo, el señor conde es muy aficionado a lo policíaco, le gustan los casos difíciles. Mi marido, que en paz descanse, le consultó en multitud de ocasiones. Don Alberto domina las más modernas técnicas a la hora de cazar criminales —informó la señora.

—Algo me contó don Armando, sí, pero ¿es cierto eso? —preguntó el subinspector Ros.

El otro asintió como azorado y repuso:

—Es una afición que tengo. Una excentricidad de un hombre curioso que tiene el futuro resuelto y demasiado tiempo libre.

—¿Y ha estudiado usted ciencias?

—No exactamente. Un poco de todo. Tuve la suerte de vivir en Estados Unidos, y en Francia, y en Suiza. Bueno, digamos que he viajado un poco y que he procurado aprovechar el tiempo. He conocido algunos especialistas de renombre que tuvieron a bien enseñar algunas cosillas a este humilde aficionado. Algo sé de anatomía forense, no sé si la conoce, pero es una ciencia apasionante. «Los muertos hablan» y, a veces, un buen observador puede obtener valiosísimas informaciones con el estudio de un cadáver. Las propias víctimas nos indican quién fue su agresor, a qué hora se produjo el crimen, cómo y por qué, sólo hay que saber leer los indicios. Algo sé también de botánica, de venenos, por supuesto, algo de química, un poco de óptica, de balística, que es el estudio de las armas y los proyectiles que disparan —aclaró mirando a doña Angustias—; en fin, un poco de aquí, otro poco de allá, lo que se necesita para mi afición.

—¿Su afición? ¿Debo entender que es usted detective aficionado? —preguntó Víctor.

—No, querido amigo, soy cazador de monstruos.

Se hizo un breve silencio. Víctor Ros quedó intrigado por saber qué significaba aquello de «cazador de monstruos», pero en aquel momento el otro cambió hábilmente de tema para decir:

—Bueno, subinspector, cuéntenos algo sobre ese extrañísimo caso que le acaban de encomendar.

Víctor narró lo poco que sabía sobre el suceso de la casa de los Aranda y maravilló a sus dos interlocutores con los detalles de que disponía. Los tres charlaron animadamente sobre las repercusiones que tendría dicha historia en la opinión pública si trascendieran y doña Angustias preguntó a Víctor con curiosidad sobre qué pasos iba a dar para resolver aquel enigma. Luego, recordaron durante un rato a don Armando. Parecía evidente que don Alberto lo había conocido bien en los años de ausencia de Víctor, primero en Oviedo y luego en Figueras.

Era ya de noche cuando Víctor y don Alberto salían del portal. Un elegante coche de caballos de color negro aguardaba al conde del Rázes, así que éste insistió en llevar a su nuevo conocido a su pensión. Aquel caballero cuidaba hasta el más mínimo detalle de su indumentaria. Portaba un sofisticado bastón de fino manatí con labrado pomo de plata que llamó la atención del joven subinspector. Aquellos bastones eran caros, pues estaban confeccionados con nervios de dicho animal, un mamífero marino parecido a la ballena. Debían ser conservados en tubos llenos de aceite para evitar que se fracturasen. Un lujo al alcance de pocos.

En el trayecto, el noble no cejó en su empeño de conseguir que el joven policía le visitara en su nuevo palacete del barrio de Salamanca para «cambiar impresiones».

Víctor farfulló como excusa:

—Es que mañana por la tarde mi compañero me lleva a los toros.

—Curiosamente yo tampoco puedo mañana, asisto a una interesantísima conferencia en la Academia Médico Quirúrgica Española a las ocho y media: «La oportunidad de las amputaciones».

—Vaya —repuso Víctor sintiendo un vacío en el estómago. Aquel tipo era, decididamente, una especie de maníaco, un noble excéntrico que combatía así el tedio.

—¿Y qué tal pasado mañana?

Ante la insistencia del conde quedaron en verse dos días después. A Víctor le pareció que don Alberto era un poco pesado, aunque don Armando lo describía en sus misivas como un tipo interesantísimo, muy viajado, leído y a la última en cuestiones policiales y detectivescas. Total, un noble aburrido sin otra cosa que hacer.

A la mañana siguiente, a primera hora, Víctor y don Alfredo se personaron en la casa de la calle San Nicolás, el lugar de los hechos. El joven subinspector ardía en deseos de inspeccionar aquel ejemplar de *La Divina Comedia* que al parecer incitaba a las dueñas de la casa a asesinar a sus respectivos maridos, una auténtica locura. Desde el primer momento tuvo la certeza de estar ante un caso extraordinario, y es que, al bajar del coche y echar un vistazo a la casa maldita, sintió que un escalofrío recorría su espalda. Don Alfredo y Víctor se hallaban ante una construcción horrenda y lúgubre que desentonaba de modo notorio en medio de aquel vecindario de amplias casas de corte neoclásico. La fachada era de granito oscuro, entre negro y gris, cubierto por una profusa enredadera que bajaba desde el tejado para tejer una intrincada y siniestra maraña que daba a la vivienda un aspecto oscuro y sombrío.

La entrada principal estaba jalonada por una triple puerta con tres arcos, de los que sólo el central daba acceso a la vivienda. Sobre esas tres altas y estilizadas puertas se advertían tres figuras recargadas de hojarasca y volutas, entre retorcidas y tétricas, que daban la bienvenida al recién llegado. Coronaba la triple entrada un balcón central esculpido en piedra, de columnas irregulares talladas en una espiral de color más oscuro, al que debían de dar las habitaciones principales de la primera planta. Ése era sin duda el lugar en que descansaban los dueños de la casa. A pesar de todo, los ventanales de la planta principal que se observaban desde la calle parecían amplios y modernos, suavizando un poco la impresión que producía la horrorosa cornisa que, sobre dicha planta, separaba el piso principal de la segunda planta, abuhardillada y encajada bajo un tejado triste y azabache que terminaba coronado por una serie de gárgolas que parecían residir desde los tiempos más oscuros en la pequeña cornisa que rodeaba al edificio. De aquel negruzco tejado surgían como dos cuernos dos alargadas chimeneas —una a cada lado de la casa— que, junto con las enredaderas, daban al inmueble el aspecto de una gigantesca araña que fuera a engullir sin aviso al atemorizado vecindario. Rodeaba la vivienda un descuidado y tupido jardín en el que crecían a la par higueras silvestres, enredaderas, zarzales y adelfas, todo ello rodeado de una verja negra, gruesa, alta y recargada, rematada para colmo con unos horripilantes y desgarbados dragones que habrían asustado al más templado.

—No me parece un nidito de amor demasiado acogedor para dos recién casados, ¿verdad? —dijo Víctor con aprensión.

—Desconozco cómo era la casona antes de que la comprara el Indiano, pero debo reconocer que el hombre no anduvo muy acertado a la hora de remozarla, no —contestó don Alfredo al momento, sintiendo cierta desazón ante la espantosa excursión que les esperaba.

Víctor subió los tres peldaños que daban acceso a la puerta principal, llamó y al momento abrió una criada. Se identificaron y la chica los hizo pasar al recibidor. Tomó sus guantes, sombreros y bastones y desapareció por una oscura y labrada puerta de madera de encina que se abría a la derecha de las horribles escaleras. El recibidor daba una cierta impresión de estrechez, ya que, según se entraba, a la izquierda, ascendían unas escaleras en forma de «ele» que comunicaban la planta baja con el primer piso y luego, a la derecha, surgía otro tramo de escalones que conducía a una estancia de puertas acristaladas. En suma, tantas escaleras, tan oscuras y tan añosas, restaban espacio al recibidor, forrado en su totalidad de madera de encina; en conjunto, la estancia de entrada a la casa ofrecía un aspecto triste y claustrofóbico. Además, los cuadros que colgaban de las paredes jalonando las amplias escaleras mostraban una galería de personajes antiguos con aspecto afectado, autoritario y severo, que no contribuían a sosegar a los recién llegados. Aquella morada era un horror. En unos instantes apareció el mayordomo de la casa, un hombre alto, delgado, calvo y de profundos y gélidos ojos azules. Era de maneras suaves y caminaba como si no pisara las mullidas alfombras que tapizaban el crujiente suelo de madera.

—Pasen por aquí, les esperan —indicó mientras giraba a la derecha y abría la puerta del gabinete.

Víctor y don Alfredo le siguieron y entraron en la estancia. El joven policía quedó petrificado. Allí estaban Clara y su madre, doña Ana. Víctor creyó notar cierto gesto de reconocimiento en la joven, que al verlo había arqueado las cejas como cuando se encuentra a alguien conocido en un lugar en el que no se le espera. Pensó que era una tontería. ¿Cómo una joven de su clase iba a saber siquiera quién era él?

—Ustedes son los agentes que esperábamos, sin duda —dijo poniéndose en pie doña Ana Escurza.

—Yo soy el inspector don Alfredo Blázquez y este joven es mi compañero, el subinspector don Víctor Ros Menéndez.

—Ésta es mi hija, Clara —repuso al instante la dama—. Tomen asiento, por favor. ¿Desean tomar algo?

—No, gracias —contestó Víctor mirando a su amada.

Tanto la chica como su madre parecían desmejoradas, mostraban unas acentuadas ojeras y tenían los ojos enrojecidos e hinchados de tanto llorar. Aun así, Clara le pareció bellísima. Le llamaron la atención sus ojos, grandes, profundos y llenos de bondad. Era todavía más hermosa de cerca. Llevaba un delicado vestido color crema, entallado, con el cuello, los hombros y las mangas de gasa festoneada con un bello y suave bordado. Su madre exhibía un vestido verde oscuro de cuello alto, que cerraba un precioso broche, elegante y al propio tiempo discreto. Su rostro era el de su hija aunque más ajado, los mismos ojos y la misma nariz. Se notaba por su delicado cutis que aquellas damas apenas habían sufrido el azote del frío o el sol como las mujeres que Víctor recordaba de su infancia en los campos de la lejana Extremadura o en La Latina. Parecían muñecas de porcelana, bellas y delicadas, lejos de la rudeza del mundo exterior.

—Ay, don Alfredo, don Víctor, tienen ustedes que ayudarnos en este trance —gimoteó la madre de Clara.

—¿Dónde está la enferma? —preguntó Víctor.

—Duerme —dijo la señora—. Ahora la vela su doncella.

—Tendríamos mucho interés en hablar con ella.

—No reconoce a nadie. Está como ida. Además, con los tranquilizantes que le ha dado el médico no despertará hasta la tarde.

—¿Podremos hablar con ella en otro momento? —preguntó prudentemente don Alfredo.

—Sí, les mandaré recado cuando recobre el conocimiento. Aunque me temo que no le rige la cabeza.

—¿Y su yerno, sería posible tener una entrevista con él?

La mujer rompió en sollozos.

—Todavía convalece —dijo al fin la dama sonándose en un delicado pañuelo que había sacado con gracia de la manga de su vestido.

Los policías se miraron en silencio. No esperaban tan poca colaboración. Aun así, era evidente que aquellas mujeres estaban apenadas por los hechos, pero no iba a ser fácil conseguir información. Tendrían que ir con pies de plomo. Ser cautos.

Víctor no sabía si las damas conocían la historia de la casa, así que preguntó con mucho tiento:

—¿Saben si su hija leía algo antes de la agresión?

—¿Lo dice usted por esa leyenda del libro? —intervino Clara con una voz resuelta y angelical que a Víctor le pareció de ensueño.

Los dos policías asintieron.

—No teman —añadió la joven—, mi madre y yo estamos enteradas de todo.

—¿Y qué opinan de ello? —inquirió el subinspector con curiosidad.

La mujer, algo más repuesta, dijo:

—Mi hija Clara es muy aficionada a los relatos policíacos, siempre anda leyendo novelas de detectives y esas cosas. No se pierde un suceso de los que publican los periódicos. Ella dice que no cree en fantasmas, pero yo ya no sé qué pensar.

—¡Vaya! —exclamó Víctor—. Una bella dama metida a detective.

Aquello le agradó.

La chica sonrió y dijo:

—Es evidente que en este mundo los crímenes los cometen «fantasmas muy humanos».

—Habla usted con sentido común —contestó él deslumbrado.

Don Alfredo se dirigió a la madre y dijo:

—Pero, en cambio, usted cree...

—Sí, lo creo. Mi hija Aurora ha sido siempre una niña angelical. ¿Cómo iba a hacer algo así? Está poseída por el espíritu de esa horrible filipina. Igual que le sucedió a la mujer de aquel industrial de Santander hace diez años.

—Bueno, bueno, no adelantemos acontecimientos. ¿No se le ha ocurrido pensar que pudo tratarse de un acceso de locura? —dijo Víctor.

—¿Y la mujer anterior, y la filipina? —espetó doña Ana.

—Quizá alguien les hizo ingerir alguna droga, no sé. ¿El servicio?

—Es de absoluta confianza —afirmó Clara con rotundidad.

Víctor llevó la conversación a temas más mundanos y preguntó:

—¿La doncella de su hija...?

—Auxiliadora.

—Sí, la que la cuida en este instante. ¿Cuánto tiempo lleva con ella?

—Desde que debutó en sociedad. Y ahora, al casarse, la trajo consigo.

—Ya. Es de confianza, claro.

Las dos damas asintieron.

—Querría hablar con todo el servicio —indicó Víctor.

—Cuando usted quiera —aceptó doña Ana.

—¿Y el mayordomo?

—Lo contrató mi yerno.

—¿Cómo? —quiso saber don Alfredo.

—Se lo recomendaron por aquí, por el barrio.

—¿Hay más servidumbre?

—Sí, otra criada, Nuria, una cocinera, Mercedes; y un cochero, Casiano, que hace las veces de caballerizo.

—¿Cómo los contrató su yerno?

—A través de Gregorio, el mayordomo.

Don Alfredo y Víctor se miraron. Entonces, el joven subinspector comentó:

—Es evidente que no hay jardinero.

Se arrepintió al instante de haberlo dicho, ante la cara con que lo miró doña Ana.

Don Alfredo anduvo listo, pues echó un capote a su compañero diciendo:

—Tendremos que entrevistarnos con todos ustedes y hacerles unas preguntas.

—No habrá problema —dijo la madre.

—Sí, pero antes querríamos ver el libro en cuestión; ¿lo guardaron? —terció Víctor.

La mujer volvió a mirar con mala cara al joven policía.

—Sí; Gregorio se encargó de hacerlo.

A continuación se incorporó, airada, y tiró de la campanilla.

El espigado mayordomo apareció al instante:

—Gregorio, acompañe a los señores a la biblioteca e indíqueles dónde está el volumen que ya sabe usted —ordenó la dama—. Nosotras nos quedaremos aquí bordando.

La pareja de policías se incorporó y siguió al mayordomo. Cruzaron el recibidor y, tras pasar bajo las inmensas escaleras, llegaron a la amplia biblioteca. Estaba tapizada por mullidas alfombras persas y el mobiliario era, cómo no, recargado, barroco y de tonos muy oscuros. Otra vez envidió Víctor a aquellos ricachones, pues allí debía de haber miles de libros. El mayordomo se dirigió hacia una estantería que quedaba a la izquierda y de pronto se detuvo en seco. Víctor se percató de que su rostro se había quedado lívido.

El sirviente perdió su aplomo por un instante y comenzó a tartamudear:

—No, no, no est... t...t...t...tá —tartajeó asustado.

—¿El qué? —preguntó don Alfredo.

—Me temo que el libro maldito ha volado —concluyó Víctor Ros muy resuelto.

Capítulo 8

—¿Cómo? —preguntó don Alfredo—. Pero ¿no había usted colocado el libro en su sitio?

—Sí, así fue. Sin ninguna duda —contestó el mayordomo.

—¿Cuándo fue eso? —quiso saber Víctor.

—A la mañana siguiente del..., del suceso.

—Lo colocó usted ahí por iniciativa propia, supongo —dejó caer el subinspector.

—No, no, el señor me dijo que lo llevara de nuevo a su sitio.

—¿El señor?

—Sí, don Augusto, el padre de la señora.

—Ya, ya —asintió Víctor—. ¿Y está usted seguro de que el libro quedó en su sitio?

—Segurísimo.

El subinspector Ros tomó su lupa y se acercó a mirar el hueco dejado por el libro. En su lugar había un montón de ceniza.

—¡Se ha volatilizado! ¡Él solo se convirtió en ceniza! —dijo el mayordomo a gritos. Parecía algo histérico.

Las damas y una doncella acudieron al oír tal revuelo.

—¿Qué pasa, qué alboroto es éste? —preguntó doña Ana.

—Atrás, atrás, no se acerquen —ordenó muy resuelto Víctor.

Todos hicieron lo que el joven decía.

—Tráiganme un trozo de papel para envolver. Que esté limpio, ¡rápido! —requirió el subinspector.

95

Víctor Ros caminó con rapidez hasta la ventana, descorrió las cortinas y se tumbó en la alfombra, a la altura de la estantería, y empezó a escudriñar el suelo con su lupa.

Al mismo tiempo que su compañero se comportaba de tan extraño modo, don Alfredo relató a las damas lo ocurrido. Doña Ana pareció afectada por tan extraño suceso y, tras emitir un sonoro grito, se desplomó desmayada.

—¡Las sales! —pidió el mayordomo sosteniendo a su ama.

Mientras doña Ana era transportada a un diván junto a la ventana para que le diera el aire, Víctor no mostró el menor interés por la salud de la madre de su amada; es más, siguió enfrascado en el estudio de la estantería, que roció con unos polvos que sacó de un sobre que llevaba en el bolsillo. Después de examinar con lupa el mueble, se giró y, tomando con tiento un trozo de papel de estraza que le habían traído de la cocina, depositó las cenizas del libro en el mismo y lo cerró con esmero. Revisó los demás volúmenes con detalle y finalmente se volvió diciendo:

—*Voilá*, ¿y la enferma?

La dama, que había recobrado el sentido, bebió un vaso de agua y pareció encontrarse mejor.

—¡Qué desgracia, qué desgracia! —murmuraba sin pausa.

Víctor observó a su amada y creyó entrever en ella una mirada de curiosidad más que de reproche por su poco caballeroso comportamiento de momentos antes.

—Bueno, bueno —dijo el joven policía—. Como parece que doña Ana se encuentra bien, creo que deberíamos irnos. Don Alfredo, aquí no hacemos sino molestar. Si ustedes quieren, iremos en nuestro coche a avisar a su médico para que examine a doña Ana para mayor tranquilidad.

—No, no. No es necesario, parece que me encuentro mejor —dijo ella, y trató de levantarse del diván con una compresa fría en la frente—. Sólo ha sido la impresión.

—Entonces nos vamos —dijo don Alfredo—. Volveremos mañana para hablar con el servicio y con don Donato, si se encuentra mejor de sus heridas.

Dicho esto, ambos policías salieron de la casa con cierta prisa y aprensión.

—¿Y bien? —dijo don Alfredo cuando subieron al coche de caballos que había de llevarles a Sol.

—Feo asunto —contestó Víctor.

—Sí, eso me temo. No hemos podido hablar ni con la agresora ni con el agredido y, para colmo, ¡el libro se ha volatilizado!

—¡Cómo, Alfredo! ¡No me digas que crees en cosas de magia! —exclamó Víctor con aire divertido.

—Pues no, amigo mío, pero...

—No hay pero que valga. Parece que el mayordomo sí colocó el libro en su sitio. ¿Viste su cara cuando comprobó que no estaba allí?

—Sí, se descompuso, se puso blanco como la cera.

—Luego él no fue quien se lo llevó.

—¡Cómo! ¿Piensas que alguien se lo ha llevado?

—Pues claro; sólo una mano humana podía coger el libro. No irás a pensar que desapareció por arte de magia.

—No sé qué pensar, Víctor. Esa casa me da aprensión, y toda la familia anda un tanto...

—¿Histérica?

—No, no. Como si hubiera caído una maldición sobre ellos. ¿Y qué hacías con esos polvos y la lupa, si puede saberse?

—Buscar huellas dactilares.

—¿Huellas qué?

—Dactilares. Sí, amigo, las huellas de nuestros dedos son algo único. Nos identifican y diferencian a unos de otros, al igual que ocurre con nuestras caras o nuestras voces. Buscaba huellas en la estantería. Huellas de los dedos del culpable de esta trama. Para luego compararlas con las de todos los que habitan esa extraña casa.

—¿Has dicho una trama?

—Sí, aquí hay gato encerrado.

—¿Y había?

—Que si había, ¿qué?

—Pues eso: huellas.

—No las había, no. Examiné también las pisadas en el polvo de la alfombra, pero aquello era un galimatías. Aunque algo saqué en claro.

—¿Y ahora? —preguntó don Alfredo.

—Pues de momento tenemos trabajo. Esta tarde, antes o después de los toros, he de ver a un amigo de la Universidad, para que analice las cenizas dejadas por el libro en su «combustión espontánea». Es un joven profesor de química, muy brillante por cierto, don Aurelio Jesús Córcoles. Él sabrá orientarnos al respecto.

—Debemos hablar con la servidumbre.

—Sí. Mañana lo intentaremos de nuevo —contestó el subinspector.

—Por cierto, Víctor, en casa de los Aranda te he notado un poco afectado, nervioso diría yo.

Víctor miró por la ventanilla con aire algo ausente. Al momento dijo:

—¿Recuerdas, Alfredo, que una vez te dije que cierta tarde había visto a una dama paseando por el Paseo del Prado que me había llamado la atención?

—Sí, claro, una joven en edad de merecer acompañada por su aya y que te pareció muy hermosa. No volviste a hablarme del tema.

—Exacto. Pues me informé sobre ella y su familia y resultó que era..., bueno, hoy la hemos visto con nuestros propios ojos.

—¡Doña Clara!

Víctor asintió como apesadumbrado.

—Pero ¡cómo! Y no me habías contado nada. ¡Qué callado te lo tenías! —Alfredo hizo una pausa y luego añadió con tristeza—: Esa familia es muy notable...

—Lo sé, lo sé, amigo mío. Sé que esa mujer no es para mí.

—Y no has estado muy afortunado con la madre de ella.

—¿Tú también lo has notado?

Alfredo asintió.

—Vaya. A esto le llamo yo empezar con buen pie —masculló Víctor.

—Si es que a veces parece que estés sin civilizar, hijo. El carruaje frenó en seco. Habían llegado a Sol.

La ciudad entera se paralizó aquella tarde pese a ser día laborable. A las cuatro y media, momento en que Víctor y Blázquez se dirigían hacia la plaza de toros, la nueva, situada cerca de la calle Goya, el gentío atestaba las calles de Madrid por el acontecimiento que había de tener lugar en la Villa y Corte. Nada menos que la reaparición de Frascuelo tras su cogida del 17 de abril. Nadie quería perdérselo. Los jornaleros, los funcionarios, los comerciantes, ricos o pobres, conservadores o liberales, todos se habían puesto de acuerdo para faltar al trabajo. Frascuelo salió de su casa en un coche abierto acompañado de varios vehículos más y seguido por una auténtica multitud. Costaba trabajo incluso caminar en Sol y en la calle de Alcalá. El matador, madrileño de adopción, llegó a la plaza en la que no cabía un alfiler. El entusiasmo embargaba a los parroquianos del torero.

Blázquez llevaba una bota de vino.

—Toma, toma. Endíñale —le dijo a Víctor con entusiasmo—. Es de Cariñena.

Las localidades se habían agotado a las pocas horas de salir a la venta, y es que el pueblo de Madrid se volcaba con Frascuelo, menos simpático que Lagartijo pero más valiente y voluntarioso que el cordobés. A Víctor le llamaba la atención que aquel evento suscitara tantas pasiones y, sobre todo, le sorprendía la vehemencia con que discutían los seguidores de los dos matadores en torno a los que giraba la fiesta nacional. Aquello daba lugar a disputas, debates más encendidos si cabe que las diatribas políticas entre conservadores y liberales. De locos.

Blázquez le presentó a su contrapunto, un comerciante de telas de Chamberí junto al que siempre se sentaba para polemizar. El otro era partidario de Lagartijo, «el Califa», se llamaba Leandro y ambos pasaban más tiempo lanzándose pullas y chinitas que mirando al ruedo realmente.

Sólo se mostraban de acuerdo en que los toros habían de ser buenos, pues eran de Veragua. Junto a Frascuelo toreaban Hermosilla y Currito. La plaza de toros estaba vistosa, colorida, había damas hermosísimas con vestidos de medio paso, faldas de mil colores y peinetas monumentales. Hombres de distinta condición: caballeros a la moda inglesa, paisanos bota en ristre y chulos de los que llamaban chisperos.

A las cinco en punto, las cuadrillas pisaron la arena y el respetable prorrumpió en aplausos, que aumentaron su intensidad cuando Frascuelo saludó al tendido al terminar el paseíllo.

—¡Mira, Leandro, mira cómo le aplaude el todo Madrid! —exclamó Blázquez entusiasmado.

—Bah —repuso el otro—. A Lagartijo sí hay que verlo, es de maneras tan toreras que merece la pena pagar la entrada sólo para verle hacer el paseíllo.

—¡Pero qué dices, chalao! Si no se arrima así lo maten. ¿Qué se puede esperar de un matador que sólo ha sufrido seis cogidas en toda su carrera y ninguna de gravedad?

—Eso es arte, Blázquez, arte. Prefiero ver al Califa con sus requiebros y volatines que a ese matarife al que tú idolatras.

En esto salió el primer toro y los polemistas callaron. Era para Currito.

Víctor aprendió aquella tarde que Frascuelo y Lagartijo eran la antítesis el uno del otro. En todo.

Frascuelo, valiente, suicida, se arrimaba. Lagartijo, «el Califa», más fino, un artista, era hijo de la escuela sevillana y sus donaires y filigranas eran capaces de enardecer al público y llevarlo al paroxismo. Frascuelo seguía la escuela rondeña, más sobria. Lo suyo era más una lucha con el astado, una caza en la que siempre se la jugaba. Sobre todo a la hora de entrar a matar; finiquitaba a los toros de certeros volapiés, jugándosela hasta la temeridad. Y eso a la gente le gustaba.

Además, el madrileño era alfonsino y el Califa abiertamente republicano. De hecho, se negó a brindar un toro a la destronada Isabel II en la Exposición Universal de París porque «él era republicano». ¡Qué genio tenía!

La verdad era, aunque Blázquez no quería reconocerlo, que el mismo Frascuelo había dicho de su rival: «El cordobés es el mejor torero que ha parido madre.» Pero eso era otra historia.

A Víctor le llamaron la atención, por su especial truculencia, algunos detalles de la lidia, como por ejemplo que el tercero de la tarde despanzurrara a dos caballos mientras los picadores luchaban por infligirle un duro castigo entre protestas del respetable.

—¿Y no podían poner alguna protección a los caballos durante la suerte de varas? —preguntó sobrado de sentido común.

Don Alfredo y Leandro se miraron sonriendo como si el nuevo hubiera dicho una tontería.

—¡Quiá! —dijo Blázquez.

La gente no parecía alarmarse por la sangre. A Víctor no le agradaba demasiado aquel espectáculo, pero el ambiente, el gentío, el sol caldeando el tendido y el aroma a flores, a vino, formaban un cuadro que estimulaba los sentidos. Era una sensación extraña, se sentía atraído y a disgusto a la vez.

Una ovación cerró la faena de Frascuelo, que, tras dar apenas siete muletazos, estoqueó al tercero de la tarde que murió hecho un ovillo. Flores, cigarros, mantones y botas de vino le llovían del graderío. «¡Qué espectáculo!», pensó para sí el joven subinspector.

En el descanso, el trío se puso a comer. Don Alfredo pidió unos pepitos de lomo y tiraron de la bota. Luego, Víctor adquirió tres aguardientes para Alfredo, Leandro y él mismo. Degustaron unos bartolillos de crema y se dispusieron a presenciar el cuarto toro, cuya lidia ya estaba avanzada.

La gente lanzaba improperios y golpes certeros de ingenio, y se recitaban poemas aquí y allá, chanzas en contra del marqués de San Carlos que preparaba un proyecto de ley para prohibir la fiesta nacional. Un indocumentado, eso era aquel pisaverde, decían las comadres. ¡Prohibir los toros en España! El muy idiota decía que aquel espectáculo era una perniciosa influencia en las costumbres y que no era digno de un pueblo culto y avanzado. Pretendía el cierre de las plazas existentes, que no se construyeran más y la prohibición para siempre de las corridas de toros.

Hermosilla lidiaba como podía y un paisano canturreó chulesco:

—*«Créalo usted, Hermosilla:*
Usted… no ha dado en el quid.
Y es tan malo usted en Madrid
como en Sevilla.»

Todos rieron la ocurrencia.

Entonces comenzaron a corear consignas contra el marqués de San Carlos entre risas y carcajadas. ¡Qué ambientazo!

Nada hubo que resaltar en el siguiente toro, y, de hecho, Víctor comenzaba a aburrirse; Frascuelo, en el sexto, volvió a acertar con el estoque y salió por la puerta grande. La locura, la apoteosis, el acabóse. Don Alfredo aplaudía como un loco.

Finalizado el festejo, Víctor se despidió con prisas de Blázquez y Leandro agradeciendo la invitación; quería pasar por casa del químico Córcoles.

Le había gustado ir a los toros, decididamente. Era curiosa la relación entre Blázquez y Leandro, mucho chiste, mucha chirigota, pero se notaba que se apreciaban. Se atacaban, se hostigaban, pero se querían y necesitaban.

A la mañana siguiente, al llegar a la oficina, don Alfredo encontró a su joven compañero exultante. Estaba enfrascado leyendo un maremagno de papeles que había desparramado sobre su habitualmente atestada mesa de trabajo; alzó la cabeza sonriente al ver entrar a su compañero.

—Buenos días, Alfredo.

—Buenos días. ¿Has descansado bien esta noche?

—Muy bien.

—¿Y los toros?

—Excitante. Mil gracias otra vez.

—No hay de qué.

—Oye, Blázquez, volviendo al caso que nos ocupa, ayer dejé la «ceniza del libro» a mi amigo Córcoles. Tardará unos días en tener los resultados.

—¿Piensas entonces que el libro no...?

—No creo que el libro desapareciera por sí solo, si es a lo que te refieres.

En aquel momento se abrió la puerta del despacho, y un cochero alto y bien parecido entró tras pedir permiso.

—¡Hombre! Mira, Alfredo, éste es Adolfo, cochero y poeta en ciernes que realiza algunas funciones de espionaje para nuestra causa. ¿La has seguido?

—Sí, ahora es el momento. Está en el mercado de la plaza de la Cebada, comprando para la cocinera —dijo el joven cochero.

—Pues no perdamos un momento. ¡Vamos, Alfredo!

El apocado inspector se vio en un momento siguiendo a su excéntrico compañero y a aquel gallardo cochero a pie por las calles de Madrid. Víctor parecía alegre, casi despreocupado, lejos de su habitual apariencia de afectación. Años después, Blázquez comprobaría que cuando investigaba un caso, Víctor Ros se hallaba en su medio natural, se sentía vivo.

Salieron de Sol y atravesaron la calle Carretas para dirigirse a través de la calle Concepción al bullicioso mercado de la plaza de la Cebada. Aquel espacio debía su nombre a que desde hacía mucho tiempo era el lugar indicado para la compraventa de cereales, legumbres y grano en general, y era allí donde históricamente se separaba la cebada de los caballos del rey de la de los regimientos de caballería.

Al principio los puestos estaban todos al aire libre o cubiertos por un inmenso toldo, pero desde hacía apenas un año se había construido un moderno y enorme edificio de hierro que albergaba al mercado. Era como un inmenso quiosco, construido con piezas traídas desde París. Al parecer estaba inspirado en el mercado de Les Halles, sito en la ciudad del Sena. El ambiente era colorista y los fardos con los géneros descansaban sobre el suelo, delante de sus vendedores.

Las moscas revoloteaban alrededor de las enormes piezas de carne que colgaban de ganchos aquí y allá y el cacareo de las gallinas, que se vendían vivas, como los conejos y las palomas, contribuía a acrecentar el bullicio general que caracterizaba la plaza donde se había ejecutado al general Riego y dado garrote a Luis Candelas.

Había multitud de carretas vacías alineadas esperando el fin de la jornada, y muchos pregonaban su mercancía a voz en grito:

—¡Arrope de La Mancha! —gritaba una mujer con la cabeza cubierta con un pañuelo negro.

—¡Melón de Torre Pachecho a la cata! —ofrecía un paisano vestido con gorra y amplio blusón negro.

Todas aquellas figuras confluían, como las hormigas de un inmenso hormiguero, en el enorme edificio que alojaba el mercado, el centro de aquel colorido y popular universo.

—Vamos a hablar con una de las criadas de los Aranda —aclaró Víctor a Alfredo sin frenar el paso—. Los sirvientes hablan con más tranquilidad fuera de la casa y lejos de sus señores.

Al llegar a aquel bullicioso mercado comprobaron que el ir y venir de la gente era constante: caballeros, mujeres de negro, alguna que otra chulapa, pilluelos y carretas llenas de fruta apenas dejaban avanzar a los tres hombres apresurados que pretendían llegar al lugar al que les llevaba Adolfo.

Al fin, el cochero se detuvo en un puesto de verdura y miró de soslayo a una menuda mujer que cubría el uniforme de servicio con un chal que parecía fino y de buena calidad.

—¿Nuria? —dijo Víctor dirigiéndose a ella.

La chica se volvió con un respingo. Miró a los tres hombres con asombro y dijo:

—Les conozco. Ustedes son los policías.

—En efecto —asintió Alfredo Blázquez.

—Queríamos hablar contigo, Nuria. Ya sabes, fuera de la casa de tus señores. No queremos que sepan que hemos hablado contigo, puedes estar tranquila al respecto —añadió Víctor.

—Pero ¿se me acusa de algo? —inquirió la chica muy asustada.

Los tres hombres rieron.

—¡Qué va, qué va! Adolfo, ¿hay por aquí algún mesón o café donde podamos hablar con calma con esta chica? —quiso saber el apuesto subinspector.

—Sí, ahí cerca, junto a la Cava Alta —contestó el cochero.

Tomando a la chica por el brazo, Víctor siguió entre el gentío a sus dos compañeros. Adolfo los llevó a una pequeña tasca con unos grandes tableros rojos en la puerta, en la que se leía: Vinos el 13.

Entraron y tomaron asiento en una mesa junto a la puerta.

—¿Qué quieres tomar, hija? —preguntó Alfredo.

—Agua.

Pidieron un vaso de agua, dos cafés y aguardiente para el cochero poeta. Esperaron a que les sirvieran y entonces Víctor comenzó a hablar a la chica con voz amigable y queda.

—Mira, Nuria, estoy muy interesado en hablar contigo sobre lo que está ocurriendo en esa casa, pero me hago cargo de que para un sirviente resulta difícil hablar de sus señores, porque es algo que os puede colocar en una situación... digamos algo difícil. Quiero que sepas que nadie, absolutamente nadie, sabrá que has hablado con nosotros, ¿entendido? —la chica asintió.

—Bien, entonces, comencemos. Tengo mucho interés en saber lo que ocurrió el día de ayer. ¿A qué hora limpiaste la biblioteca y sus estanterías?

La chica miró asustada al policía, se santiguó y dijo:

—¿Cómo sabe usted eso, señor? ¿Acaso me vio?

El joven policía rió y dijo:

—No, no es eso; simplemente, miré las impresiones que había en la alfombra. Vi unas huellas grandes, los pies del mayordomo, y, junto a ellas, otras más pequeñas, de unos botines. Curiosamente observé que tú llevabas unos. Además, el olor a aceite y la ausencia de huellas me hizo pensar que habían limpiado la estantería aquella misma mañana. ¿Me equivoco?

—Parece cosa de brujas, pero no, no se equivoca usted, don Víctor. Yo limpié las estanterías y quité el polvo a los libros.

—¿Te fijaste si faltaba alguno?

—Claro. Estaban todos.

—Bien, bien —murmuró Víctor con expresión pensativa—. ¿Cuándo se suele limpiar la biblioteca?

—Lunes, jueves y sábado por la mañana. Cada dos días, vamos —respondió resuelta la moza.

—Y ayer era miércoles.

—Sí.

—O sea que no tocaba. ¿Por qué limpiaste precisamente ayer las estanterías? —preguntó Víctor Ros.

—Porque me lo mandó la señora.

—¿La señora?

—Sí, doña Ana. Vamos, la madre de mi señora.

—¿Y a qué hora fue eso?

—A las ocho y media de la mañana aproximadamente.

Los dos policías se miraron.

Don Alfredo resumió al instante:

—Sí, parece curioso. La señora hace que Nuria limpie las estanterías un día que no toca. Al menos, es algo inusual.

Víctor continuó:

—Justo el día que se nos esperaba a nosotros.

—Poco después desapareció el libro maldito como por arte de magia —añadió el inspector Blázquez—. Es como si alguien (en este caso la señora) hubiera pretendido que Nuria pudiera atestiguar que el mayordomo había colocado en su sitio el libro, para luego poder aseverar que éste se había volatilizado espontáneamente dejando esa ceniza.

—Exacto —dijo Víctor—. O, al menos, así lo veo yo.

—En efecto, esto huele mal —comentó Blázquez.

—Nos has sido de mucha ayuda —añadió Víctor mirando a la sirvienta—. Por cierto, ¿estabas en la casa la noche de autos?

—¿Cuándo? —preguntó la criada.

—La noche en que doña Aurora apuñaló a don Donato Aranda —aclaró don Alfredo.

—Ah, sí, sí. ¡Hable en cristiano, leñe!

Víctor sonrió tímidamente ante la ignorancia de la joven y dijo:

—¿Escuchaste algo?

—No; sólo los gritos de don Donato cuando todo había ocurrido, aunque...

—¿Sí?

—No sé, tuve como una pesadilla, escuchaba como una voz profunda.

—¿Qué decía? —preguntó don Alfredo.

—No sé, hablaba en un idioma extranjero.

—No tiene importancia, entonces; no pienses en ello, sería sólo un sueño —la calmó Víctor—. Por cierto, ¿a qué hora se cierran los postigos en la casa?

—A eso de las once, cada día.

—Ya, y el ataque se produjo de madrugada. ¿Pudo alguien volver a abrirlos?

—Imposible, el ruido nos habría despertado a todos.

—¿Hay alguna otra posible salida o entrada de la casa?

—No.

Víctor dijo entonces:

—Tú has vivido en la casa de los Alvear, me refiero a antes de que la señorita Aurora se casara.

La chica asintió.

—¿Observaste algo raro en la familia?

—No —repuso ella algo azorada.

—¿Se llevaban bien?

—Sí, muy bien —contestó mirando al suelo. Era evidente que ocultaba algo—. Pero...

—¿Pero?

—A veces discutían, don Augusto y la señorita Clara. Ella no hace buenas migas con su padre, por cosas de esas de política ya «sabeusté».

—¿Cómo? No entiendo, Nuria.

—Sí, ella lee periódicos de esos liberales, es una «sufurgista» de esas.

Los policías se miraron confundidos.

—Será sufragista —corrigió Víctor.

—Pues lo que yo he dicho —replicó algo mosqueada la chica.

—¿Sufragista? —preguntó el poeta.

—Sí, mujeres que piden el derecho a voto.

—¡Qué locura! —exclamó don Alfredo—. ¿A dónde iremos a parar? ¿Qué será lo siguiente? ¿Mujeres en el gobierno?

—¿Y por qué no, Alfredo? —dijo Ros con aire divertido—. El mundo iría mucho mejor si gobernaran las mujeres. Tienen más sentido común que nosotros, no lo dudes.

Entonces miró a su compañero y éste comprendió al instante que el joven subinspector daba por terminada la entrevista, así que don Alfredo dijo:

—Muy bien, Nuria, has sido muy amable. Aquí, Adolfo, te acompañará a casa. Es un buen amigo. Y recuerda: nosotros no hemos hablado contigo.

La chica asintió y salió acompañada por el apuesto cochero mientras los policías se miraban el uno al otro. Aquel era un caso retorcido, de eso no cabía duda. ¿Podía un libro inducir al asesinato? ¿Qué decía dicho párrafo? ¿Cómo era ese oscuro y maldito libro? ¿Se había volatilizado aquel ejemplar tras llevar a cabo sus criminales propósitos? ¿Se enfrentaban Víctor y don Alfredo a fuerzas superiores de índole supraterrenal o era todo una especie de extraña conjura? De ser así, ¿qué objetivo perseguía aquella maldita trama? Además, ¿cómo iba alguien a conseguir que los hechos se repitieran una y otra vez a lo largo del tiempo? ¿Qué podía inducir a una mujer a atacar a su marido? ¿Cuál era el verdadero poder de ese libro? Ambos decidieron que debían averiguar más cosas sobre aquel misterioso indiano con el que comenzaba la leyenda.

—Vamos a echar un vino, ahí, en el local de un amigo mío —dijo Víctor tomando del brazo a Blázquez para llevarlo a un pequeño antro de la plaza de la Puerta Cerrada.

Allí, un tipo gordo y calvo al que llamaban «el Soplao» recibió a Víctor Ros con los brazos abiertos y les buscó acomodo.

—Vaya, vaya, sufragista te ha salido la moza —atacó Alfredo Blázquez con retintín.

—¿Y qué? —dijo Víctor—. Me agrada que sea de ideas liberales. Por eso chocará con el padre, que es conservador hasta las trancas.

—Parece un tipo atormentado.

—Hombre, Alfredo, obligó a la hija mayor a casarse y mira lo que ha pasado. Leo la culpabilidad en sus ojos. Ese hombre se consume por el remordimiento.

—La madre, doña Ana, parece mujer más gris.

—No creas.

—Y la hija, tu amada, una joven de armas tomar. Olvídate de eso, hijo, saldrás malparado.

—Solía venir aquí a echar unos chatos con don Armando. Era muy querido en el barrio. Recuerdo que una vez me contó una historia interesante sobre este sitio. ¿Conoces la leyenda de esta plaza? —repuso Ros cambiando de conversación.

—Pues no —reconoció Alfredo, madrileño de pura cepa.

—Es un cuento delicioso de los que gustaban a mi mentor. Era un gran tipo, ¿sabes?

—Pues sí, lo era. Y te felicito por el hábil cambio de tercio, amigo. ¿Ahora me haces de cicerone para no hablar de lo que no interesa?

—Contigo no hay manera, ¿eh? ¡Soplao, dos vinos más y unas olivas «partías»!

—¿Y bien? A ver, la leyenda esa que prometías.

—Ah, sí —dijo Ros riendo sorprendido por el interés de su amigo—. Pues resulta que le llaman plaza de la Puerta Cerrada porque todas las noches paraba aquí una carroza, ya casi de madrugada, y de ella bajaba un embozado que entraba en la mansión de una joven viuda de quien se rumoreaba que era bruja. Nada más pasar el enmascarado, el portón se cerraba de golpe tras él. Puerta Cerrada. Era en tiempos de Felipe IV, que era un buen elemento en asuntos de faldas. El caso es que la historia llegó a oídos de don Ramiro de Vozmediano, teniente corregidor de Casa y Corte que, junto con la Inquisición, se la tenía jurada a la moza. Una noche le llegó el aviso de que el embozado estaba en la casa y allí que se presentaron los corchetes encabezados por el propio Vozmediano. «Sé que ocultáis a un hombre bajo vuestro techo», le dijo a la viuda, y procedieron a registrar la casa, sin éxito. Entonces, el corregidor vio movimiento tras una cortina y dijo: «¿Qué escondéis ahí?» La dama contestó: «Un retrato del rey, pero no debéis mirarlo, pues es tan perfecto que turba a todos los que lo contemplan.» «Tonterías», repuso el otro mientras corría la cortina. ¿Y sabes qué vio?

—¿Qué? —preguntó don Alfredo intrigado.

—Al rey mismo, en pelota picada y tieso como una estatua. El corregidor se quedó mudo. Se hizo un silencio. El rey temblaba de frío, desnudo. «Nunca vi retrato tan fiel de mi rey, ni entre los que le pinta Velázquez», dijo entonces Vozmediano, que tras dar media vuelta se perdió en mitad de la noche para salir del aprieto en que se había metido.

Don Alfredo estalló en una tremenda carcajada.

—¡Eres lo que no hay, hijo!

—Lo dicho, Puerta Cerrada. Por cierto, has observado que la criada oculta algo, ¿verdad?

—Sí, cuando le has preguntado cómo se llevaba la familia.

—En efecto.

—Desagradable asunto —sentenció Blázquez—. Por cierto, ¿cómo llevas lo de las putas?

—A medias; por un lado, estancado, y, por otro, abandonado por lo de la casa de los Aranda.

—Mejor. Déjalo.

—No puedo, se lo debo a Lola. Y a las chicas. ¿No te dan pena? Nadie se ocupa de ellas.

—Eres un tipo altruista Víctor. A este paso no lograré que hagas carrera.

—Quizá me parezca más a esas descarriadas de lo que pensamos. Soy un hijo de La Latina.

—Tú sabrás, hijo, tú sabrás.

Y pidió otros dos chatos de vino.

Capítulo 9

Eran las cinco de la tarde cuando el coche de alquiler dejaba a Víctor Ros junto a la verja del palacete de don Alberto Aldanza, una sólida construcción en tres alturas de estilo neoclásico, fachada de color claro y amplios y bien cuidados jardines. El barrio de Salamanca comenzaba a verse salpicado de lujosos edificios como aquella bella casa, pues la aristocracia madrileña, copiando a la nobleza francesa, empezaba a alejarse del bullicioso centro de la ciudad para asentarse en lugares más espaciosos en los que era factible construir sus ostentosos palacetes sin que éstos se hallaran rodeados de pequeñas casas y edificios que hicieran imposible su contemplación. En realidad, toda aquella zona formaba parte de un ambicioso plan urbanístico, el Ensanche, ideado por Claudio Moyano, ministro de Fomento y llevado a cabo por Carlos María de Castro, quien quiso modernizar la ciudad a la manera de Nueva York o su admirada Barcelona. El proyecto no llegó a llevarse a cabo exactamente tal como De Castro lo había concebido, pero al menos surgió un barrio, el de Salamanca, de calles y avenidas anchas, situadas en cuadrículas y con amplios espacios para edificios oficiales y ministerios.

No le apetecía mucho acudir a visitar a aquel hombre tan excéntrico, pero se sintió obligado a hacerlo. Un criado mulato abrió la verja y acompañó al policía por el camino de gravilla cubierto por los falsos plataneros que daba acceso a la vivienda. En el recibidor, Víctor se encontró con una estancia amplia y luminosa presidida por una

113

muy afortunada réplica del *David* de Miguel Ángel y enlosada con un clásico ajedrezado de porcelana que junto a las estilizadas y blancas columnas daban a aquel recibidor un aspecto elegante, clásico y aristocrático.

—El señor le espera en su «taller» —dijo el criado de color, mientras una doncella tomaba el sombrero, los guantes y el bastón del subinspector.

Subieron por una ancha escalera y, tras girar a la derecha, se adentraron en un amplio pasillo al final del cual se escuchaba el ruido de una sierra. El criado llegó junto a la puerta y tiró de una campanilla. El ruido cesó. La puerta se entreabrió y en ella apareció don Alberto Aldanza, en mangas de camisa, cubierto con un peto de gruesa piel y luciendo unas extrañas gafas que sujetaba a la cabeza con una tira de cuero.

—¡Loado sea Dios! ¡El joven don Víctor! Pase, pase a mi humilde taller. Lucas, trae limonada bien fría y unas pastas holandesas. Disculpe que le haya recibido Lucas, pero es que mi ama de llaves tiene la tarde libre y ha ido a echar la partida con sus amigas. Ya sabe, una panda de viejas cluecas.

El mulato se fue por donde había venido y Víctor se vio inmerso en una especie de laboratorio o museo de ciencias dominado por una enorme mesa de amplios tableros similar a las que se encontraban en los talleres de los carpinteros. Aquí y allá, las paredes aparecían cubiertas de vitrinas con frascos que contenían extraños especímenes, así como estanterías repletas de libros e insólitos objetos que aquel extraordinario viajero había ido coleccionando a lo largo de sus periplos por todo el mundo.

—Eche un vistazo, amigo mío. Puede curiosear cuanto quiera —ofreció amablemente el conde del Rázes.

Víctor dio una vuelta alrededor de aquella estancia cuadrangular, amplia y espaciosa, en la que el excéntrico aristócrata empleaba su tiempo haciendo sus experimentos. El policía vio una rara y alargada máscara colgada en un hueco de la pared, junto a la ventana.

—Es de la tribu de los masai, de África —dijo don Alberto, quien se había quitado las chocantes gafas, las cuales colgaban ahora de su cuello como un collar.

Víctor reparó entonces en una vitrina repleta de frascos llenos de formol que contenían multitud de animales muertos. En uno de ellos vio algo como una estilizada ratilla que llamó su atención, pues parecía tener pico de pato.

—Es un ornitorrinco —explicó su anfitrión—. Resultó caro que me lo trajeran de Nueva Zelanda.

—Extraordinario —manifestó Víctor.

El joven policía continuó curioseando, muy animado. Aquel era un lugar francamente estimulante. En un momento dado llegó a una estantería repleta de unos enormes libracos que le recordaron los volúmenes medievales que había visto en una visita a Toledo.

—Son mis herbarios. Auténticas enciclopedias de muestras de plantas de todo el globo. Han de mantenerse bien prensadas —aclaró Aldanza.

En otras vitrinas vio huesos, muchos huesos, y en una repisa halló un feto humano de pequeño tamaño conservado en formol. Dio un respingo.

—No se asuste. Murió durante el parto, fue prematuro. Por cierto, estaba en este momento haciendo un pequeño experimento. Mire, aserraba un fémur humano.

—Pero ¡hombre de Dios! ¿Cómo puede hacer usted eso? —se horrorizó Víctor—. Me tengo por hombre progresista, pero profanar de esa manera...

—No, don Víctor, no. Éstos son restos de fosas de indigentes que de vez en cuando limpian en el cementerio del Norte, y que al encontrarse mezclados y sin saber de quién son, quedan a disposición de las facultades para que los estudiantes de Medicina puedan hacer sus prácticas. A mí me proporcionan unos cuantos y hago con ellos mis experimentos. Me explicaré. El otro día le hablé de anatomía forense, ¿lo recuerda?

—Sí, claro, aquello de «los muertos hablan».

—En efecto, pero para que los muertos hablen, primero debemos haber aprendido su idioma.

—No entiendo.

—Sí hombre, mire. Supongamos que hallamos un cadáver que está ya esqueletizado, sin restos de tejidos. En los huesos se observan impresiones de algún instrumento cortante, por tanto fue asesinado, ¿me sigue? —El joven asintió—. ¿No cree que sería útil para el curso de la investigación saber qué tipo de arma causó las mortales heridas?

—Sin duda, sí.

—Pues de eso se trata, mi joven amigo. De saber reconocer las heridas.

—Primero debemos estudiar el tipo de marca que dejan las diferentes clases de armas.

—Exacto. Mire, amigo, mire —dijo tomando un cúbito—. Cuchillo. Y ésta de aquí es de un hacha de carnicero.

Víctor tomó un hueso que parecía pertenecer a la pierna.

—Tibia; navaja —apuntó el otro.

Así pasaron la tarde, literalmente, triturando huesos. Ni siquiera repararon en la llegada de la limonada que el fiel Lucas había servido hacía ya rato. Víctor quedó fascinado por las brillantes exposiciones de aquel iluminado, un fanático defensor de la aplicación de las más modernas técnicas a la investigación criminal. Un adelantado para su época. El agente de policía pasó una tarde realmente divertida y, sobre todo, muy, muy provechosa. Aquellos conocimientos podrían ayudarle de veras en su por lo común difícil trabajo.

No pudo rehusar la invitación a cenar que el conde del Rázes le hizo. Tras asearse, pasaron a un cómodo pero elegante salón de la planta baja donde les sirvieron una extraña carne poco hecha y sabrosa que el noble llamó «roastbeef». El vino era exquisito («Borgoña», aclaró Aldanza) y la tertulia que siguió a la cena resultó deliciosa. Fumaron dos cigarros habanos con sus correspondientes copas de coñac al fresco del velador de don Alberto, hablando y hablando

sobre las correrías de su mutuamente admirado y ya fallecido don Armando Martínez. El propio coche del conde
llevó a Víctor a su pensión. Quedaron en verse al día
siguiente. Se durmió pensando en la brillante y fascinante
personalidad de Alberto Aldanza. Sí, aquel hombre le
había impresionado.

Víctor Ros y su compañero Alfredo Blázquez se personaron a primera hora de la mañana en un inmueble sito en
la calle de San Mateo en el que tenía su oficina Ramón
Martínez, corredor de fincas. En un primer piso algo des-
tartalado, aquel individuo de dudosa moralidad tenía ins-
talado su negocio de compraventa de inmuebles. Un joven
secretario recibió a los dos policías y los hizo pasar a un
pequeño despacho en el que les aguardaba un individuo de
pobladas patillas, pelo blanco, bajo, grueso y con unos
ojos vivos de roedor. Aquel tipo insignificante se puso en
pie y se desvivió en loas y parabienes para con el cuerpo
de policía. Hablando con nerviosismo les invitó a sentarse
junto a su mesa, repleta de papeles.

—Y díganme, señores, ¿qué les trae por aquí?

—Un asuntillo sobre el que queremos hacer unas inda-
gaciones. ¿Vendió usted la casa de la calle San Nicolás a don
Donato Aranda? —preguntó Blázquez.

—¿Cuál?

—Lo sabe perfectamente. La que perteneció en su día a
don Diego Vicente Reinosa, «el Indiano».

—Ah, el Indiano. La casa embrujada. Ahora lo recuerdo.
Sí, la vendí yo.

—¿Cómo se hizo usted con ella? —indagó Víctor.

—La compré a un industrial de Santander. Quería deshacerse de esa casa al precio que fuera porque su mujer...

—Conocemos la historia —cortó don Alfredo—. Y la
compraría usted barata, ¿no?

—Barata no, baratísima. Ya sabe, esas historias de viejas
devalúan el precio de una vivienda.

117

—Ya, y después la vendió a Aranda a un alto precio. Negocio redondo —sentenció Blázquez.

—Pues no. Vinieron a verme dos caballeros preguntando por ella.

—¿Don Donato y su padre?

—No, no, don Donato Aranda y su suegro, don Augusto. Él regaló la casa a los recién casados.

—¿Cómo? Don Augusto nos dijo que la había comprado su yerno.

—¿Su yerno? ¡Qué va! Él la compró, y a muy buen precio. Venía ya con la lección aprendida. Conocía la historia de los asesinatos y me apretó de veras. Él sabía que yo no encontraría otro comprador interesado, y por eso me sacó un precio de ganga.

—¡Qué raro! A nosotros nos dijo que no sabía nada de la leyenda y que la casa la había comprado el yerno —dijo el inspector Blázquez.

—Pues fue como yo les cuento —contestó el corredor de fincas.

Los dos policías se miraron con asombro.

—Queríamos saber otra cosa —añadió Víctor—. Es sobre la historia previa de la casa. Usted vendió la vivienda hace diez años al santanderino, ¿no?

—En efecto.

—¿Quién la había heredado?

—Un sobrino de don Diego Vicente, el «Indiano», que vivía en La Rioja. Con el dinero que sacó se fue a las Américas.

—¿Tenía más familia el Indiano?

—Creo que no.

—Vaya —repuso don Alfredo—. Queríamos contactar con alguien de su familia para tener más datos sobre la historia de don Diego Vicente y sus costumbres.

—Pues lo tienen ustedes bien fácil.

—¿Cómo?

—Pues claro: el mayordomo de la casa es hijo de una de las doncellas que sirvieron al Indiano y la madre aún vive, o eso creo.

Los dos policías se miraron sorprendidos de nuevo. Dieron las gracias a su informador y, tras despedirse, salieron a la calle. Tomaron un coche de alquiler y decidieron ir a buscar al mayordomo de los recién casados, Gregorio.

—Ese hombre sabe más de lo que parece —comentó don Alfredo.

—Me da la sensación de que en este maldito caso, todo el mundo sabe más de lo que dice. Fíjate, Alfredo, no sólo este Gregorio oculta información que podría haber sido valiosa, sino que la mayoría de los implicados se guarda cosas que no dice o, peor aún, tal vez miente. ¿No te parece extraño el comportamiento de la madre de la señora de la casa, doña Ana Escurza, que encargó a la doncella que limpiara las estanterías horas antes de nuestra anunciada visita?

—Pues sí, porque aquel día no tocaba limpieza en la biblioteca.

—Por no hablar de don Augusto, que en nuestra primera entrevista nos dijo no saber nada de aquella maldita leyenda y, en cambio, el tal Martínez nos ha asegurado que bien que la conocía.

—Y muy bien, porque gracias a ello compró la casa a precio de saldo.

—¡Qué embustero! —gruñó Víctor muy indignado—. A nosotros nos dijo que la casa la compró el yerno y está claro que la adquisición de la vivienda fue cosa suya. ¿Por qué mentiría en una cosa así?

—No lo sé, querido amigo, no lo sé. Que me aspen si entiendo a la gente bien.

El coche llegó a la tétrica casa de la calle de San Nicolás. Les abrió Nuria, la criada, que les indicó al momento que aquel era el día libre de Gregorio por lo que los remitió a casa de la madre del mayordomo, en Alcalá de Henares. Los dos policías pensaron que acudiendo allí podrían matar dos pájaros de un tiro. Era un día muy luminoso, veraniego. El cielo azul intenso sólo aparecía manchado aquí y allá por nubes blancas como el algodón.

Tuvieron que pasar por Sol a dar parte, así que llegaron a su destino con cierta demora, casi a las dos de la tarde. La vivienda de la familia de Gregorio ocupaba una planta baja, a la manera de las típicas casas de pueblo de tantas y tantas localidades españolas.

Llamaron a la puerta y abrió el mismo mayordomo. Llevaba una camisa blanca y un pantalón oscuro. Se puso lívido al ver a los agentes.

—¿Ustedes? —musitó entre dientes.

—Sí, nosotros —recalcó Víctor muy resuelto.

—Yo no he hecho nada malo —se apresuró a decir el espigado mayordomo.

—Nadie ha dicho que lo hiciera —espetó el inspector Blázquez—. Aquí, mi buen amigo, el subinspector Ros, y un servidor, queremos saber por qué nos ocultó que su madre sirvió en casa de don Diego Vicente Reinosa.

—Nadie me lo preguntó.

—Sí, eso es cierto. Pero ya que sabemos que su madre fue doncella en aquella casa, querríamos hablar con ella.

—Está ya muy mayor, chochea —replicó ásperamente el sirviente.

—¿Se niega usted a colaborar? —inquirió amenazadoramente Víctor.

—No, no; pasen. Ustedes sabrán lo que hacen —contestó Gregorio haciéndose a un lado.

Los guió a través de un larguísimo pasillo que terminaba en una amplia cocina, que comunicaba con otro cuarto en el que hallaron a la anciana sentada en una mecedora junto a una ventana abierta que daba a un patio interior. Estaba ciega.

—El olor de sus macetas la tranquiliza mucho. Una mujer viene a cuidarla a diario, excepto los días en que libro.

La mujer resultó más lúcida de lo esperado. Vestía de luto y cubría sus hombros con una toquilla. Se alegró de que los policías mostraran tanto interés en hablar con ella pero hizo un gesto de fastidio, torciendo la boca, cuando le preguntaron por su antiguo señor.

—Ya le dije a mi Gregorio que no entrara a servir en esa casa. Allí no ocurre nada bueno.

—¿Cómo le contrataron a usted? —preguntó don Alfredo al mayordomo.

—A través de don Ramón, el corredor de fincas.

—Y usted contrató al resto del servicio.

—Sí, así fue.

Víctor observaba con atención a la anciana. Estaba deseoso de saber más del indiano y sus circunstancias. Sacó un bloc y un lápiz y comenzó a tomar notas a la vez que entrevistaban a la mujer.

—Doña Remedios, ¿recuerda usted qué edad tenía cuando entró a servir en casa de don Diego Vicente?

—Sí, claro. Quince años. Una mujer del pueblo, la esposa del sereno, me recomendó.

—¿Y qué tal era su señor?

—Un hombre raro. Y su mujer también. Hay que reconocer que las costumbres en ultramar no son las de aquí, pero tenían horarios muy extraños. Era muy nervioso, aunque bueno y generoso con el servicio. A pesar de sus creencias, se trabajaba bien allí y nunca tuvo una palabra más alta que otra con nosotros.

—¿Sus creencias?

—Sí, eran un poco extraños. No me malinterpreten, iban a misa los domingos, claro, pero tanto él como su mujer practicaban una especie de magia o brujería, creo que la llaman, en fin, algo que daba grima.

—¿Magia?

—Sí, mi señora era filipina. Una mujer impresionante, muy guapa; al parecer, su madre era filipina y su padre español, ya saben, era mestiza. Era guapa, ya digo, llamaba la atención, llevaba a los hombres de calle, muy exótica, pero esos ojos rasgados resultaban inquietantes, te miraba y parecía que te echara el mal de ojo o que te leyera el pensamiento. Tenía esas creencias raras de aquellas tierras. Me parece que su madre era como un cura pero en mujer, de esas ceremonias estrambóticas de por allí.

—¿Una sacerdotisa? ¿Quién, la madre o su señora? —preguntó don Alfredo.

—No, no, la madre, allí, en Filipinas. Al parecer, la hija, mi señora, aprendió con ella aquellas ceremonias y don Diego Vicente también. Una vez vi en su cajón un muñeco lleno de alfileres.

—Vaya —musitó Víctor—. Y esa religión, ¿en qué consistía?

—Pues consistía en una sarta de tonterías que, eso sí, ponían los pelos de punta. En cuanto te descuidabas, la señora agarraba el mejor pollo y lo desperdiciaba cortándole la cabeza y poniendo velas por aquí y por allá. Luego teníamos que limpiarlo los demás. Ponía imágenes de santos por todas partes con trozos de pelo. Hacía pócimas. ¡Y perfumes!

—¿Era santería eso que hacía la señora? —preguntó Víctor.

—Sí, eso, así lo llamaban ella y el Indiano. Pero no se equivoquen, por lo demás eran gente encantadora.

—Ya, y supongo que muy ricos.

—Muchísimo, llegaron los dos solos, sin servicio. Eso nos llamó mucho la atención. No trajeron apenas equipaje, fue llegar y, hala, a comprar ropa nueva. Pero no se crean, en los mejores establecimientos de Madrid. Traían un enorme arcón en el que, según se decía, iba la fortuna del señor. Era muy rico, sí. Se gastó un dineral en reformar la casa y dejarla a su gusto. Le gustaban mucho las historias esas de espíritus. Muchas noches, venían visitas, gente distinguida y hacían «despiritismo» de ése.

—Espiritismo —corrigió Víctor.

—Pues eso que dice usted, sí.

—¿Era hombre violento, el señor?

—No, no, casi nunca discutía con nadie, vivía bien la vida, a lo grande. Excepto cuando apareció el holandés.

—¿El holandés?

—Sí, un par de meses antes de su muerte vino a verlo un hombre raro. Era alto, con el pelo blanco de tan rubio y con unos ojazos azules que quitaban el sentido, algo fríos, pero preciosos. Lo recuerdo porque yo era muy mocita y todas las sirvientas estábamos loquitas con aquel hombre. Y era mayor, ¿eh?, pero el caso es que tenía la tez morena por el sol de los trópicos y una sonrisa que quitaba el sentido, lo recuerdo como si lo viera ahora. Me dijo: «Avisa a tu señor que está aquí el holandés.»

—¿Y lo recibió el señor de la casa?

—Claro, le faltó tiempo. Noté que se puso muy nervioso y se encerró en la biblioteca para recibirlo. Escuchamos gritos y el holandés salió a toda prisa de la casa. El amo se puso irritable desde entonces, a la noche caminaba por la casa con una pistola en la mano y comenzó a discutir con la señora, no se imaginan ustedes cómo.

—La señora, ¿vio al holandés?

—Sí, lo recuerdo, aquel hombre merodeaba por la casa y cuando lo veía fuera, el señor se bajaba al sótano. Por cierto, recuerdo que a raíz de aquello comenzó a rumorearse que la casa estaba llena de pasadizos, porque un día el amo bajó al sótano y cuando a la hora de la cena fuimos a avisarle, ¡no estaba! Más tarde llegó de la calle como si nada.

—¿Y nadie lo vio salir de casa? —preguntó Víctor.

—Nadie.

—Interesante, muy interesante —comentó pensativo el subinspector—. Pero la he interrumpido, hablaba usted de su señora y el holandés.

—Ah, sí. Pues una semana o así antes de morir mi amo, un día él se asomó a la ventana y vio a mi señora en la calle, en la acera de enfrente, hablando con el holandés. Se puso como loco, salió y hubo un altercado. Mi señor tomó a la señora del brazo y la obligó a entrar en casa, mientras que el otro quedaba fuera profiriendo gritos e insultos. Vino la policía y se lo llevó. No volvió por allí. Unos días después supe que estaba en la cárcel.

—¿Cómo lo supo, doña Remedios?

—Oí discutir a los señores. Se hablaban de muy malos modos. Ella decía «por tu culpa, todo es por tu culpa» y «no debí casarme contigo». Él intentaba calmarla. «Por tu mezquindad tuvimos que dejar nuestra casa con lo puesto», gritaba ella y no sé qué de «los piratas»; ah, y del «Rincón del Diablo».

—¿El Rincón del Diablo?

—Sí, eso dijo. Un día, la tarde antes del crimen, tuvieron la peor de las broncas. Lo recuerdo bien porque hasta aquellos días desgraciados se habían llevado muy bien, a pesar de la diferencia de edad que les separaba. Recuerdo que la señora llegó de la calle muy alterada: «Asesino —le gritaba—, eres un asesino, un ladrón y un traidor.» Aquella misma noche lo despachó.

—Luego, a ustedes no les sorprendió el crimen.

—Hombre, no nos lo esperábamos, pero los últimos acontecimientos apuntaban a que algo ocurría entre la pareja, y algo grave. Pero la prensa sacó los detalles más truculentos, lo del libro, en fin, que enseguida se corrió el rumor de que aquella casa estaba encantada. Yo misma oí los ruidos.

—Ya —dijo Víctor—. Ha sido usted muy amable y nos ha facilitado un testimonio valiosísimo, no le quepa duda. Descanse usted a gusto, señora.

Después de hablar con la madre se entrevistaron con el mayordomo. Parecía tenso, y no sacaron nada en claro. Su relato coincidía con el de la criada, Nuria. Cuando se despedían, y antes de subir al coche, Víctor se volvió e interpeló al mayordomo:

—Una última cosa, Gregorio.

—¿Sí? —dijo el otro a punto de cerrar la puerta de la casa.

—La noche de la agresión, ¿tuvo usted pesadillas?

El hombre quedó como pensativo y contestó:

—Pues la verdad es que ahora que lo dice..., no se me había ocurrido pensarlo, pero sí que tuve sueños algo agitados.

—¿Qué soñó?

—No sé, no me acuerdo. Algo me quedó así en la cabeza, vagamente. Soñé con una especie de voz profunda, grave, y recuerdo que sonaba como metálica.

—¿Recuerda qué decía?

—No, no lo recuerdo.

—Gracias, Gregorio, muchas gracias —dijo Víctor y se dirigió con presteza al coche.

CAPÍTULO 10

En los días sucesivos don Alfredo comenzó a preocuparse por su joven compañero. Las visitas vespertinas que éste realizaba al palacete de don Alberto Aldanza parecían haber causado profunda impresión en el joven detective que, a entender de su más veterano compañero, comenzaba a comportarse de manera un tanto extraña. En espera de poder entrevistarse con el agredido, don Donato Aranda, o con su agresora, Aurora, don Alfredo y Víctor no pudieron hacer sino encontrarse con la servidumbre, hacer las preguntas de rigor y poner bajo vigilancia al mayordomo y a don Augusto por haber ocultado, al menos, parte de la verdad. En cuanto al extraño comportamiento de Víctor, don Alfredo quedó impresionado sobremanera cuando a la mañana siguiente de entrevistarse con Gregorio, el mayordomo de la casa, su compañero tomó una barra de hierro y, tras dirigirse a la casa de la calle San Nicolás, estuvo toda la mañana golpeando con ella las paredes de las habitaciones de la planta baja. El joven subinspector atizaba un golpe y a continuación apoyaba la oreja en la pared. Hizo otro tanto recorriendo las habitaciones de la servidumbre en el segundo piso. Don Alfredo supuso que buscaba algún pasadizo a los que, por otra parte, había aludido doña Remedios en su declaración; y, de hecho, al final de la mañana, don Alfredo creyó ver una sonrisa de triunfo en el rostro de su compañero. Pero no quedó ahí la cosa, sino que aquel mismo día, y tras recibir una nota de su amigo el químico Córcoles, Víctor se dirigió a casa de don Augusto y doña Ana. Una vez allí, se hizo conducir por una

125

criada al salón fumador, donde, sin mediar palabra, vació el contenido de un gran cenicero que descansaba junto al sillón favorito del señor. Al parecer se lo llevó a su amigo, el químico. Estos extraños comportamientos suscitaron las quejas de la familia y, en consecuencia, el mismo don Horacio les llamó la atención con el consiguiente disgusto de don Alfredo ante la pasividad y actitud desenfadada de su joven compañero, quien entre risas contestó frívolamente a su superior que «estaban en el buen camino». No agradó aquello al apocado inspector Blázquez.

Víctor, por su parte, se hallaba fascinado por aquel extraño caso y por la no menos atrayente personalidad de don Alberto, que día a día se iba convirtiendo en una especie de mentor o consejero. Aprendió a distinguir la edad de un cadáver por el estudio de los huesos de la muñeca, a identificar diferentes tipos de marcas causadas por las armas más inusitadas, a apreciar si una herida había sido infligida por un zurdo o un diestro y a diferenciar el aspecto del hígado de una vaca envenenada con curare, arsénico u otros venenos. Pudo hacerse con unos conocimientos algo rudimentarios pero eficaces de botánica y de geología, sobre todo en tipos de arcillas y areniscas de los suelos de Madrid, y gracias a las enseñanzas del conde del Rázes se inició en el mundo de la química lo bastante como para poder utilizar dicha ciencia al servicio de la ley. Le llamó la atención a Víctor que don Alberto no mostrara interés alguno en el caso de la mansión maldita. Hombre moderno y racional, el conde no creía en fenómenos ni cosas paranormales, por lo que cuando Víctor le contaba detalles del sumario le replicaba que aquello debía deberse a «trucos de feriantes». En cambio, don Alberto sí manifestaba un interés desmesurado en el otro caso que el joven subinspector investigaba por su cuenta, el de las tres prostitutas muertas, asunto sobre el que no perdía ocasión de preguntar al joven detective. La verdad era que poco había avanzado. Sólo sabía que una misteriosa mujer mayor con una llamativa verruga en la barbilla y acento extranjero se había encargado de llevar a aquellas desgraciadas hacia una muerte segura. Las tres habían perecido a causa de una supuesta estocada en el costado y en el momento de morir las tres llevaban encima treinta reales. Pero como a nadie le importaba aquello y el caso de la casa de los Aranda era llamativo, Víctor, inconscientemente, se había volcado en el estudio del problema en que se hallaba metida la hermana de su amada.

Dos días después de haber llevado a Córcoles el contenido del cenicero de don Augusto, Víctor recibió una nota de su amigo químico. Tras leerla, la guardó en un cajón y dijo:

—¡Vamos!

Don Alfredo, que comenzaba a sentirse algo mayor para aquellas aventuras, siguió a su compañero sin saber hacia dónde iban. Tomaron un coche de alquiler y pronto llegaron a la lúgubre casa del Indiano. Víctor llamó enérgicamente a la puerta y, tras preguntar si doña Ana se encontraba en la casa, solicitó que los llevaran a su presencia. Parecía muy seguro de sí mismo, decidido a hacer lo que tuviera en la mente, una mente que, dicho sea de paso, nunca descansaba. Los condujeron a un saloncito del primer piso, donde doña Ana Escurza y su hija Clara aguardaban junto a la habitación de Aurora. Las dos damas estaban bordando en el momento de la llegada de los policías. Doña Ana pareció sorprendida por aquella visita.

—¡Los agentes de la ley!

—Señoras... —saludó educado el inspector Ros.

Tras hacerles tomar asiento, la madre de Clara dijo:

—Íbamos a merendar en este momento; ¿ustedes gustan?

Los caballeros asintieron y doña Ana encargó a Nuria chocolate para los cuatro.

—Y bien, ¿qué les trae por aquí?

Víctor, visiblemente nervioso por la presencia de su amada, dijo:

—Mire, doña Ana, necesito hablar con usted a solas. Se trata de un tema delicado que...

—Hable, joven, hable, Clara sabe lo mismo que yo de todo este asunto.

Víctor pareció algo molesto, así que dijo bruscamente:

—Insisto en que hable a solas con nosotros. Es sobre el libro desaparecido.

La dama dio un respingo.

—¡Vaya! —exclamó—. Parece que sabe usted más que todos nosotros.

—Señora, se lo ruego, hablemos a solas —repitió él con un tono de voz más suave.

—Diga lo que tenga que decir, joven —urgió ella muy segura de sí misma.

—Bien, como quiera —aceptó Víctor con aire apesadumbrado.

En ese momento entró la sirvienta así que todos quedaron en silencio. Al salir la fámula, Víctor tomó la palabra al fin para preguntar:

—¿Sabe su marido lo del libro? No querría tener que decírselo yo mismo.

La dama miró con los ojos muy abiertos al detective y dijo:

—Augusto no sabe na...

—Lo guarda usted en su tocador, ¿no es así?

—¡Es usted un demonio! —gritó la mujer antes de privarse.

Clara y don Alfredo corrieron a auxiliar a la dama, mientras Víctor apostillaba impertérrito:

—Vaya, nos obsequia usted con una actuación como la del otro día en la biblioteca.

La señora abrió los ojos al instante, alzó la cabeza totalmente repuesta y dijo:

—Es usted un joven ruin y sin corazón.

—Pero, mamá —intervino la joven Clara—, ¿no estabas...?

—¡Qué iba a estar! Era para ablandar a este joven frío y calculador, que parece saberlo todo.

—Usted quitó el libro de su sitio y colocó en su lugar unas cenizas de tabaco, ¿verdad? —dijo Víctor mirando divertido a don Alfredo, que, boquiabierto, no salía de su asombro.

La mujer asintió.

—Y bien —prosiguió el joven—. Antes de tomar otro tipo de medidas he querido hablarlo con usted a solas, pero no me ha dejado otra opción.

Doña Ana parecía angustiada. Al ver que su propia hija la miraba con una sombra de temor y duda en el rostro, dijo:

—No, esperen. Lo hice por Aurora. Sabía que todo el mundo achacaría el ataque a la influencia del libro, así que tras ordenar a Gregorio que lo pusiera en su sitio se me ocurrió una idea. Pensé que si ese libro demoníaco se volatilizaba, todo el mundo pensaría que había sido algo sobrenatural lo que había empujado a Aurora a cometer la agresión. No quería que mi hijita quedara como una loca o, peor aún, como una asesina.

La dama se echó a llorar siendo consolada por su hija.

—Señora —dijo muy sincero Víctor poniéndose de pie para marcharse—, no era ni mucho menos mi intención llegar tan lejos con esta comedia. Le pido mis más humildes disculpas y mañana mismo solicitaré a don Horacio que me retire del caso.

—No, joven, no —imploró la dama—. Usted ha obrado cuerdamente, quiso hablarlo conmigo en privado y yo me negué, no le dejé alternativa. Soy yo la que le debe una disculpa. Debe usted seguir investigando la causa de esta tragedia. Devuélvame a mi hija, por favor, no quiero verla en la cárcel o en el manicomio.

La dama parecía tener sentido común.

—No tema, señora, le doy mi palabra. Este asunto quedará aclarado. Pero necesitamos la colaboración de todos ustedes.

—No se preocupe. ¿Qué necesita?

—Buf. Hablar de una vez con el herido, ver a su hija Aurora, hablar con doña Clara, aquí presente.

—Se hará como usted dice, joven, pero no le cuente a mi marido que yo escondí el libro.

—No se preocupe, señora. Diremos que había caído detrás de las estanterías. ¿Dónde lo tiene?

—Donde usted ha dicho, en mi tocador, en mi casa.

—Bien, ha corrido usted un gran riesgo llevándose ese volumen. Sean de otro mundo o de éste, ese libro es la causa de las agresiones. ¿Leyó usted el párrafo maldito?

—Sí.

—¿De noche?

—Sí.

—¿Y no sintió impulsos de...?

—En absoluto.

—Interesante, muy interesante —reflexionó el joven detective—. Guarde usted el libro como oro en paño. Mañana por la mañana, tráigalo aquí, ardo en deseos de consultarlo. Y no se preocupe señora, su secreto muere en este momento con nuestro absoluto compromiso de no revelarlo a nadie.

Don Alfredo asintió. Tras despedirse educadamente de las damas, salieron del cuarto, no sin que Víctor quisiera adivinar en su amada lo que le pareció una mirada de admiración. Ya en el coche camino de Sol, don Alfredo interrogó con curiosidad a su joven compañero:

—¿Cómo lo supiste?

—Fue sencillo, Alfredo. En el mismo momento en que Gregorio advirtió que el libro no estaba en su sitio, supe que todo había sido un ardid. Mira, Blázquez, si el libro maldito hubiera ardido, digamos que por combustión espontánea, habría chamuscado, sin duda, el lomo de los volúmenes que había a su lado, y la observación con la lupa me permitió comprobar que no había ni una sola marca en ellos. Así que, de combustión, nada. Era evidente que alguien había sustraído el libro y dejado aquella ceniza en su lugar, ¿me sigues?

—Sí, totalmente. A mí no se me hubiera ocurrido. Es un argumento sencillo, pero demoledor.

—No olvides nunca, mi querido amigo, que en lo sencillo está la verdad. Además, comprobé *in situ* que aquellas cenizas apestaban a tabaco, momento en que pedí algún papel o sobre para recoger una muestra que llevar a Córcoles. ¿Y qué ocurrió entonces?

—El desmayo de la dama.

—Exacto. Que no logró su propósito, distraerme e impedir que realizase mi tarea. Esa señora es lista, muy lista. Observé por el olor de la estantería y por la ausencia de huellas digitales que debía de haber sido limpiada aquella misma mañana y vi las huellas de unos pies de mujer junto a ella, en la alfombra, así que pensé en la sirvienta, Nuria.

—Brillante.

—Llevé las cenizas a Córcoles y, entre tanto, Nuria nos hizo saber que la distinguida señora le había ordenado limpiar la estantería aquella mañana antes de nuestra llegada. Era obvio que alguien pretendía que la sirvienta pudiera atestiguar que el libro estaba en su sitio antes de su «sublimación». Entonces todas mis sospechas se dirigieron a doña Ana. Cuando supe por Córcoles que la muestra de ceniza era, en efecto, de tabaco, pensé: «¿Qué cenizas, curiosamente de tabaco, puede usar una dama para un fin como éste?»

—Las del tabaco de su marido.

—Exacto. Así que acudí a la casa de don Augusto y tomé otra muestra que, según confirmó mi fiel Córcoles, resultó ser idéntica a la que dejaron en la estantería. Me faltaba saber si el caballero estaba implicado, pero usted vio, como yo, que cuando sondeé a la dama al respecto se hizo evidente que él no sabía nada.

—¿Y cómo supiste que lo había escondido en su tocador?

—¿Dónde si no iba a esconder una dama un objeto que nadie sabe que tiene? Fue un farol y tuve suerte, sólo eso.

—Ahora que me lo has contado, debo confesar que todo parece muy sencillo, pero la verdad es que me habías dejado asombrado, lo confieso.

—Ay, Alfredo, así es la ciencia aplicada a la labor policial, sencilla quizá cuando se conoce, pero efectiva, demoledoramente efectiva —sentenció Víctor mirando por la ventanilla del coche de caballos.

Sintió pena por doña Ana. Don Augusto se consumía de remordimientos, era evidente, y quizá se lo merecía por haberse empeñado en condenar a su hija a un matrimonio de conveniencia comprando aquella horrible y traicionera casa, pero doña Ana no tenía culpa de lo ocurrido. La pobre mujer había intentado cargar las culpas sobre el libro para eximir a Aurora. Era obvio que se había visto superada por los acontecimientos. Una dama de noble cuna que asistió a la lenta desaparición del patrimonio de su familia en manos del inútil de su marido. Por si aquello fuera poco, había tenido que acceder a que su primogénita se casara con un burgués, una transacción comercial en la que la mercancía era su propia hija y, además, aquello había causado la locura de Aurora. Era normal que doña Ana Escurza pensara que su mundo se hundía. No parecía mala persona y quizá no se lo merecía.

Llegaron a Sol y se encontraron con Abenza, que disfrutaba de un descanso en su despacho y hojeaba *La Correspondencia de España*.

—¿Qué dice la prensa, Aniceto? —preguntó Blázquez.

—Viene bien, viene bien —respondió el inmenso guardia mientras los recién llegados colgaban sus sombreros y bastones—. Se han publicado las cifras de recaudación de los periódicos y, ¿saben? Gana *El Imparcial* con tres mil trescientas cincuenta y nueve coma cero siete pesetas.

—¡Bien! —exclamó Víctor—. España es liberal.

—Le siguen *La Correspondencia de España* y *El Siglo Futuro*.

—¿Y *El Constitucional*? Lo dirige mi primo Braulio —terció Blázquez.

—Penúltimo.

—Vaya, qué mala pata. ¿Y algún suceso de interés?

—Sí, hombre, ¿recuerdan la imprenta de falsificación de moneda de las Vascongadas? Pues ayer se detuvo en Madrid a diecinueve cómplices, seis de ellos mujeres. En las calles de Alcalá, Preciados y en el barrio de Pozas.

—¡Bien hecho! —alabó Víctor—. ¿Quién ha llevado el caso?

—El teniente Araciles, de la Guardia Civil.

—Ese tipo es bueno, muy bueno. O, al menos, eso me han dicho.

Víctor apenas pudo terminar la frase, y ni siquiera llegó a tomar asiento porque entró corriendo un agente que les comunicó que tenía un aviso para ellos. Debían acudir de inmediato a Chamberí, pues al parecer había aparecido un cadáver. Los dos policías bajaron al punto de coches de alquiler, eligieron una berlina Clarens y ordenaron al cochero que se dirigiera a dicho barrio porque no querían que se les echara encima la noche. El verano era sofocante y el ambiente estaba sobrecargado y demasiado húmedo, costaba trabajo respirar. Los paisanos pasaban por la calle acalorados y las damas se abanicaban sin cesar, bajo la protección de sus acogedoras sombrillas.

Cuando llegaron a la calle Zurbarán, comprobaron que en un solar en el que se realizaba una obra se congregaba una pequeña multitud. Varios agentes uniformados retenían a los curiosos y evitaban que se acercasen a un rincón, donde, según supuso Víctor, debía de hallarse el cuerpo. De inmediato, don Alfredo ordenó a los agentes que dispersaran a aquella gente. Éstos no se anduvieron con remilgos y dando algún que otro porrazo despejaron el solar de miradas indiscretas en un santiamén. Un periodista, con gafas redondas, tocado con bombín y que vestía un corriente traje marrón, permanecía atento a la escena, mirando desde una esquina. Le acompañaba un individuo con una voluminosa caja, que resultó ser un fotógrafo.

—Vigiladme a ese fulano. Que no se acerque —ordenó don Alfredo, autoritario.

Se entrevistaron entonces con el agente que había dado el aviso, alertado por un comerciante de franelas que requi-

133

rió al policía alarmado por un macabro descubrimiento. Al parecer, dos chiquillos jugaban en el solar dando patadas a una extraña pelota que resultó ser... ¡una calavera! Sin perder un instante, el tendero avisó al guardia más cercano, quien tras interrogar a los niños pudo constatar que el origen del espeluznante hallazgo era un cadáver casi descompuesto que había sido enterrado bajo un montículo de arena al fondo de aquella finca abandonada. Al parecer, las obras habían provocado el hundimiento de aquel promontorio y dejado al descubierto aquellos restos óseos alrededor de los cuales quedaba una especie de mucílago carnoso cubierto de lustrosos gusanos.

—¡Que nadie toque nada, por amor de Dios! —gritó Víctor.

El joven, tras examinar aquellos huesos, reparó de inmediato en que la quinta costilla del costado izquierdo aparecía casi fracturada por un corte limpio y certero. Supo —gracias a sus prácticas con don Alberto— que era de navaja. No había ni rastro de ropa en aquel cuerpo, seguramente se había descompuesto, pero bajo los huesos se adivinaban unas oxidadas monedas que hicieron que Víctor y su compañero cruzaran una mirada cómplice.

—No hace falta contarlas para saber que ahí habrá treinta reales —dijo el inspector Blázquez a Víctor Ros.

—Agente, avisen a don Alberto Aldanza; éstas son las señas —ordenó Víctor a un uniformado tendiéndole la tarjeta de su ahora amigo y mentor.

Cuando el lujoso coche inglés de don Alberto llegó al lugar de los hechos, el revuelo entre los presentes fue considerable. Todos querían ver qué pasaba, así que los agentes de la ley hubieron de emplearse a fondo de nuevo para mantener a los curiosos alejados del ahora concurrido solar. El conde del Rázes era cualquier cosa menos discreto, así que su descenso del coche, acompañado de su criado de color, Lucas, portando un enorme maletón en el que se guardaba el instrumental, llamó muchísimo la atención de las comadres, que inventaban ya rumores, dimes y diretes sobre aquel crimen. Se había organizado un alboroto notable.

—¡Atrás todo el mundo! —conminó el aristócrata arrodillándose ante los restos—. Esto es lo que haremos..., hum..., pero ¿qué veo aquí? ¡Fantástico! ¡Great! Lucas, un frasco y las pinzas, rápido —añadió a la vez que se calzaba unos guantes de cuero.

Todos los agentes quedaron impresionados ante el comportamiento de aquel excéntrico, un tipo macabro y repugnante que se entretuvo en recoger con unas pinzas, uno a uno, todos los gusanos que devoraban el cadáver.

El mismo Víctor se sintió algo cohibido ante sus compañeros por el extraño comportamiento de su amigo, que en aquel momento tendió el frasco a Lucas mientras decía:

—¡Vaya, y eso que vemos ahí deben de ser los treinta reales! ¿Han llamado ya al juez?

Tuvieron que esperar a que llegara el magistrado para poder levantar el cadáver. Don Alberto insistió en que fuera trasladado a su «taller» para poder estudiarlo con tranquilidad. Víctor no tuvo problemas para conseguir el permiso necesario.

Cuando llegaron al palacete del barrio de Salamanca era ya noche cerrada. Don Alfredo parecía turbado.

—Tomemos primero una ligera cena. Los enigmas se resuelven mejor con el estómago lleno —aseveró el conde.

Los dos policías y el aristócrata departieron en animada conversación mientras daban cuenta de unas perdices en escabeche y apuraban en repujadas copas de cristal de Bohemia algunos de los excelentes caldos de Aldanza. El mentor de Víctor los fascinó hablándoles de sus largos viajes y relatando sus mil peripecias en el Índico, su agitada vida en Chile o su relajante estancia en Alaska. Les contó mucho de Norteamérica, de Nueva York, según dijo, la más excitante y joven ciudad del mundo. También habló sobre Boston y les contó cosas de París, de Praga, describió con detalle su maravilloso crucero por el Danubio y se emocionó al recordar su añorada Moscú. En fin, una vida de ensueño plena de sensaciones y lúdicas experiencias que habían llevado a aquel caballero a destacar de entre la mayoría como un excéntrico pero atractivo *bon vivant*.

Tomaron una copa de jerez en el salón fumador y pasaron al taller para examinar el cadáver. Mientras Víctor y don Alfredo parecían un tanto nerviosos, mirando con algo de asco y desazón lo que quedaba de aquel cuerpo, don Alberto se entregó a aquella tarea con verdadero entusiasmo y devoción; disfrutaba con la realización del trabajo. El joven subinspector pensó con desagrado que había algo macabro en el comportamiento de su nuevo amigo. Sintió asco y repulsión pero no era el momento para dudas estúpidas. A la luz de las lámparas de gas y pese al frescor de la noche y el relajante canto de los grillos, Víctor sintió allí, en aquel cuarto, una opresión en el pecho, quizá algo de miedo ante la profanación del cuerpo de una persona fallecida. Aquello quizá no estaba bien, pero, ¡demonios!, él era un hombre progresista, racional, y lo hacían por el bien de la finada. Había que capturar al culpable.

—Veamos qué hay por aquí —dijo el conde examinando el cuerpo con atención—. ¡*Voilá*! Tome notas, mi buen amigo Víctor, porque lo primero que les diré es que estamos ante un cuerpo de mujer.

—¿Y cómo lo puede saber? Si no es molestia, claro —quiso saber el inspector Blázquez.

—Muy sencillo —dijo el otro como quien cuenta una evidencia—. La pelvis. En los varones, el hueco que queda en este hueso tiene forma ovoidea, mientras que en las mujeres es acorazonado. Este hueco es lo que llamamos canal del parto, por ahí debe pasar el feto al nacer. Es más, por el grado de apertura —miren, miren la sínfisis púbica—, me atrevería a afirmar que esta mujer fue madre.

—¿Cómo? —casi gritó Víctor.

—Sí, además estaba en edad de ello; mire los huesos de la muñeca, ¿qué edad estima usted que tenía?

—Pasó la adolescencia hace tiempo.

—Exacto, calcule usted entre veinte y treinta. Aproximadamente.

—¡Vaya! —exclamó Blázquez.

—Miren la costilla. Navajazo —continuó el aristócrata—. Bien, bien. ¿Y las monedas? Cuéntelas, don Alfredo.

Éste hizo lo que el conde le pidió y dijo al momento:

—Treinta.

—Como Judas. Treinta monedas de plata —dijo Aldanza.

—¿Qué querrá decir con ello el asesino? —preguntó Don Alfredo.

—Alguna traición que esta pobre puta ha pagado caro —contestó Víctor.

—Esta mujer sufrió una fractura en el brazo cuando era niña, miren el radio, cerca de la muñeca —prosiguió el conde—. Es un dato a tener en cuenta. Ahora veamos el cráneo.

Don Alberto inspeccionó minuciosamente aquella maltratada calavera. Miró las cuencas que antaño contuvieron unos ojos de mujer, quizá hermosos, quizá no. Al mirar la boca exclamó:

—¡Vaya, vaya! Acérqueme ese punzón, por favor, don Alfredo.

El aristócrata tomó el estilete al instante y tras introducirlo en la boca de la calavera, hizo palanca con fuerza y, luchando contra la oposición que ofrecía el hueso, consiguió que tras un crujido algo saliera de la cavidad.

—Miren, una muela de oro. Y tiene tres más, esperen. Están pegadas al barro seco y a restos de mucílago y cuesta un poco sacarlas.

Repitió la operación tres veces. Allí había cuatro muelas de oro macizo.

—Interesante —comentó Víctor pensativo.

—¿Qué nos dice esto, mi querido pupilo?

—Que esta mujer no era una puta como las otras, era una dama de posibles —contestó muy seguro el joven.

—Eso es —aseveró Aldanza—. Además, miren el interior de la boca. Dos muelas rotas por el golpe de un objeto romo, quizá el mango de un bastón o algo así. Es un golpe propinado por un zurdo, ojo con eso. Esta dama fue maltratada antes de su muerte, de eso no cabe duda. Y ahora, miremos las larvas. ¿Podremos datar la fecha del deceso? Espero que si tenemos suerte, así sea.

Los tres se encaminaron hacia una mesa de roble en la que don Alberto tenía situada una especie de lupa que descansaba en un soporte. Contaba con dos grandes anillos con sus respectivas lentes. La llamó «lupa binocular». Tomó un libro de una estantería y se lo tendió a Víctor.

Guía de Artrópodos se titulaba.

—¿Artrópodos? —dijo extrañado don Alfredo.

—Sí, mi querido amigo. Ustedes, la policía, ven a diario que los cadáveres que levantan se encuentran plagados de cientos de gusanos que, por desgracia, ignoran. Esos repugnantes animalillos no son otra cosa que el estado larvario de diferentes tipos de moscas, unos necrófagos que han de proporcionar al entendido una información valiosísima a la hora de determinar la fecha de la muerte del finado. El estudio de la fauna cadavérica es tenido en cuenta cada vez por más y más policías de todo el mundo, por ejemplo, Scotland Yard en el Reino Unido o la propia Securité francesa. Esas moscas son...

—¿Insectos? —preguntó tímidamente Víctor.

—Correcto, insectos. El hombre, en su infinita arrogancia y prepotencia, cree haber dominado el planeta, pero no sabemos que este minúsculo trozo de roca perdido en el Universo está dominado por un tipo de ser vivo, por unos seres que habitan todos los lugares por recónditos que éstos sean y que, en número, superan a los humanos en proporciones considerables: me refiero a los artrópodos. Y dentro de los artrópodos, mis queridos amigos —prosiguió a la vez que miraba por la lupa—, tenemos varias familias o grupos: los arácnidos, como la araña o el escorpión, los miriápodos, como el ciempiés o la temida escolopendra y, los más numerosos, los insectos. Por eso, si abre usted, mi querido amigo Víctor —dijo sin dejar de mirar por los binoculares—, ese extenso tratado de artrópodos de mi querido amigo el doctor Willbrought por la página 678, comprobará que en segundo lugar se cita una especie de mosca llamada *Calyphora octopunctata*. ¿Es así, Víctor?

—En efecto.

—Bien, hemos tenido suerte de poder observar las larvas pero también algunos adultos que no han podido abandonar el cadáver. Vea, vea, este tipo de mosca se caracteriza porque en el estado larvario presenta ocho puntitos de color escarlata en los segmentos del voraz gusano, puntos que apenas se observan en tenue color verdoso en el tórax del ejemplar adulto. —Los dos policías miraron con la boca abierta por la potente e iluminada lupa—. Y ahora, Víctor, lea en la guía la época de puesta de huevos y eclosión de las larvas.

El joven policía tomó el pesado volumen y leyó en voz alta:

—«La *Calyphora* de ocho puntos suele poner sus huevos siempre en cadáveres recientes y en las primeras semanas del mes de julio.»

—Un momento. Obviando otras especies que se encuentran presentes en el cadáver y que estudiaré con más detalle en los próximos días y teniendo en cuenta que observo, por su tamaño, al menos dos oleadas de *Calyphora* en la muerta, puedo afirmar, por esta primera impresión, que esta mujer falleció en las primeras semanas de julio del año pasado. En suma, señores, y por no hacerme pesado, pues supongo que querrán retirarse a descansar, puedo afirmar que nos hallamos ante una mujer de entre veinte y treinta años de edad que fue asesinada en julio del pasado año, que sufrió una fractura en el brazo de niña, de buena familia, que fue madre en su momento y fue maltratada por un hombre zurdo que la mató de un certero navajazo en el costado izquierdo.

Los dos policías quedaron boquiabiertos.

—Me temo que tenemos mucho trabajo que hacer —dijo don Alfredo.

—Y que lo diga, don Alfredo —convino Víctor.

Estaba deslumbrado por las posibilidades que apuntaba la medicina forense. Era obvio que la ciencia podía ayudar a resolver multitud de casos, y pese a las objeciones de los más conservadores, él estaba decidido a incorporar esos métodos en su rutina diaria.

CAPÍTULO 11

Cuando Víctor volvió, ya de madrugada, a su habitación de la pensión de doña Patro, se metió en la cama de inmediato. Necesitaba descansar. Después de dar mil vueltas en el lecho, decidió sentarse a su mesa y tomar algunas notas. No podía dormir, pensaba en Clara, en Lola. Hacía calor y necesitaba sentirse cerca de una mujer. No eran horas de acudir a casa de Rosa. Se sentía excitado en todos los sentidos, palpitante, despierto. Su mente comenzaba a funcionar como la perfecta maquinaria de un reloj. Ya no se sentía triste o perdido, tenía dos asuntos difíciles que resolver y eso lo estimulaba, le hacía sentirse vivo. No en vano se había metido en dos casos que se antojaban peliagudos y le comenzaban a quitar el sueño. El primero, el del libro maldito, lo tenía algo desconcertado. ¿Era posible que una casa estuviera encantada? ¿Existían los fantasmas? ¿Podía un libro influir sobre las personas hasta el punto de inducir al asesinato? Él creía que las respuestas a todas aquellas preguntas eran «no», pero, en el fondo, una pequeña lucecita hacía que despertara ese atávico miedo a lo desconocido que todo ser humano lleva dentro. Se hacía evidente que, en aquel caso, casi todos mentían o al menos, decían verdades a medias; ¿por qué? Doña Ana Escurza había llevado a cabo un auténtico número de circo para simular que el libro era un verdadero poder del más allá en un intento desesperado por exculpar a su hija, cargando las tintas en los aspectos más ultraterrenos de aquel extraño caso. Aun así, Víctor se hizo cargo del comportamiento de aquella dama porque pensó que él mismo, si se viera en una situación similar, haría cualquier cosa por exculpar de asesinato a un hijo.

Ansiaba poder entrevistarse con Clara, hablar con ella de tú a tú. Sentía que la joven no lo miraba con malos ojos, pero aquello no eran sino delirios de enamorado; ¿cómo iba siquiera a fijarse en él? Saber algo más sobre ella no le había desilusionado, al contrario. Era una joven moderna, leída, ¡sufragista! De haberla soñado, no habría resultado más atractiva, más apetecible.

También ardía en deseos de que le dejaran hablar con Donato Aranda, el marido agredido, ver a la esposa agresora y, por supuesto, consultar y examinar aquel maldito libro. Al día siguiente podría verlo, eso le había asegurado doña Ana Escurza. Pensó por un momento que en lugar de estar allí, de madrugada, mirando por la ventana y tomando absurdas notas sobre el caso, debería dormir un poco para estar repuesto y descansado a fin de examinar con los cinco sentidos el volumen maldito de *La Divina Comedia*, pero no podía dormir. Tenía la certeza de que la clave de aquel caso se hallaba en los sucesos acaecidos en época de don Diego Vicente Reinosa, «el Indiano», y su exótica esposa. Doña Remedios insistió en que todo había ido bien entre la pareja hasta la aparición de aquel holandés. Según dijo la ciega, don Diego Vicente habría utilizado sus influencias para que aquel espigado extranjero ingresara en prisión. ¿Habría datos de hacía cincuenta años en el ministerio? ¿Qué oscuro secreto escondía el Indiano? ¿Por qué dijo algo la filipina de «piratas» y «el Rincón del Diablo»? ¿Qué significaba aquello? Según había contado la anciana sirvienta, tanto el Indiano como su mujer seguían extraños ritos de santería filipina; ¿no sería aquella la clave para que la casa se encontrara encantada? Había leído en una enciclopedia que muchos habitantes de las islas Filipinas habían aunado el catolicismo a sus creencias previas. Aquello había originado un extraño revoltijo de supersticiones que desembocaban en la práctica de extraños ritos de santería.

Otra duda le asaltaba: ¿por qué hubieron de dejar su casa allende los mares y trasladarse tan precipitadamente a Madrid? Ésa podía ser la clave del asunto, aunque, ¿qué papel desempeñaba aquel maldito libro en el horrible crimen que se dio a continuación? Doña Remedios había hablado de supuestos pasadizos secretos que recorrían la casa. Víctor tenía ya una opinión formada al respecto, porque había inspeccionado para ello el sótano, la planta baja y el segundo piso. Le había interesado mucho la cocina. ¿Qué habría ocurrido en aquella casa en el pasado? ¿Por qué insistían todos en haber escuchado ruidos de fantasmas en los años en que estaba deshabitada? Curiosamente, ninguno de sus habitantes actuales había visto moverse objetos o que las puertas se abriesen y cerraran solas. Sí, habían oído voces, pero en sueños, claro. Resultaba todo muy extraño.

Por otra parte, el caso de las prostitutas se había complicado con la aparición de lo que parecía el cuerpo de una mujer de familia pudiente. El detective pensó que al día siguiente, hasta que llegara la hora de su entrevista con doña Ana para ver el libro, debía encerrarse en el archivo para intentar identificar a la asesinada. A pesar del entusiasmo que don Alberto Aldanza sentía por aquel caso, el sumario de las prostitutas no le resultaba ya tan atrayente. Era evidente que algún loco degenerado se dedicaba a matar chicas de la calle a las que introducía treinta reales en el bolso, pero no era la primera vez que alguien hacía algo así con las prostitutas de Madrid, ni sería la última. Pensó en Lola y se sintió excitado. Desde que comenzara a investigar el caso de la casa maldita, no había ido a verla. Sintió que necesitaba hacerlo, sentir su cuerpo junto al de la joven y hacer el amor, descargar toda aquella tensión que guardaba dentro. Volvió sus pensamientos hacia las prostitutas asesinadas. El asesino tenía una cómplice, una mujer anciana con una enorme verruga y de acento extranjero que recogía a las chicas por las calles para que aquel degenerado cometiera sus fechorías. Debía atrapar a aquel maníaco. Debía hacerlo por Lola «la Valenciana» y por las miles de jóvenes que, como ella, hacían la calle en Madrid de manera tan indefensa y expuesta.

A la mañana siguiente, y debido a la falta de sueño, Víctor llegó al ministerio atontado y somnoliento, por lo que, tras tomar un par de cafés, se encerró en el archivo para intentar sacar algo en claro sobre el caso de las prostitutas asesinadas. En primer lugar procuró centrarse en la chica de las muelas de oro. Una simple prostituta no podía costearse algo así, de manera que aquello le inducía a pensar que el cadáver correspondía a una chica decente y de familia adinerada. Don Horacio Buendía defendía que un buen archivo policial era un arma muy poderosa en manos de los agentes de la ley, y Víctor comenzaba a comprobar que aquello era muy cierto. En la búsqueda de la identidad de la finada —se centró en los meses de mayo a agosto del año anterior—, halló multitud de denuncias de desaparición de prostitutas, algunas de las cuales aparecían después con el certero navajazo en el costado. Aquello le hizo ponerse en guardia. Decidió enfrascarse en una búsqueda más intensa y efectiva; quería hallar el primer caso de una meretriz asesinada de aquella manera, así que aunque los informes eran exiguos y en la mayoría no se hacía referencia a los objetos que portaban las víctimas, identificó la que él creyó primera víctima de aquel verdugo: Agapita Ridruejo Rullán, una joven que había aparecido asesinada hacía entonces dos años y medio. No encontró ningún caso anterior. Sumó el número de chicas asesinadas de una puñalada en el costado en esos dos años y medio y se encontró con que la cifra alcanzaba la friolera de ¡veintisiete mujeres! Una al mes durante dos años, pensó para sí. Se hallaba ante un asesino peligroso, un pez de los gordos. El número de prostitutas desaparecidas ascendía a setenta y siete, pero aquello no podía atribuirse, evidentemente, a la mano de aquel asesino, pues muchas de ellas volvían a casa, huían de su chulo o eran asesinadas por cuatro perras por algún matón o por su propio proxeneta. Sintió pena y vergüenza al comprobar que nadie se ocupaba de velar por aquellas chicas. Comenzó a pensar que, como decía don Alberto Aldanza, aquel era un caso grande y se centró en la identificación de la chica de posibles, la de las cuatro muelas de oro. Halló una ficha interesante: María de los Ángeles de Pelayo y Díez, hija de un acaudalado comerciante natural de Madrid, había desaparecido el 7 de julio del año anterior. La familia denunció el caso y ofrecía una recompensa a quien pudiera proporcionar información sobre el paradero de la joven, vista por última vez en compañía de una dama de edad avanzada paseando por los jardines situados en la Plaza de Oriente, frente al Palacio Real.

Víctor sintió un escalofrío.

En aquel momento entró don Alfredo, quien le dijo:

—Vamos, Ros, tenemos una cita; no querrás perderte lo del libro maldito, ¿no?

En la casa de la calle San Nicolás, Nuria los hizo pasar al saloncito que había junto al recibidor. Allí aguardaba Clara, leyendo.

—Pasen, pasen, mi madre les pide excusas, no tardará en llegar.

Víctor quedó petrificado; había dormido poco, y no estaba como para recibir muchas impresiones. Los últimos acontecimientos lo tenían sumido en una horrible sensación de irrealidad que le ponía nervioso y lo irritaba profundamente.

Don Alfredo sonrió para sus adentros y preguntó por el excusado a la criada. Cuando vino a darse cuenta, Víctor se halló a solas frente a su amada, cara a cara. Estaba de pie, inmóvil y tenso, y notaba que le ardían las mejillas, así que ella con una sonrisa divertida le dijo:

—¿No va a sentarse, don Víctor?

—Sí, gracias, gracias.

Se sentó mirándola embobado. No podía creerlo, él que se sentía tan seguro de sí mismo, tan engreído con su ciencia, su cuerpo de policía y todas aquellas zarandajas, se desmoronaba como un pelele ante una joven de apenas veinte años. Intentó rehacerse y decir algo; ¿cuándo volvería a tener una oportunidad como aquella?

—Le conozco —dijo la chica.

—¿Del Paseo del Prado? —contestó él metiendo la pata.

Ella rió sonoramente.

—No, no, de la prensa. Usted desactivó la célula radical de Oviedo, ¿verdad?

Víctor se quedó helado; ¿cómo podía ella saber aquello?

—¿Y cómo sabe eso usted?

—Leo la prensa, Víctor, *El Imparcial*, y no olvide que soy aficionada a las novelas de detectives. No me pierdo una sola información referente a sucesos, puede decirse que soy una detective frustrada.

El joven sonrió. Estaba gratamente impresionado por la graciosa naturalidad de aquella damita. No parecía una engreída señorita de la alta sociedad; al contrario, era una joven de trato cordial y buenas maneras, dulce y sencilla a la vez.

—¿Es usted liberal?

—Sí; ¿le extraña?

—Hombre, siendo una dama... y de su clase social...

—¿Qué ocurre? —repuso ella haciendo un mohín—. ¿Una mujer no puede tener ideas políticas?

Entonces Víctor entrevió una oportunidad de utilizar la información que le había dado Nuria, la criada.

—No me malinterprete, Clara, soy hombre de ideas avanzadas. Incluso estoy a favor del voto femenino —y al ver el agrado reflejado en el rostro de la chica, añadió—: Sólo es que al ser usted de clase social alta, pensé que sería de tendencias conservadoras.

—Ése es mi padre.

—Ya. Pues aclarando la pregunta que me hacía, le diré que sí, que yo fui el artífice de la detención de los radicales de Oviedo, pero creo que ya no me siento tan orgulloso de aquello como antes.

—¿Y eso?

—No sé —dijo él, desvelándole sin pensarlo sus más íntimos sentimientos—. Aquello me valió un ascenso, el reconocimiento de mis superiores y los halagos de la prensa, pero en el fondo me siento como un traidor.

—Los radicales no hacen ningún bien a este país.

Aquella joven pensaba exactamente como él. No podía ser tan perfecta. A punto estuvo de pellizcarse para asegurarse de que no soñaba. Era bella, dulce y liberal.

—Vaya, señorita Clara, pienso lo mismo que usted. Yo estoy con Sagasta. Creo firmemente que en este atrasado país hay que hacer los cambios poco a poco, desde dentro. Es un político brillante, que tuvo la suficiente visión de Estado como para moderarse.

—Yo no lo hubiera expresado mejor —afirmó ella mirándole a los ojos.

Se sintió azorado. Entonces, intentando adoptar un aire lo más profesional posible, cambió de tema:

—Por cierto, Clara, ya que estamos a solas, querría hacerle unas preguntas sobre su hermana, si usted me permite.

—Sí, claro, claro —dijo la chica solícita—. Si puedo ayudar en algo, me sentiré muy satisfecha de hacerlo.

—Bien, bien. Hábleme de su hermana. ¿Qué tal era? Perdón, es...

—Un encanto, agradable, siempre de buen humor y con ganas de ayudar a los demás. Una joya; ya sé, usted dirá «habla así porque es su hermana», pero de veras le resulta-

147

ría difícil conocer a una chica con mejor corazón que ella aunque revolviera todo Madrid.

—Su hermana tiene...

—Veintidós años.

—Ya, y usted dieci...

—Veinte recién cumplidos.

—Perdone que le pregunte la edad, no quería ser descortés, sólo pretendía hacerme una idea de la diferencia de edad que hay entre ustedes dos. Parece que mantienen una buena relación.

—Sí, claro, estuvimos juntas en el internado, en Suiza. Me resultó duro al principio, no en vano yo era muy joven cuando llegué, mi hermana ya llevaba dos años en aquella escuela cuando yo me incorporé y me ayudó mucho a adaptarme.

—¿Cómo es la relación de su hermana con don Donato, su marido?

—Sólo llevaban unos días casados, así que no sé cómo les resultaba la vida matrimonial, pero debo decir que su noviazgo fue absolutamente normal.

—Ya. ¿Piensa que su hermana se casó enamorada?

Clara miró al joven detective como recriminándole aquella pregunta, por lo que él aclaró:

—Perdone, hágase cargo, debo obtener toda la información posible, aunque a veces no agraden mis preguntas, ya sabe, la búsqueda de la verdad; nada me disgustaría más en este mundo que importunarla a usted, Clara.

La chica pareció ruborizarse ante este último comentario de Víctor y contestó:

—Supongo que lo que le diga quedará entre nosotros.

—No tema.

—Bien. Donato es un joven bien parecido.

—Eso dicen.

—Y adinerado. Abogado, de buenos modales, apuesto..., lo que se dice un partidazo.

—Pero...

—Mi hermana entregó su corazón a otro hombre hace ya cosa de un año.

—¡Qué me dice!

—Lo que oye. Mis padres le pusieron un profesor de piano a su regreso de Suiza. No crea, era joven, pero no parecía gran cosa, más bien esmirriado, con barba y perilla, en fin, un artista de pocos posibles.

—Vaya...

—El caso es que no sé qué vio mi hermana en él, bueno, sí, que aun no siendo bien parecido le escribía versos, se consumía por ella y la trataba con extrema dulzura. Vamos, que se enamoraron.

—¿Y usted lo sabía?

—Sí, mi hermana me lo contaba todo.

—¿Y sus padres?

—No tenían ni idea, por eso cuando le comunicaron que le habían encontrado un pretendiente de postín, mi hermana se enfureció, no sé si debería decirlo, pero usted me parece un hombre honrado. Es usted un gran detective, me impresionó cómo descubrió la añagaza de mi madre con el libro. Sé que si alguien puede aclarar este maldito embrollo, ése es usted.

—Clara, confíe en mí, sólo quiero ayudar a su hermana.

—Mi hermana... En fin, se lo diré: Aurora llegó a intentar suicidarse.

—¡Qué barbaridad!

—Fue muy desagradable.

—¿Y qué hicieron sus padres?

—La internaron unas semanas en una clínica de reposo en San Sebastián, pero cuando volvió insistieron en que la boda se celebrase.

—¿Y el profesor de música?

—Despedido y expulsado de casa.

—¿Se llamaba?

—Fernando Hernández.

—Un amante despechado. Interesante, muy interesante. ¿Sabía don Donato de la existencia del músico?

—No, no. Donato no sabe nada de esto. Ya se encargó mi padre de ello. Eso hubiera podido dar al traste con tan interesante casamiento.

—Y en cuanto a su hermana...

—¿Sí...?

—Es difícil de preguntar, pero ¿cree que odia por ello a su marido?

—¿Hasta el punto de intentar asesinarlo? ¡Qué va! Mi hermana odia a mi padre por haberla obligado a casarse con Donato, pero sabe que su marido es una buena persona y no lo culpa de su desgracia. Mi cuñado se muere por los huesos de Aurora.

—Entonces esto habrá sido un duro golpe para él.

—Está hundido. Parece un muerto en vida.

—Me hago cargo. ¿Y qué se sabe del tal Fernando Hernández?

—¿De quién? —dijo una voz que sonó tras el subinspector.

En el umbral de la puerta del saloncito se hallaba doña Ana Escurza. Tenía cara de pocos amigos y llevaba una caja en la mano.

—Esto es para usted —dijo secamente tendiendo el paquete al policía.

Don Alfredo, que había estado paseando en el patio para dejar a su compañero a solas con su amada, entró de repente en el cuarto.

—Ahora, si nos disculpan tenemos cosas que hacer —dijo la señora con aire indignado.

Salió de la estancia y Clara la siguió.

Ante tal interrupción de la entrevista, los dos policías no tuvieron más remedio que abandonar la casa. Víctor y Alfredo Blázquez decidieron hacer una pausa y comer antes de inspeccionar el libro con la atención que merecía. Durante el camino, en el coche de caballos, el enamorado permaneció en silencio, meditabundo. ¡Había hablado con Clara a solas! Todo había sucedido de una manera muy natural. Aquella joven era sencilla y de agradable conversación y, no sólo eso, le había revelado algunos secretos familiares que no se contaban a cualquiera. Parecía sentirse cómoda con el detective y, de hecho, había llegado a decirle que lo admiraba. A él. Clara Alvear. Aquello era un sueño, un mal sueño quizá porque el hecho de que la chica mirase con buenos ojos al policía hacía que las cosas fueran más difíciles para él. Aun suponiendo que algún día conquistara a la joven, ¿cómo podría conseguir siquiera acercarse a ella? Pensó en el profesor de piano de Aurora, el tal Fernando Hernández, y sintió pena. Por cierto, tenía que localizarlo; un amante despechado era el sospechoso número uno en un caso tan enrevesado como aquel. Aurora había intentado suicidarse. ¡Qué barbaridad! Don Augusto no había dudado en amargar la vida a su hija haciéndole renunciar a su verdadero amor con tal de conseguir un buen negocio con aquel casamiento. ¿Haría lo mismo con Clara? Quizá no; parecía un hombre torturado, víctima de su avaricia y de sus propios errores. La deshonra rondaba su casa, y eso era un asunto serio.

Decidió pensar en otra cosa, pues su mente se hallaba algo saturada. Fueron a la taberna del Desiderio, junto a Cedaceros, e hicieron un almuerzo frugal, de manera que a eso de las tres y media llegaban a su despacho. Ambos se sentaron a la mesa de Víctor y miraron la caja no sin cierta aprensión.

Aquel libro era el culpable de todo.

Víctor examinó con la lupa las repujadas tapas de cuero de aquel magnífico ejemplar que, según supieron al leer la primera página, había sido impreso por Hermanos Barraquer, una imprenta de la ciudad de Barcelona, en el año de 1789.

—El año de la Revolución Francesa —observó el subinspector.

Rápidamente, con prisa, buscaron la página señalada, fatídica, en la que destacaba el párrafo que en su día subrayara la filipina antes de matar a don Diego Vicente Reinosa.

Víctor leyó en voz alta:

> «Descendimos del puente por la testa
> donde se une a la octava orilla,
> y entonces la fosa fue manifiesta;
> y vi adentro una terrible masa
> de serpientes, y de raleas tan diversas
> cuya memoria la sangre aún me hiela.
> Que no se ufane Libia más de su arena
> que si quelidras, yáculos y faras
> produce, y cencros y anfisbenas,
> que pestilencias tantas ni tan malas
> mostró nunca jamás junto a Etiopía,
> ni del mar Rojo a la región que hay más arriba.
>
> Por este enjambre amargo y espantoso
> corrían gentes desnudas y aterradas
> sin esperanza de refugio ni heliotropo.
> Sierpes atábanles las manos en la espalda
> y clavábanle la cola en los riñones
> y en la testa, y se apiñaban por delante.
> Y sobre uno que cerca de nuestra roca estaba
> se lanzó una serpiente y lo clavó
> allí donde el cuello se anuda con la espalda.»

—¿Y bien? —murmuró el inspector Blázquez con aire algo perdido.

—Que me aspen si lo entiendo. Ésta es la parte dedicada a los ladrones, y describe grandes castigos, pero no sé a dónde lleva esto.

Entonces llamaron a la puerta y un ordenanza —que a Víctor le recordó los tiempos de su juventud— les entregó una nota.

Don Horacio había leído el breve informe que le habían enviado sobre la calavera con las muelas de oro y le emplazaba a verse allí mismo a las nueve de la noche. Según decía, estaba ocupado hasta entonces. Así que, en vista de que no sacaban nada en claro del extraño y maldito libro, don Alfredo resolvió irse a casa a ver a su nieta, mientras que Víctor permaneció en el despacho leyendo aquella obra con la ilusión de hallar la clave de aquella tragedia en alguna de sus páginas. Blázquez tenía dos pasiones: los toros y su nieta. Era un hombre feliz, y Víctor le envidiaba por ello. Pese a su aspecto apocado, era un buen policía, no se metía en líos y tenía buenas amistades. Era de buena familia (su padre fue rentista e importador de guano de Alicante), por lo que don Alfredo había tenido una buena educación. Dentro de lo que cabía, se había situado bien en la vida, pues al tener doce hermanos, la herencia del padre se quedó en nada.

Víctor pasó la tarde embebido en la lectura del volumen, más por afán de investigación que por el disfrute de aquella perla literaria. Debían de ser las nueve y cuarto cuando don Horacio hizo su aparición en el despacho donde Víctor, algo decepcionado por la falta de progresos, permanecía absorto en el texto a la luz de un quinqué.

—Vaya, joven, leyendo... Así me gusta.

—Es el libro del caso de los Aranda.

Don Horacio, sorprendentemente, no prestó mucha atención al oscuro ejemplar de la obra de Dante y dijo:

—Hemos de darnos prisa. Quiero que hablemos esta misma noche con don Cosme de Pelayo, el padre de la chica esa.

—María de los Ángeles.

—La misma; ¿está seguro de que ese cuerpo corresponde con las características de la joven?

—He leído la denuncia y el informe y me temo que sí, que es ella, aunque antes querría hablar con el padre, si es posible. Hay algunas cosillas que me gustaría comprobar antes de confirmar la certeza. Si me deja usted hacer, claro.

—Que Dios nos perdone por el disgusto que vamos a dar a ese hombre. Haga lo que tenga que hacer, pero no se me extralimite. Asiste esta noche a una reunión social, pero creo que nos atenderá, ya que se trata de un asunto tan importante. Vamos, y que sea lo que Dios quiera.

Capítulo 12

De camino al palacete del marqués de Salamanca y en medio del traqueteo que el adoquinado producía en el coche de caballos de don Horacio, Víctor no pudo evitar romper el silencio para decir:

—Perdone, señor comisario, pero si se me permite, me gustaría hacerle una pregunta que...

—Diga, joven, diga.

—Pues bueno, el caso es que usted mismo me ordenó que no continuara con las pesquisas sobre las prostitutas muertas, y ahora, en cambio, se muestra interesado en el caso.

El bueno de don Horacio Buendía rió a carcajadas. Parecía divertido.

—Claro, hombre. Según parece, ese tipo asesinó a María de los Ángeles de Pelayo, una joven de buena familia.

—¿Sabía usted que, según mis cálculos, este vil asesino ha matado a más de veinte prostitutas en menos de dos años y medio?

—Sí, claro, he leído su informe con toda atención. ¿Y...?

—Pues que no se interesa usted por la muerte de veinte chicas y, en cambio, la de una sola provoca que nos tomemos en serio el caso.

—¿Otra vez con esas tonterías? Creo que ya se lo expliqué claramente en mi despacho: esas pobres descarriadas no le importan a nadie; ahora bien, no podría permitirme que se supiera que no se ha investigado la muerte de la hija de don Cosme de Pelayo por mi culpa. Eso podría costarme el puesto.

—Ya.

—Sí, joven —añadió Buendía con tono condescendiente—.
Sé lo que piensa, pero la vida es así y siempre será así; ¿o
acaso no sabe usted, a su edad, que el ejército, la Iglesia, la
policía y hasta el mismo Gobierno están al servicio de los
poderosos?

—Sí, lo sé.

—Pues entonces, hombre, déjese de tonterías y trinque
a este asesino. No piense tanto, actúe, amigo, actúe.

—¿Y el caso de la calle San Nicolás?

—También, claro. Además, ahí trabaja usted con Blázquez. Está usted perfectamente cualificado para llevar adelante los dos trabajos. Y no se hable más.

En aquel momento, el coche llegaba a la pequeña
rotonda que daba la bienvenida al palacio del marqués de
Salamanca, un moderno y llamativo palacete situado en
Recoletos, al que acudían por decenas los carruajes de los
ilustres invitados a la recepción de aquella noche. Los dos
policías bajaron ante la puerta. El palacio estaba construido
en dos alturas y mostraba bien a las claras que era la casa
de un hombre pudiente. Don Horacio y Víctor accedieron a la balaustrada que, formada por tres amplias puertas de grandes cristaleras, daba paso al lujoso recibidor. Al
ver que no vestían de etiqueta —Víctor llevaba un traje
beige de mezclilla y don Horacio una levita gris oscura—,
uno de los sirvientes se les acercó y les pidió que se
identificaran.

Don Horacio hizo saber al criado quién era y le pidió
que avisara al mismísimo marqués. Así lo hizo. Mientras
esperaban algo cohibidos por el ir y venir de señoras y caballeros por aquella amplia estancia, Víctor reparó en los
lujosos vestidos de las damas, que lucían sus más vistosas
alhajas. También destacaba la elegancia de los caballeros,
todos ellos vestidos, cómo no, de frac. El joven policía pensó
que uno solo de aquellos trajes valía más que su sueldo de
dos meses. Ironías del destino.

—Hombre, don Horacio —dijo el marqués tendiendo la
mano al comisario al que todo Madrid conocía.

El anfitrión de aquella recepción era un hombre maduro, calvo y con el pelo, que aún conservaba en las sienes, plateado. Bajo su prominente nariz, a modo de pegote, se delineaban unos finos labios que más parecían una simple línea horizontal situada sobre su saliente barbilla que una auténtica cavidad bucal. Don Horacio le presentó a Víctor y dijo:

—Señor marqués, disculpe usted nuestra llegada de esta manera pero debemos ver urgentemente a uno de sus invitados: don Cosme de Pelayo.

—¡Cómo! ¿Ha ocurrido algo?

—Me temo que así es; se trata de su hija, que desapareció hace más de un año. Creo que tenemos noticias para él.

El marqués hizo un gesto de asentimiento con la cabeza y con expresión apenada contestó:

—Esperen un momento, ahora mismo vendrá.

Tras la marcha del anfitrión, un criado los llevó a los jardines de la parte trasera del palacio, donde una fuente rodeada de un amplio seto proporcionaba algo de frescor en aquella calurosa noche de agosto. Algunas parejas pelaban la pava aquí y allá y en un par de grupos algunos invitados charlaban en animada conversación, atendidos con esmero por los solícitos sirvientes del marqués.

—Bien podían habernos llevado a algún despacho, éste no es un asunto menor, ni mucho menos —comentó con fastidio el comisario.

Víctor observó que todos los miraban con mala cara, como indicándoles de manera silenciosa pero firme que estaban fuera de lugar. Al fondo, sentados en un banco, vio a don Augusto y a doña Ana Escurza hablando con un grupo de aristócratas. Se dio la vuelta para que no le vieran la cara. No tenía ganas de hablar con aquella gente.

Al poco acudió don Cosme. Era un individuo grande, enorme, de amplia cabeza, calvo y con una sola ceja negra y poblada que, surcando su frente, le daba un aire fiero y amenazador. Tendió una de sus enormes manazas y estrechó con firmeza las de los dos policías. Al parecer, y según decía don Horacio, aquel hombre había ganado una verdadera fortuna comerciando con las Américas. Poseía una flotilla comercial anclada en Pajares.

—¿Ha sucedido algo malo?

—Me temo que sí, don Cosme —contestó don Horacio en tono servicial—. Tenemos noticias sobre su hija, María de los Ángeles.

El rico comerciante miró a uno y otro lado, como el que teme ser escuchado, abrazó por el hombro a don Horacio y se encaminó con él hacia una zona donde la vegetación del jardín se hacía más tupida. Allí, lejos de oídos indiscretos, se sentó en un banco que quedaba al abrigo de un inmenso baladre e indicó a los policías que tomaran asiento. Víctor permaneció de pie. Quería poder observar las facciones del hombre en cuestión.

—Ustedes dirán.

Don Horacio habló quedamente:

—Mire, don Cosme. Han aparecido los restos de una mujer. Hemos repasado los archivos, y pensamos que puede tratarse de su hija.

—¿Mi hija? ¡Qué tontería! ¡Mi hija no está muerta! ¿De dónde se sacan ustedes que ese cuerpo puede ser de mi María de los Ángeles?

Víctor tomó la palabra. Intentó hablar respetuosamente.

—Su hija desapareció el mes de julio del pasado año. Sabemos que los restos pertenecen a una joven que murió asesinada en esas mismas fechas.

—¿Y cómo diablos saben ustedes cuándo murió? ¿No dicen qué sólo son unos restos?

—Métodos científicos —sentenció Víctor muy seguro de sí mismo.

—Bah, paparruchas. ¿Y por qué afirman ustedes que ésa es mi hija?

De pronto, y para sorpresa de don Horacio, el joven subinspector dijo:

158

—El cuerpo es de una joven adinerada. Llevaba dos muelas de plata.

—¡Ah! —exclamó don Cosme, muy pagado de sí mismo—. Ahí han errado ustedes de pleno. ¡Tanta ciencia, tanta ciencia...! Deberían informarse un poco antes de dar sobresaltos a la gente decente. ¡Qué desfachatez! ¡Sepan que el ministro sabrá de su incompetencia! ¡Pueden darse por despedidos! Mi hija, queridos señores sabelotodo, de pequeña, comía muchos dulces y a causa de ello se le pudrieron los dientes, en efecto, pero María de los Ángeles llevaba cuatro muelas de oro y no dos de plata. Siempre lo mejor, es mi lema. ¡De oro! ¡De oro! Así que, ¡hala, asunto resuelto!

El gigantón se había levantado, pero don Horacio permaneció sentado. Él y Víctor se miraron asintiendo. El comisario parecía sentirse orgulloso de su subordinado.

—¿Qué? ¿Qué pasa ahora? —espetó don Cosme.

—El cuerpo que se ha encontrado tenía las muelas de oro. Cuatro —contestó don Horacio.

El comerciante montó en cólera:

—¡No puedo creerlo! Pero ¿con quién se creen ustedes que están hablando? ¡Esto les va a costar caro, muy caro!

Víctor interrumpió al enfadado padre para decir:

—Su hija se rompió un brazo siendo niña, ¿verdad?

El otro quedó inmóvil, blanco, como el que ha encajado un puñetazo. Le costó recobrarse.

—Mire, caballerete —replicó—, déjese de monsergas y tonterías conmigo, porque...

—Su hija fue madre —agregó con rudeza el joven policía.

Don Cosme se quedó mudo.

Víctor siguió hablando:

—Mire, don Cosme. Me hago cargo de que éste es un mal trago, pero negar la realidad no nos va a devolver a su hija. Soy policía, mi dignidad profesional me obliga a guardar silencio de los detalles más delicados de los casos que investigo. Sólo quiero dar con el hombre que mató a su hija, y para eso necesitamos su ayuda. Veo que teme usted el escándalo, pero si se empeña en negarlo todo, el alboroto será aún mayor; la ley sigue su curso y tarde o temprano el asunto saldrá a la luz. ¿No ve usted que sólo queremos ayudarle? Necesitamos hablar con usted. Por favor, ayúdenos a cazar a ese bastardo...

Don Cosme se quedó mirando a aquellos hombres por un instante. Parecía haber entrado en razón, tenía los ojos enrojecidos y una visible apariencia de cansancio se había apoderado de él. De repente, su rostro adquirió un tono purpúreo por la rabia.

—¡Váyanse al cuerno! —dijo, tras lo cual se giró y volvió a la casa.

Los dos policías quedaron mirándose.

—No entra en razón —dijo el más joven.

—No. Tendré que llamar mañana al ministro para que hable con él —repuso don Horacio—. Vamos, hijo.

Justo cuando el comisario hacía ademán de levantarse del banco, un sonoro y desgarrador grito rasgó la noche y Víctor dirigió la mirada al lugar en que momentos antes había visto a los Alvear. Allí, en el suelo y cubierto de sangre, se hallaba don Augusto; su mujer intentaba socorrerlo, mientras un joven, con levita negra, camisa blanca y corbata de lazo azul, gritaba sujeto por dos criados:

—¡Tienes las manos manchadas de sangre, Augusto Alvear!

Los dos policías corrieron al lugar de los hechos. A lo lejos, en el salón principal de la casa, un cuarteto de cuerda interpretaba a Vivaldi.

Don Horacio se hizo cargo del herido y ordenó a Víctor:

—¡Reduzca a ese energúmeno!

El agresor se zafaba por momentos del fuerte abrazo de los criados, pues, pese a tratarse de un joven menudo, con bigotillo e incipiente perilla, luchaba como un león por escapar. El subinspector llegó donde el forcejeo y, con calma y naturalidad, golpeó al preso en la entrepierna con la empuñadura de su bastón, un bello pomo de suave mármol, pesado y contundente que, como instrumento de defensa personal, le había sacado de apuros en más de una ocasión. El agresor se dobló como un junco y cayó al suelo sin resuello. Víctor centró entonces su atención en el herido, que ya había sido trasladado a un sillón en el interior de la casa.

—No es más que pintura roja —dijo don Horacio con desgana mientras llevaban un vaso de agua con anís para don Augusto.

Doña Ana Escurza se volvió y dijo al joven subinspector:

—Vaya, don Víctor, está usted en todas partes.

—Es mi trabajo.

¿Habría acudido Clara a aquella fiesta? Miró en derredor, pero no la vio entre el gentío. Al ver que sólo se trataba de una gamberrada, los dos policías salieron al jardín; dos agentes que habían acudido corriendo desde Recoletos se hacían cargo ya del loco que había montado aquel escándalo.

—Un momento —dijo Víctor a los agentes que se llevaban al preso, y se dirigió a éste para preguntar—: Usted, ¿cómo se llama?

—Fernando Hernández.

Víctor quedó pensativo viendo cómo se alejaban con el detenido.

—¿Vamos? —preguntó don Horacio—. Mi coche espera.

—Prefiero volver paseando a casa. No está lejos.

—De acuerdo. Por cierto, joven...

—¿Sí? —dijo girándose Víctor, que ya echaba a andar.

—Ha estado usted muy bien. Ya sabe, con don Cosme. Muy bueno lo de las muelas de plata, le ha sonsacado hábilmente lo que queríamos saber.

—Sí, tuve suerte. Pero creo que hemos confirmado que el cuerpo de esa desgraciada es el de María de los Ángeles de Pelayo.

—Verá usted que tratar con los aristócratas es asunto difícil. No es como apretar las tuercas a un chulo de Vallecas.

161

—Me voy dando cuenta, don Horacio.

—A pesar de ello, sabe usted presionar cuando hay que presionar y ceder cuando es necesario. Es usted un tipo inteligente. Quizá demasiado. No se me tuerza con esas ideas liberales y le auguro un brillante futuro en este negocio. Ha hecho usted un buen trabajo esta noche, joven.

—Gracias, don Horacio, pero no veo las cosas tan claras como usted.

—Vaya a casa, vaya y descanse. Y buenas noches.

—Buenas noches.

Dicho esto, Víctor echó a andar hacia su pensión. Pensó en ir donde Lola «la Valenciana», pero necesitaba dormir. Aquellos dos casos se complicaban y, por primera vez en mucho tiempo, comenzaba a sentirse confuso. Ahora había aparecido en escena el amante desengañado, el verdadero amor de Aurora. Parecía un joven vehemente en lucha por algo que nunca podría alcanzar. ¿Cómo iba a poder casarse un don nadie como aquel con la hija de los Alvear? Pensó en sí mismo y en Clara. Sintió pena.

Había llegado hasta el palacio de Xifré que contempló absorto por su belleza. La noche era hermosa, fresca. Algún murciélago que otro, volando despreocupado, pasaba cerca de su sombrero hongo capturando mosquitos a la luz tenue de las farolas. La luna iluminaba aquella imponente construcción. Le recordaba un grabado que había visto de la Alhambra de Granada. Las ventanas de estilo árabe, los ajimeces que las cerraban, todo le recordaba a otra época lejana y exótica. Decían que construir aquel palacio había costado una fortuna, y no le extrañaba. Se sintió embargado por la belleza del instante. Cantaban los grillos. Se fue al burdel de Rosa.

Víctor se despertó pensando que, después de haber dormido algo, el mundo se veía de otra manera. Se sentía relajado. Lola se había mostrado más ardiente aún que de costumbre, más zalamera. Se había sentido algo incómodo cuando, la noche anterior, ella le dijo que «él era especial». Aquello no le gustaba. Lo suyo con Lola era una transacción comercial, algo físico. Era una tontería pensar que una prostituta se pudiera enamorar de un cliente, conocía el paño por su trabajo y sabía que, por lo general, aquellas mujeres acababan invalidadas emocionalmente. También sabía que muchas de ellas acababan en manos de chulos sin escrúpulos, precisamente por falta de cariño. Víctor lo negó; no era especial. Dijo a la chica que era tan miserable como los clientes que explotaban a aquellas jóvenes por un puñado de pesetas, pero ella insistió de nuevo, mirándolo con sus profundos ojazos, en que él era diferente. Doña Rosa y las demás putas le habían reprendido porque últimamente no iba mucho por allí. No se le permitió pagar. Se había convertido en una especie de esperanza para las mujeres de la calle, que lo adoraban. No sabía cómo tomárselo, la verdad. Decidió que nada hacía malo luchando por aquellas desgraciadas y se permitió algo de autocondescendencia.

Algo más animado que la tarde anterior llegó a la sede del ministerio en Sol. De inmediato bajó a los calabozos para entrevistarse con Fernando Hernández. Cuando entró en la celda en que permanecía recluido el joven músico, el detective sintió una oleada de indignación. El pretendiente de Aurora permanecía recostado en el camastro respirando con dificultad, pero al ver entrar al policía se arrebujó bajo la manta y de un salto se alejó cuanto pudo del agente. Parecía un animalillo asustado, semiescondido en el extremo de la cama. Tenía un ojo morado, le sangraba el labio y mantenía el brazo derecho pegado al cuerpo como si lo tuviera lastimado.

—No tema, hombre.

—Le recuerdo muy bien; usted me golpeó con el bastón.

—Estaba usted fuera de sí, alguien tenía que reducirle o hubieran terminado por lastimarlo. ¿Quién le ha hecho eso?

—No sé, compañeros suyos. No se presentaron, la próxima vez les pediré sus tarjetas —respondió el músico en un tono irónico que agradó al subinspector Ros.

163

—¡Cascales! —llamó Víctor al agente que solía hacer las veces de carcelero.

—Sí, señor —dijo el guardia que apareció de improviso en el umbral de la puerta.

—Avise a un médico ahora mismo. Este hombre necesita asistencia.

El guardia no se movió.

—¿Qué pasa? —dijo con fastidio el detective.

—Señor, no sé si debo... Órdenes de arriba.

—Y yo le ordeno que avise a un médico. Asumo la responsabilidad. Tengo que interrogar a este hombre, es de vital importancia que hable con él, y por obra de mis propios compañeros, no se encuentra en condiciones. Volveré dentro de dos horas; si para entonces no lo ha visto un médico decente, prepárese —concluyó Víctor mientras salía del calabozo indignado.

El subinspector decidió hacer tiempo en su despacho, dedicado a repasar sus notas y releer el libro maldito. Estaba convencido de que era la clave de aquel caso. Pensó en el Indiano, don Diego Vicente Reinosa. Recordó la declaración de doña Remedios, la madre de Gregorio. Según la mujer decía, la aparición del misterioso holandés originó que la relación entre el Indiano y su esposa se tornara violenta y tempestuosa. Sin duda, aquel extranjero de ojos azules formaba parte del pasado del excéntrico millonario. Debía intentar averiguar lo que pudiera sobre el encarcelamiento de aquel forastero que tanto había importunado a don Diego Vicente Reinosa.

Parecía que el Indiano había salido corriendo de su casa de ultramar; ¿qué debió de haber hecho para tener que huir así?

Entonces, al hallarse bloqueada, su mente pasó al otro caso que se le había asignado. Estaba comprobado que María Ángeles de Pelayo era la víctima que habían encontrado bajo el montículo de tierra. ¿Por qué un tipo que asesina prostitutas mata de pronto a una joven decente? Necesitaba hablar con los padres de la víctima, pero don Cosme se había cerrado en banda al respecto. Pensó que debía entrevistarse con demasiada gente y que de momento no sabía si podría hacerlo. Sin ir más lejos, en el caso de la casa encantada tenía que hablar con don Donato Aranda, el marido atacado. Con la excusa de que éste no estaba en condiciones de declarar, la familia de Aurora lo mantenía alejado, con la consiguiente pérdida de un tiempo que el policía estimaba muy, pero que muy valioso.

También necesitaba hablar con Aurora, la joven que, como una posesa, intentara asesinar a su propio marido. Sumido en estos pensamientos, llegó al despacho que compartía con don Alfredo. Se sentó tras saludar a su compañero y le refirió lo acontecido la noche anterior en el palacio del marqués de Salamanca. Primero le habló de la entrevista mantenida con don Cosme y luego le narró el incidente de la pintura roja.

—Me temo que ese joven lo tiene muy mal. No me extraña que le hayan dado fuerte; no es bueno importunar a la gente importante.

—Estoy harto de la gente importante y sus aires de grandeza —masculló el joven subinspector mientras introducía el llavín en un cajón de su mesa para abrirlo.

—Pues así son las cosas, mi joven amigo —repuso don Alfredo.

El veterano inspector miró a Víctor. Su joven compañero, boquiabierto, contemplaba el cajón que acababa de abrir. De hecho, aún mantenía asido el tirador con su mano derecha, como si hubiera quedado paralizado.

—¿Qué pasa? —preguntó intrigado Blázquez.

—No..., no..., no está —murmuró el joven detective.

—¿No está? No está, ¿qué?

—El libro, el libro maldito. ¡Ha desaparecido!

CAPÍTULO 13

—¿Desaparecido? ¿Cómo desaparecido? —inquirió sorprendido don Alfredo.

—¡El libro! ¡Lo dejé aquí mismo ayer por la tarde! ¡Cerrado bajo llave!

—No puede ser —dijo el inspector Blázquez.

Víctor quedó pensativo por un instante. Una línea se marcaba en su frente como muestra de su enfado y confusión. Estaba muy sorprendido.

—¡Vamos, Alfredo, creo que sé dónde está! —exclamó de pronto.

Los dos hombres tomaron sus bastones y sombreros y bajaron a toda prisa las escaleras. Subieron a un coche de alquiler.

—¡A la calle San Nicolás, rápido! —ordenó el joven subinspector.

Llegaron en unos minutos a la tétrica casa que tantos quebraderos de cabeza les estaba ocasionando. Abrió Nuria, y tras apartarla a un lado, los dos entraron con decisión en aquel lugar maldito. Víctor se dirigió a la biblioteca seguido por don Alfredo.

—Pero ¿qué pasa? ¿Qué es este alboroto? —alcanzó a decir doña Ana Escurza, que se encaminaba ya a su encuentro.

Víctor quedó paralizado delante de la estantería. Ladeaba la cabeza como si reprobara aquella desagradable situación, negando la realidad. Parecía enojado.

—Me temo que mis sospechas eran fundadas. ¡Aquí está! —dijo señalando un libro que tomó en sus manos al momento.

—Pero ¿qué hacen aquí? —dijo doña Ana, quien se interrumpió al instante al ver a don Víctor—. Un momento..., el libro, yo se lo di a usted.

Entró el mayordomo, Gregorio, acompañado de Clara.

Doña Ana siguió hablando.

—¿Qué hace aquí eso? Usted se lo llevó, don Víctor.

El policía, que había terminado de examinar el libro con su lupa, sentenció:

—Es el mismo.

Clara dijo:

—Gregorio, llame a mi padre; está arriba, hablando con don Donato.

—¡No puede ser! ¡No puede ser! —comenzó a gritar doña Ana—. ¡Esto es cosa de fantasmas! ¡El libro ha vuelto solo! ¿Es que nunca nos vamos a librar de esa maldita cosa?

—Tranquilícese, doña Ana —trató de calmarla Blázquez tomándola por el brazo.

Mientras tanto, Nuria, la cocinera, y el caballerizo habían acudido, alarmados por los gritos de su señora.

—¿Qué ocurre? —quiso saber don Augusto haciendo también su entrada en la biblioteca.

—El libro —respondió don Alfredo—. Mi compañero, el subinspector, lo tenía a buen recaudo en un cajón de su mesa y ha aparecido aquí.

—¿Cómo? —se asombró el aristócrata.

—Calma, calma —repuso Víctor—. Tranquilícense todos. Intentemos razonar.

—¿Razonar, dice usted? ¿Ante algo como esto? —dijo Gregorio—. Ya me advirtió mi madre de que esta casa estaba maldita. ¡Dios se apiade de la pobre doña Aurora!

Doña Ana rompió en sollozos consolada por su marido.

—Confieso que estoy un poco confundido —dijo Víctor mirando de reojo a su amada, que lo escuchaba con atención—. Pero insisto en que no debemos perder la cabeza. El libro ha vuelto a su lugar, sí, pero eso no significa que lo haya hecho por sí solo.

—¿Hay huellas en él? —preguntó don Alfredo Blázquez.

—No.

—¿Ve usted? Es un engendro maligno —remachó Gregorio—. Ha venido hasta aquí por sí mismo.

—Que no encontremos huellas en él no quiere decir que viniese volando; la persona que lo robó pudo usar guantes —contestó el subinspector Ros.

—¡Nunca nos desharemos de él, nunca! —exclamó histérica doña Ana.

—Eso no es verdad, y se lo voy a demostrar —repuso resuelto Víctor—. A ver, Gregorio, encienda esa chimenea.

—Pero ¿qué va a hacer usted? —intervino muy alarmado don Augusto.

—¿No irá a...? —dijo Nuria.

—¡Silencio! Gregorio, haga lo que le he dicho. Esto es una investigación policial, se lo recuerdo a todos ustedes. Desde que don Alfredo y un servidor llegamos a esta casa, sólo nos hemos encontrado con mentiras, medias verdades y obstáculos. ¡Y ya está bien! Me da igual que sean ustedes nobles o plebeyos, ricos o pobres. Van a hacer lo que diga la policía a partir de ahora o me veré obligado a acusarlos de entorpecer la labor de la justicia. Y punto final. ¿No se dan cuenta ustedes de que nos las vemos con alguien que tiene una mente privilegiada? Don Augusto, su hija ha intentado matar a su propio esposo y languidece de fiebre cerebral en su cuarto, aquí no paran de ocurrir cosas raras y ustedes no hacen más que gritar y alarmarse unos a otros con supersticiones de viejas. ¡Se acabaron las tonterías! Mi compañero y yo vamos a resolver este caso, le pese a quien le pese. ¡Gregorio! ¿Cómo va eso?

—Listo.

Víctor se acercó a la chimenea y arrojó el libro al fuego con decisión. Doña Ana lanzó un alarido. Esperaron unos instantes y el maligno volumen comenzó a arder.

—¿Ven? No pasa nada —comentó Víctor.

Parecía indignado. Don Alfredo nunca había visto así a su compañero, siempre tan comedido, tan estirado a veces.

—Pero... —intervino don Augusto—, ¿y si nos enfrentamos a fuerzas de carácter superior?

—Me niego siquiera a aceptar esa posibilidad. En este mundo, todas las maldades son obra del hombre, lo digo por experiencia. Nos enfrentamos a alguien inteligente, y encima nos lleva ventaja; dejen ustedes de ponernos piedras en el camino —conminó Ros.

—¿A qué se refiere? —replicó el conde de Teresillas—. Mi hija Aurora no está en condiciones de hablar.

—Pero su yerno sí. Llevamos muchos días pidiendo que nos dejen entrevistarnos con él.

—Sólo tiene que decir cuándo quiere hacerlo.

—Esta misma tarde, a las seis.

—Así será. Que nadie diga que en esta casa se ponen trabas a la labor policial.

—Muchas gracias, señor, eso era lo que queríamos oír; y ahora, si nos disculpan, tenemos cosas que hacer. Tiren esas cenizas cuando se apague el fuego. Señoras...

Los dos policías salieron de la casa cariacontecidos. No hablaron durante el camino. Parecía que se enfrentaban a alguien o a algo de índole superior. Don Alfredo consideró que, aunque no lo hubiera querido reconocer, su compañero había quedado impresionado vivamente con aquel episodio. ¿Cómo había ido a parar aquel libro maldito a la biblioteca de los Aranda? Prefirió no hacer comentario alguno.

Apenas llegaron a Sol, Víctor se dirigió al despacho y estuvo casi una hora inspeccionando el cajón de su mesa en que había guardado el ejemplar de *La Divina Comedia*. Aplicó unos extraños polvos, observó con la lupa y al cabo dijo con evidente desesperación:

—Nada, ni una huella. O ha sido un ente espiritual o alguien lo bastante listo como para usar guantes. ¿Qué crees tú, Alfredo?

—Creo, mi querido amigo, que empiezo a considerar de otra manera los chismes y cuentos de viejas. No te diré más.

—Eso nunca, mi admirado Blázquez.

—¿Estás seguro de que el libro era el mismo?

—Sin duda, pero ya he tendido un anzuelo al quemar el libro con tanta pompa y espectáculo.

—¿Cómo?

—Ya lo verás, Alfredo, ya lo verás. Si esta treta mía no sale bien, me temo que los de la casa habrán de llamar un cura para que limpie aquella horrible morada. Y ahora, si me disculpas, he de ver al detenido, don Fernando Hernández.

A pesar de que era casi la hora de comer, el joven detective bajó a los calabozos para hablar con el desesperado enamorado de doña Aurora. Antes de entrar en la celda se topó con don Braulio, el médico, quien, tras saludar a Víctor, le dijo:

—Ya he atendido a su hombre. Le he puesto un fuerte vendaje en el torso, porque tiene dos costillas fisuradas, le he suturado el labio inferior y le he vendado dos dedos que tiene rotos. Le han dado de lo lindo, ¿con quién se ha metido ese joven?

—Me temo que con quien no debía. Muchas gracias, doctor.

El detective entró en la celda y cerró la puerta tras él. Allí le esperaba el detenido.

—Bueno, bueno... ¿Ha comido usted algo?

El otro negó con la cabeza. El policía volvió a salir y ordenó que le trajeran un tazón de café con leche. Esperó a que el prisionero bebiera algo, lo que éste hacía con dificultad debido al labio roto y a las contusiones de su rostro y barbilla. Después de que el músico sorbiera el café con ansia, Víctor comenzó diciendo:

—Bueno, don Fernando, ¿se encuentra mejor?

—Gracias, don...

—Don Víctor Ros Menéndez, subinspector de policía. ¿Por qué hizo usted una locura como esa?

—Gracias, don Víctor; no es usted como sus compañeros.

—Ya, ya. Conteste a la pregunta si es tan amable.

—Estaba furioso. Don Augusto es el único culpable de la situación de Aurora.

—¿Del ataque a su marido?

—No, no. Me refiero a su infelicidad.

—Por cierto, ahora que lo menciona, es sólo un pequeño detalle, pero ¿cómo sabe usted lo del ataque? Nada de ello ha trascendido a la opinión pública.

—Ah, ya sé por dónde va usted —dijo el joven músico—. Sí, seguro que don Augusto y su familia pretenderán que yo cargue con la responsabilidad de lo que hizo la pobre Aurora. Ya me lo imagino: «El músico rumiando rencor por su situación indujo a la pobre chica a...».

—Conteste, por favor. Insisto.

—No vea usted fantasmas donde no los hay. Me lo contó su doncella. Nos pasábamos notas a través de ella.

—Parece razonable. ¿Esperaba algo así de Aurora?

—No, nunca.

—Intentó suicidarse.

—Eso fue diferente.

—¿Es Aurora una joven nerviosa, digamos que con propensión a la histeria? —preguntó Víctor tras una pausa.

—¡Qué va! Es una mujer templada. Sabe lo que quiere. No parece una aristócrata.

—Como su hermana, Clara.

—Exacto. Parece mentira que dos jóvenes tan sencillas hayan sido educadas en esa casa pomposa y falsa.

—Sí, no le falta razón —asintió Víctor—. Por cierto, ¿vio usted a Aurora en las últimas fechas?

—Sí, dos veces, la última, el día del ataque.

—¡Cómo! ¿La vio usted?

—Sí, dio una excusa en su casa. Salió con su doncella para «hacer unas compras» y la chica nos dejó a solas en un café.

—¿De qué hablaron?

—De nosotros. Se sentía desgraciada. Lloraba sin cesar.

—¿La vio usted excitada en exceso?

—No; excitada, no. Triste por su... nuestro destino.

—¿Como para cometer una locura?

—No, no, en absoluto. Aurora no es capaz de algo así.

—Pues lo hizo. ¿Qué cree que la pudo empujar a hacer algo como eso?

—No lo sé. Repito que ella sería incapaz de hacer daño a nadie.

—¿Pudo ser inducida por alguien?

—No, no. Es incapaz.

—¿Le habló en los últimos tiempos de alguien que usted considere sospechoso?

—No. Que yo sepa, no.

—¿Sabe si habló con alguien, además de usted, aquella tarde, antes de volver a casa?

—No, con nadie. Bueno, antes de verme a mí, sí. Había ido a su vidente.

—¿Su vidente? —dijo Víctor alzando las cejas. Aquello le interesaba.

—Sí, un papanatas de esos que echan las cartas. Iba a menudo desde hacía un año. Le obsesionaba saber si podríamos casarnos y vivir felices.

—¿Podía ejercer ese vidente una gran influencia en Aurora?

Fernando rió.

—No, hombre, no. Eso es imposible; simplemente, le echaba las cartas. Tampoco ella le daba mucha importancia.

—¿La notó usted rara? Al hablar, al expresarse...

—No, totalmente normal.

—¿No hablaba como si hubiera ingerido alguna droga o algo similar?

—No, no, seguro que no.

—Ya. —Víctor hizo una pausa para liar un cigarrillo. Mientras sus ágiles dedos daban forma al pequeño cilindro blanco, dijo—: ¿Y qué piensa usted hacer?

—Si me dejan, salir de aquí.

—No creo que haya cargos de gravedad. Total, tirar un poco de pintura no es un delito de importancia. Saldrá, buen hombre, saldrá, pero no haga más tonterías, por amor de Dios.

—Me gustaría verla, pero me es imposible.

—Ni yo he podido hacerlo.

—Creo que está mal: fiebre cerebral.

—Sí, eso me han dicho. Pero no me trago que tres mujeres se hayan vuelto locas de esa manera en cincuenta años. Creo que aquí hay gato encerrado y pienso atrapar al culpable.

—Hágalo, don Víctor, hágalo. ¡Y devuélvame a Aurora!

—Lo intentaré, no le quepa duda. Todo depende de hasta dónde haya llegado el criminal que la indujo a actuar así. Me temo que le hicieron ingerir alguna droga. No sé si los efectos serán permanentes.

—¿Cree que podrá solucionar el caso?

—He empeñado mi palabra en ello. Y mucho más —añadió pensando en Clara—. Ahora debo irme. No se meta en más líos, por favor.

—Descuide.

—Mejor así —concluyó Víctor saliendo de aquella mugrienta celda.

CAPÍTULO 14

Después de su entrevista con don Fernando, el músico enamorado, Víctor acudió a la pensión de doña Patro donde comió con fruición un gazpacho y unos filetes que la mujer había preparado con mimo para sus huéspedes. Durmió una breve siesta y a eso de las cinco y cuarto salió hacia la calle San Nicolás dando un paseo. El verano estaba resultando tórrido, por lo que el joven policía buscó las callejuelas más angostas y sombreadas en el trayecto a la casa maldita. Aquel caso comenzaba a preocuparle, pues aunque se tenía por hombre racional, los últimos acontecimientos le habían causado una extraña sensación, algo que provocaba que las dudas comenzaran a asaltar a su hasta ahora lúcida mente. ¿Cómo podía aquel maldito libro haber vuelto a su destino? ¿Habría —como él pensaba— una mano humana tras todos aquellos acontecimientos? Pero, de ser así, ¿cómo podía nadie inducir a tres damas a cometer el mismo crimen una y otra vez? ¿Y a lo largo de cincuenta años? ¿Qué papel desempeñaba el misterioso libro? ¿Estaría maldito aquel volumen? Una cosa era segura: lo iba a averiguar. Al haber quemado el libro había lanzado un órdago que podía resultar definitivo: si el libro no volvía a aparecer podría afirmar que aquello no era en absoluto un negocio del otro mundo; y en caso de que volviera a su lugar en la biblioteca, el joven había ideado la manera de saber si aquel era un trabajo de manos humanas o supraterrenales.

Llegó a casa de los Aranda deseoso de entrevistarse con don Donato. Tras saludar a Nuria —que, como siempre, le abrió la puerta solícita– se dio de bruces con Clara, que al parecer lo esperaba.

—Buenas tardes, Clara —saludó muy atento a la vez que entregaba el bastón y el sombrero a la criada.

—Viene usted a ver a Donato, ¿verdad?

—En efecto.

—Es un buen hombre. Creo que todo esto le ha superado.

—Me temo que esto nos está superando a más de uno.

—Pues a usted se le ve desenvolverse bien.

—Hago lo que puedo. ¿Y sus padres?

—Ahora vendrán. Han ido a merendar con unos amigos. Si me sigue, lo acompañaré a la habitación donde se recupera Donato.

Los dos jóvenes subieron lentamente la escalera.

—¿Y su compañero? —preguntó ella buscando un tema de conversación.

—No ha podido venir. El cumpleaños de una nieta es una causa de fuerza mayor.

Al oírle, Clara sonrió como dándole la razón. Llegados al primer piso, giraron a la izquierda. Alcanzaron una puerta al final del largo pasillo. Ella llamó y se escuchó una voz grave que decía: «adelante».

—¿Puedo entrar con usted?

—¿Como espía al servicio de sus padres?

Ella volvió a sonreír.

—No. Me preocupa mi hermana. También Donato. Y el pobre Fernando. Además, me gusta verle trabajar, ver cómo juega con los demás para llevarlos a donde usted quiere.

Él sintió que se azoraba. La joven lo advirtió y le miró divertida.

—Bueno, Clara, me temo que después de tanta lisonja no me queda más remedio que dejarla pasar conmigo, sea o no una espía. Pero eso de que yo juego con la gente no es del todo cierto. —Una nueva sonrisa iluminó el corazón del policía—. Bien, vamos —añadió.

176

El joven se hizo a un lado para dejar paso franco a su amada. Enseguida vio al convaleciente don Donato, incorporado en el lecho gracias a una montaña de almohadas. Parecía estar leyendo la prensa en el momento de la llegada del detective. Era Aranda un joven bien parecido, llevaba un costoso batín de seda roja sobre el pijama y tenía un rostro despejado y resuelto, lo que, junto con sus ojos plenos de determinación, daba a su dueño el aspecto de un hombre decidido y ambicioso. Era de cabello moreno, tez oscura y barbilla poderosa, marcada, de hombre acostumbrado a ganar.

—Don Víctor —comenzó muy serio—, perdone que no le haya recibido antes, pero...

—No se excuse, no se excuse. Lo importante es que se ponga bien.

—Estoy en ello —contestó con un halo de tristeza en la mirada.

El detective y Clara tomaron asiento en dos sillas junto al lecho del doliente. Donato Aranda llevaba un brazo en cabestrillo, pero por lo demás tenía buen aspecto. Era un joven de fuerte complexión.

—¿Leyendo la prensa?

—Compruebo el valor de mis acciones. Me ayuda a distraerme.

—¿Y cómo se da la cosa? —inquirió Víctor para ir ganándose la confianza del testigo.

—Bien, como casi siempre. Los Fondos Públicos cerraron bien ayer, los Pequeños a 12,35 y los Bonos del tesoro a 60,70. Me ha ido peor con las sociedades; Agosto 2000 cerró ayer al 0,003.

—Como si me hablara usted en chino —reconoció Víctor, lo cual arrancó una carcajada en la joven y en Aranda.

—No es tan difícil como parece. El secreto es invertir un poco en todos los valores. Así nunca se pierde.

—Sí, pero para ello hará falta mucho dinero, ¿no?

—Ahí no le falta razón, don Víctor.

Clara contemplaba al policía admirada. Se había metido al testigo en el bolsillo en un santiamén charlando con él sobre asuntos que le eran familiares a su interlocutor.

—¿Cómo se encuentra? —preguntó el sabueso.

—Bien; el médico dice que las heridas, aun siendo graves, no son mortales, ni mucho menos, así que aquí me tiene, deseando levantarme.

Víctor sacó su bloc de notas y dijo:

—Me alegra que sea usted un hombre activo, decidido. ¿Ha visto ya a su esposa?

El otro bajó la mirada y contestó:

—No, me temo que no.

—¿Cómo está usted? De ánimo, quiero decir.

—Hombre, pues la verdad, no todos los días intentan matarlo a uno, y menos su propia esposa.

Víctor miró a Clara preocupado, pero el joven continuó:

—No se preocupe, don Víctor, Clara es de absoluta confianza. Sólo quiere el bien de su hermana y el mío propio. Ella me ha contado todo lo que yo no sabía.

—¿Lo del profesor de piano de Aurora?

—Sí; de haberlo sabido no me habría casado con ella. Mire usted, yo me casé enamorado de veras. Desde el primer día en que la vi no pensé en otra cosa que en hacerla mi esposa, pero su corazón era ya de otro hombre. Supongo que don Augusto me lo ocultó con la idea de que no se estropeara el casamiento, pero yo creo que debería haberlo sabido antes. Estaba en mi derecho.

—Sin duda debieron decírselo. Aunque usted notaría que Aurora...

—Sí, yo noté que ella no me quería, pero pensé que podría ganarme su amor siendo ejemplar como esposo, padre y amante. Fui tan tonto que creí que con el tiempo me amaría. Me he desvivido por ella, la he cuidado, intentaba hacerla reír, la llevaba al teatro, le compraba lo que deseaba, intenté que esta casa fuera de su agrado, pero...

—No hubo manera.

—No, no la hubo. Ahora lo he comprendido todo, gracias aquí, a mi cuñada Clara, que me lo ha contado con pelos y señales. Incluso lo de ayer, lo de la sangre.

—Era pintura, ¿sabe?

—Bueno, sí.

—¿Notó usted algo raro en el comportamiento de Aurora?

—La verdad es que apenas llevábamos viviendo juntos unos días, partíamos en breve a París, así que no sé decirle.

—¿Salidas y entradas a horas intempestivas?

—No.

—¿Visitas extrañas?

—No, tampoco.

—¿La notó usted especialmente rara el día de la agresión?

—No, en absoluto. Fue a comprar por ahí y a que le echaran las cartas.

—¿Quién le echaba las cartas?

—No lo sé.

Clara interrumpió:

—Renato Minardi, «Psíquicus»; tiene la consulta en la Cava Baja.

—¿Tenía mucha influencia ese hombre sobre ella?

Los dos negaron con la cabeza.

—No se lo tomaba demasiado en serio —comentó Clara.

—¿Saben quién le recomendó a ese adivino?

—Su doncella, creo, o quizá Gregorio, no lo tengo muy claro —contestó la joven.

Víctor tomó nota. Desde aquel amplio dormitorio se veía la parte trasera de la casa, donde el descuidado jardín crecía indómito, aunque no exento de cierta belleza natural.

—Dígame, don Donato...

—¿Sí?

—De la noche de la agresión, ¿qué recuerda?

—Lo cierto es que poca cosa.

—¿Durmió usted bien?

—Sí, creo que sí. De hecho, oí los pasos de Aurora, pero estaba tan dormido que no me podía despertar. Una sombra cruzó por delante de mí, ante la ventana. Abrí los ojos a tiempo de protegerme de la primera puñalada.

—¿Dijo algo ella durante la agresión?

—No, nada.

—¿Hubo algo en su comportamiento que le llamase la atención?

—No, sólo que parecía resuelta a cumplir con su objetivo: matarme. Lo intentó hasta el final, a pesar de que la sujetaban los criados, y cuando al fin se vio reducida, fue como si perdiera la cabeza.

—Interesante eso que dice, muy interesante —murmuró Víctor. Luego, tras una pausa, añadió—: ¿Por qué cree que lo hizo?

—No lo sé. Ella no me odiaba como para hacer algo así, eso sí lo sé. No creo que hubiera sido capaz de matarme en circunstancias normales. Era como si estuviera...

—¿Poseída?

—Sí, algo así.

—Ya. ¿Cree usted en la leyenda de esta casa?

—Mire, don Víctor, no sé qué pensar, pero convendrá conmigo en que ésta no ha resultado ser la casa de mis sueños; dormiré más tranquilo lejos de aquí.

—¡Cómo! ¿Se marcha usted?

—Pues sí. Pronto llegará mi madre desde Barcelona. En principio, mi idea es trasladarme a casa de una tía mía que vive junto a Recoletos. Cuando ya me encuentre en condiciones de viajar y el médico me dé permiso, volveré a casa, a Barcelona. Sí, sé lo que estará usted pensando, pero no podría vivir junto a una mujer que ha intentado matarme. Lo siento. No quisiera parecer un cobarde, soy hombre de acción, pero no pienso quedarme aquí.

—Lo entiendo —asintió Víctor.

Clara añadió:

—Donato va a solicitar la nulidad eclesiástica del matrimonio, porque apenas duró unos días, y además terminó mal.

—Y su padre, Clara, ¿qué ha dicho de eso? —preguntó el detective.

—Me temo que no lo sabe aún —contestó el marido agredido—. Pero me da igual lo que opine, mi familia está informada y me apoya totalmente.

—Ya, claro. Me hago cargo. Ha sido usted muy amable al atenderme en condiciones como éstas. Se lo agradezco. Póngase bien, amigo, póngase bien.

Clara y Víctor salieron del cuarto y se dirigieron hacia las horribles y oscuras escaleras que llevaban a la planta baja.

—Es una pena —dijo el detective.

—Sí, ¿verdad?

—Sí, aunque se hace el fuerte, y lo es, está destrozado por dentro. Se le nota que todo esto le ha afectado emocionalmente. ¿Se ha fijado en un pequeño tic que tiene en el ojo derecho? Está hundido.

—No se le escapa una.

—Es mi trabajo, Clara, y es una lástima, sí. Su hermana y don Fernando no pueden estar juntos, y don Donato no puede hacer feliz a Aurora aunque quisiera. Las cosas deberían ser más sencillas. Si dos personas se quieren deberían tener derecho a estar juntas, ¿no?

El policía había reflexionado en voz alta. Habían llegado al recibidor; se detuvieron y quedaron frente a frente, mirándose a los ojos como embelesados.

—Sí, tiene usted razón, pero ahora, si Donato pide la nulidad, Aurora quedará libre y podrá casarse con Fernando.

—¿Y su padre de usted la dejará hacer eso?

—Pues claro, nadie querrá casarse con una joven repudiada por intentar matar a su propio marido.

—Ya. Si se recupera, claro.

181

—Para eso confío en usted, Víctor.

Nuria, la criada, apareció en aquel momento e indicó al policía que don Augusto quería verle en la biblioteca. Víctor lamentó despedirse de su amada, que cada vez lo miraba con mejores ojos. ¿Acabaría su historia como la de Aurora y Fernando? Eso en el mejor de los casos, por cuanto lo más probable era que la joven no sintiera nada por él y lo tratase con tanta amabilidad porque él suponía su última oportunidad de recuperar a su hermana.

Decidió no pensar en ello.

CAPÍTULO 15

Víctor halló a don Augusto en la biblioteca, donde lo aguardaba. Tenía cara de pocos amigos y contemplaba pensativo desde la ventana el exuberante e indómito jardín.

—¡Hombre, nuestro joven policía! —dijo a modo de saludo, indicándole con la mano que tomara asiento; y, tras hacerlo, él hizo otro tanto y añadió—: ¿Desea usted algo: un café, un habano?

Era evidente que quería parecer amable, agradar al policía.

—No, gracias.

—Quería hablar con usted a solas.

—Aquí me tiene, a su entera disposición.

—Verá. Me consta que es usted un joven brillante y capacitado y no cabe la menor duda de que está llevando con tino este caso que, la verdad, está resultando un auténtico calvario familiar.

—Favor que usted me hace.

—Esta mañana se ha comportado de manera resuelta al quemar ese libro que espero no vuelva a aparecer —añadió el padre de Clara jugueteando con un abrecartas de plata.

—Tampoco me sorprendería demasiado que apareciese otra vez —repuso el joven detective.

—Bien, ya ha hablado usted con mi yerno, el joven Aranda.

—Sí, hace un momento.

—¿Y qué impresión ha sacado de su conversación?

—Su yerno me parece un joven cabal al que el destino ha jugado una muy mala pasada.

—Ya, ya, me consta que es un hombre templado para su edad —concedió el aristócrata—, pero, ¿sabe?, los últimos acontecimientos acaecidos con ese loco, el profesor de piano de Aurora...

—No es necesario que disimule, don Augusto, conozco la historia.

El aristócrata miró contrariado al policía y, tras una larguísima pausa, agregó:

—Bueno, quizá sea mejor así, hablemos sin tapujos.

—Sí, la verdad es que lo preferiría. De una vez.

—Perdone, pero no acabo de entender lo que insinúa.

—Usted declaró que esta casa había sido adquirida con desconocimiento de la leyenda que pesaba sobre ella. Me consta que no fue exactamente así.

Don Augusto dejó el abrecartas sobre la mesa y comenzó a jugar con su inmenso bigote, acariciándolo con los dedos índice y pulgar de su diestra. Dio una calada a su cigarro puro y, tras lanzar un suspiro de desaliento, comenzó a decir:

—Está bien. Mire, joven, soy un hombre desesperado. Se lo diré con franqueza, le he mandado llamar porque necesito saber cuáles son las intenciones futuras de mi yerno. Mi hija Clara no suelta prenda. Es su manera de hacerme pagar lo de su hermana.

—¿Lo de su hermana? —preguntó Víctor.

Don Augusto emitió una especie de sollozo. Daba una imagen patética a pesar de su gallardo porte. Sí, estaba desesperado. Su mundo se hundía y era obvio que perdía el control de la situación por momentos.

—Sí, yo soy el único culpable de todo lo que le ha ocurrido a mi hija Aurora. Era una niña maravillosa, guapa, cariñosa, tocaba el piano como los ángeles. Era la alegría de la casa, mi ojito derecho, y ahora, mírela, parece un ser inanimado, dominada y consumida por esa maldita fiebre cerebral. ¡Y todo por mi culpa!

Víctor miró fijamente a su anfitrión. Parecía realmente afectado, así que lo dejó continuar:

184

—No me juzgue con dureza, don Víctor, no resulta fácil ser el patriarca de una familia como la mía. El mundo está cambiando a pasos agigantados, las cosas no son como eran antes. Llegan a Madrid nuevos ricos, burgueses, industriales, gentes de dinero, ¡de mucho dinero! Viven a todo tren, dan las fiestas más espectaculares, lucen las mejores galas, en fin, una locura. Si uno pretende que su familia tenga un futuro, casar bien a las hijas y seguir disfrutando de cierta influencia, debe mantener un ritmo de gastos altísimo. Ya sabe, criados, caballerizas, vestidos, recepciones..., y nuestras tierras no dan para tanto. Seré sincero: me he visto obligado a vender las propiedades de mi esposa y las mías propias. Un par de fiascos en la bolsa terminaron por empeorar la situación, y digamos que me vi algo apurado.

—Entiendo.

—Supongo que todo lo que se diga aquí, queda entre nosotros.

—Señor, forma parte de mi trabajo no desvelar los entresijos de una investigación a terceras personas.

—Sí, ya, disculpe. Tenía que asegurarme. Bueno, pues el caso es que cuando Aranda se interesó por mi hija Aurora, comprendí que aquel matrimonio era la solución a nuestros problemas económicos; de hecho, el padre del chico me lo planteó como un negocio con toda su crudeza: el hijo se había encaprichado de Aurora y el Rey del Lino ansiaba un título nobiliario para su familia. Mi hija heredaría el marquesado de Teresillas y el padre de don Donato puso sobre la mesa una gran cantidad de dinero por conseguirlo, así que...

—Todos contentos.

—Exacto.

—Excepto Aurora.

—Ahí estuvo mi error. No supe ver a tiempo que ese profesor de piano, ese don nadie, había encandilado de aquella manera a mi Aurora. Sí advertí en ella un vivo interés en seguir sus lecciones, pero lo atribuí a que había elegido un buen profesor para mi hija. ¡Qué equivocado estaba! Por supuesto, oculté a los Aranda lo del músico, y nada supieron del intento de suicidio de Aurora. Eso hubiera dado al traste con el casamiento.

—¿Y esta casa?

—Bien, ése fue otro monumental error que cometí. Se lo explicaré tal como ocurrió. Aranda intuyó que Aurora no estaba por la labor, así que comenzó a dudar. Yo vi claro que había que dar un empujoncito para que padre e hijo se decidieran; ¿y qué mejor manera de animarlos que regalando una mansión a los recién casados como dote de la novia? Visité al corredor de fincas y comprobé que esta casa era una ganga. En realidad, la única que podía comprar en mi situación.

—Y decidió adquirirla a pesar de la leyenda.

—Así fue. En fin, lo demás ya lo sabe.

—¿Y ahora?

—Pues fíjese usted: estamos al borde de la debacle. Mi hija, loca, ida, perdida para siempre por mi mezquindad, y, por otra parte, el posible escándalo, los detalles del caso en la prensa. Esto se sabrá tarde o temprano. Eso por no hablar del desastre económico, la ruina. Me temo que Aranda no querrá saber nada de Aurora. ¡Si ha intentado matarlo! No quiero ni pensar en la posibilidad de que decidan solicitar la nulidad eclesiástica del vínculo y que reclamen el dinero que me entregaron por el marquesado. ¡Qué desastre! ¿Sabe usted qué hará don Donato? ¿Se lo ha dicho?

Víctor sintió pena por aquel ser miserable y mezquino que parecía más preocupado por la situación económica de su familia que por el bienestar de su hija, que yacía víctima de la fiebre cerebral. Pensó que pertenecía a una clase social, la nobleza, que se moría con el siglo precisamente por sus ansias de aparentar, de fingir grandeza aun a costa de la propia supervivencia.

—Mire, don Augusto —dijo muy serio—, es evidente que no puedo revelarle nada sobre lo que me ha dicho don

Donato, como no puedo ni debo contar a nadie lo que usted me ha confiado entre estas cuatro paredes. Secreto profesional.

El otro lo miró con cara de circunstancias.

—Lo comprendo, joven, lo comprendo. Me veo en esta situación por mis propios errores, por mi ambición. Me hubiera ayudado saber qué va a hacer don Donato. Espero que algún día el cielo me perdone y que mi Aurora no tenga que pagar por mi mezquindad. Sólo quise salvar a mi familia de la vergüenza de la ruina.

—A veces no acierta uno con las decisiones que toma.

—En efecto, ni se me pasó por la imaginación que Aurora fuera a actuar así contra su marido, no debí obligarla a casarse contra su voluntad, aunque, ¿sabe?, creo que esta casa tétrica y maligna influyó en ella de alguna manera.

—¿Cree usted en la leyenda?

—Quizá debí creer en ella en su momento. Si lo hubiera hecho y no hubiera comprado esta mansión, todo esto no habría sucedido.

—O quizá sí —dijo el subinspector al tiempo que se incorporaba—. Y ahora, si me disculpa, tengo que ir a visitar a un amigo. Continuaré investigando y aclararé este embrollo, no tema por el buen nombre de su familia.

—Vaya, joven, vaya.

Don Augusto volvió a mirar por la ventana y a perderse de nuevo en lo más profundo de su remordimiento.

Víctor salió de aquella siniestra mansión y tomó un coche de alquiler en la calle Mayor para dirigirse a casa de don Alberto Aldanza. Le abrió la puerta el criado de color del conde del Rázes, que lo condujo de inmediato al taller de su señor. Don Alberto pidió de nuevo disculpas al joven por la ausencia de su ama de llaves, circunstancia que a Víctor le daba absolutamente igual. A veces no terminaba de entender a aquellos nobles, ¿qué más le daba al subinspector Ros ser atendido a su llegada por un criado negro que por el ama de llaves de la casa? Enseguida comenzaron a trabajar. Don Alberto estaba instruyendo al joven en el uso de una innovadora técnica para analizar y comparar fibras y pelos: la microscopía. Víctor se inició en el uso de un revolucionario y moderno aparato que el conde llamaba microscopio y que resultaba ser una especie de catalejo lleno de lentes que permitía la visión de objetos de tamaño tan minúsculo que escapaban al poder de resolución del ojo humano. Don Alberto le enseñó a distinguir aspectos morfológicos de diferentes tipos de cabellos y pelos que permitían al observador hábil identificar al autor de una fechoría sólo porque hubiera quedado alguno de ellos en el lugar del crimen. Aprendió también a distinguir los pelos humanos de los pertenecientes a los animales más comunes, así como a identificar algunas peculiaridades típicas de distintas razas de la especie humana, e incluso otras características como sexo, edad y estado físico. Se adiestró asimismo en detectar los síntomas del envenenamiento analizando los cabellos de la víctima, técnica que permitía no sólo saber el tipo de veneno utilizado, sino también desde qué fecha se estaba suministrando. El joven policía se asombró ante la facilidad con que su mentor identificaba diferentes tipos de fibras e hilos pertenecientes ora a una alfombra, ora a una camisa, con lo que era posible determinar la presencia de alguien en el lugar del crimen sin la menor duda. En suma, trabajaron con entusiasmo y verdadera devoción, el uno disfrutando con su tarea de docente e instructor y el otro, maravillado ante el apasionante mundo de conocimientos y las certeras técnicas que su maestro le desvelaba. Hicieron una pausa alrededor de las dos de la madrugada y tomaron un refrigerio en el jardín, bajo un maravilloso cenador que don Alberto había mandado construir en madera del Canadá, tierra que conocía, al parecer, como la palma de su mano. Pronto salió a colación el tema de las prostitutas asesinadas. Víctor contó a su maestro y amigo todos los detalles de lo ocurrido con Cosme de Pelayo, y el conde del Rázes se mostró satisfecho por la línea de investigación que había emprendido su pupilo.

–Una muchacha decente, cualquiera lo diría. Ése es el cabo suelto, querido Víctor, no lo dejes escapar. El asesino cometió un error al matar a una chica que se sale del patrón que esperamos de él. Seguro que la conocía. Tira del hilo y lo cazarás; me temo que en fin de cuentas se tratará de un triste aficionadillo.

A Víctor le parecía algo extraño que su mentor se mostrara tan interesado en el caso de las prostitutas muertas y nada, en cambio, por el de la casa maldita de los Aranda. Para el joven detective éste sí que era un caso especial, ya fuera porque hubiese una aparente participación sobrenatural en los hechos, ya porque una mente privilegiada pudiera hacer creer a todo el mundo que aquello era cosa de brujas. Pero no. Don Alberto no manifestaba interés alguno en ello.

–Don Alberto... –empezó Víctor apurando un vaso de fresca limonada a la vez que su preceptor cargaba la pipa con tabaco de Sumatra.

–Dime, hijo, dime.

–Verá usted, ¿es que no le interesa el caso de los Aranda? Casi nunca me pregunta.

–En absoluto.

–Pero se trata de un caso complejo, fascinante.

–Bah, paparruchas de viejas.

–¡Cómo!

–Lo que oyes Víctor. Piensa. ¿Cuál es el delito de los delitos?

El joven dudó durante un instante antes de responder:

–¿El asesinato?

–Exacto. Y en el caso de las prostitutas nos las vemos con un auténtico asesino. Por lo último que me has contado –prosiguió con auténtico fastidio–, me temo que va a tratarse de un chapucero, pero cazar a un asesino, ¡ah, eso sí que es caza mayor! Lo demás, robos, violaciones, timos..., eso es de guardias urbanos.

—Pero no me negará que el asunto de los Aranda se las trae.

—Es el típico caso que llamaría la atención del gran público, eso sí, pero nunca de los más prestigiados especialistas. Paparruchas, ya te digo.

—Quizá sea así.

—Lo que ocurre es que tienes otros intereses más... digamos románticos en ese caso.

El joven rió divertido.

—No digo que no, don Alberto, no digo que no, pero aunque no le interese, dígame: ¿qué haría usted en mi lugar?

Con expresión de desagrado, el aristócrata dijo con aire resignado:

—A ver, cuéntame qué tienes.

El joven ofreció una breve relación de todo lo ocurrido en el caso que él consideraba de importancia. Pensó que impresionaría a don Alberto, pero éste parecía escuchar sin denotar excesivo interés por aquel embrollo. Cuando el joven concluyó, lo miró divertido y dijo:

—Debo reconocer que es un caso peculiar, sí. Pero es un asunto menor.

—¿Qué haría usted, don Alberto?

—Creo que vas por buen camino. Mira, Víctor, al principio se abrían dos amplias y certeras posibilidades: una, estamos ante una serie de fenómenos del más allá. Dos, hay una mano humana tras esta trama. Tú has elegido —como hombre racional— la segunda. Has hecho bien. Ahora vayamos al quid de la cuestión: ¿a quién beneficia lo ocurrido?

—Eso me pregunté yo desde el primer momento y que me aspen si sé a quién aprovecha esta maldita historia.

—Supongamos que la tal Aurora hubiera matado al marido; a partir de ahí, hagamos una lista de beneficiados.

—El músico.

—Bien. Otro.

—No sé.

—La hermana, Clara.

—¡Don Alberto!

—¡Calma, calma! Tú me dijiste que no es de esa clase de joven que se deja casar contra su voluntad.

—Eso me parece a mí, sí.

—Bien, pues si la hermana mata al marido, seguro que su padre no intentaría con ella un casamiento similar.

—¡Qué locura! —exclamó indignado el joven.

—Es pura conjetura, no te enfades; pero hay otro beneficiario. Supón, por un momento, que el asesinato se hubiera llevado a término con éxito. ¿Quién habría heredado a don Donato?

—Su esposa, antes de casarse había testado en su favor.

—*Voilá*. Ya tenemos sospechoso. De haber matado a su marido, a la joven le hubieran dado garrote, sin duda. ¿Y quién es el heredero de la joven?

—Don Augusto, su padre.

—Pues ahí tienes a tu hombre. Ése es el negocio redondo: saca una buena tajada por vender un título que luego recuperaría, junto con las posesiones de su yerno, cuando ajusticiaran a Aurora. Pero algo salió mal, claro.

Víctor se quedó estupefacto. ¿Sería todo cosa del mezquino don Augusto? No quiso ni pensar en esa posibilidad, pues temía por Clara. Estaba algo confuso.

—Vamos, hijo, déjate de esas historias y vamos al taller a lo nuestro —dijo su maestro sacándole de sus ensoñaciones.

Capítulo 16

Eran aproximadamente las once de la mañana siguiente cuando don Víctor recibió una inesperada nota de don Horacio Buendía en la que éste le instaba a que acudiera sin demora a su despacho. Allí, el joven subinspector se encontró con una sorpresa: don Cosme de Pelayo y una señora, que resulto ser doña Alejandra, su esposa, aguardaban sentados frente a la mesita de café en que el comisario Buendía recibía a sus más distinguidas visitas.

—Pase, pase, don Víctor —dijo don Horacio de muy buen humor.

A continuación el comisario aclaró que, tras hablar con el ministro, don Cosme y su esposa habían decidido colaborar, charlando de manera confidencial con el detective que llevaba el caso. La mujer parecía afectada, tenía los ojos rojos y el rostro pálido, y unas acentuadas ojeras delataban que no había dormido mucho.

El joven policía tomó asiento y sacó su bloc para tomar nota de aquella conversación.

—Nada de notas —exigió el gigantón don Cosme.

Víctor miró al comisario y éste ratificó:

—Haga lo que le dice, joven.

—Bien, hablemos entonces —repuso el detective—. Como ya le dijimos, don Cosme, tememos que los restos a que nos referíamos en nuestra conversación pertenecen a su hija María de los Ángeles. Necesitamos hablar con ustedes al respecto; cualquier detalle puede ser esencial para capturar al malnacido que mató a su hija. Sé que algunas de las preguntas que pueda hacerles sonarán mal a sus oídos, pero es imprescindible que sean sinceros. Si hacen lo que yo les diga, les doy mi palabra de capturar a ese bastardo para que ustedes y su hija descansen sabiendo que se hace justicia.

La señora miró al detective con expresión bondadosa y dijo:

—Pregunte lo que quiera, joven. Le ayudaremos en lo que podamos.

—Bien. Su hija tuvo un hijo, ¿no? —preguntó Víctor.

Los dos se miraron con temor. Ella hizo un gesto al marido y éste comenzó a hablar:

—Sí. Tuvo un hijo. Fue lejos de aquí, porque cuando descubrimos que estaba embarazada la enviamos a París, con mi cuñada. Tuvo una niña, que fue llevada por manos amigas a un convento.

—¿Y su hija, María de los Ángeles?

—La enviamos a un internado inglés. Cerca de York. Al año de aquello volvió a Madrid. Quisimos evitar el escándalo. Un año más tarde desapareció. No hemos tenido noticias hasta ahora. Yo pensaba que se había fugado de casa; desde que la enviamos al extranjero no había vuelto a ser la misma. Nunca nos lo perdonó.

—¿Con quién pensaban ustedes que se había fugado?

—Con ese rufián —masculló el padre entre dientes—. Él la llevó a la perdición.

—¿Quién?

—Gerardo de La Calle. Así se llama el hombre que arruinó la vida de mi hija y la nuestra propia. Un degenerado —espetó doña Alejandra muy indignada.

—Perdonen, pero su relato está resultando algo desordenado. Veamos: deduzco que ese tal Gerardo de La Calle es el hombre que dejó embarazada a María de los Ángeles.

—El mismo —asintió sulfurado don Cosme—. El muy canalla se aprovechó de que tenía entrada franca en mi casa y se fue haciendo poco a poco con el dominio de la voluntad de mi hija. Su padre, Bernabé, y yo éramos amigos y en otro tiempo fuimos socios. ¡Si hasta nos llamaba tíos! Ese desalmado no se conformó con deshonrar a mi única hija, sino que luego la dejó tirada como un trapo sucio. Ella sólo quería morir, y encima ¡preñada de un tipo de su calaña! Me consta que ha dado muchos, pero que muchos disgustos al pobre Bernabé, que nunca ha podido con él. Ha tenido siempre que ir arreglando con su dinero las fechorías que hacía el hijo. ¡Menudo crápula!

Víctor y don Horacio cruzaron una mirada de complicidad.

—¿Debo entender que ese tal Gerardo rompió relaciones con su hija al saber que esperaba un hijo suyo? —preguntó el detective.

—Así fue.

—Y entonces, cuando su hija desapareció, ¿por qué pensaban que podía haberse fugado con él?

El ofendido padre respondió:

—Porque después de que ella volvió del extranjero y una vez que habíamos evitado el escándalo, ese sinvergüenza apareció de nuevo en la vida de mi Mari Ángeles. Comenzó a vérsele merodeando por nuestra calle y no descansó hasta que volvió a conquistarla. No debió de costarle mucho trabajo, porque mi niña no lo había olvidado. El servicio nos alertó de lo que ocurría y tomamos medidas urgentemente. Ella, al principio, lo negó todo, pero luego se puso como una fiera diciendo que no volveríamos a separarla de «su Gerardo» ni a arrancarle de sus entrañas otro hijo del hombre al que quería. La pobre no recordaba —o no quería recordar— que ese bergante se había desentendido de ella y de su retoño. Discutimos y cruzamos palabras duras. Ella con nosotros y nosotros con ella. Hizo una maleta con algo de ropa y salió por la puerta. Hablé con mi amigo Bernabé. Incluso tuvimos una entrevista con ese degenerado, con Gerardo, pero al parecer mi hija no había aparecido por su casa. Pensamos que nuestra niña había decidido cambiar de aires y malvivir por esos mundos como una perdida, así que tratamos de enterrarla como si hubiera muerto.

—¿Y no volvieron a tener noticias de ella?

—Sólo sabemos que una de nuestras criadas la vio cerca de la calle Mayor en compañía de una anciana de aspecto aristocrático. Nada más.

Víctor miró a su superior y comentó:

—Tenemos que hablar con ese Gerardo; puede que sepa algo más de esta historia.

—No le quepa duda, don Víctor —dijo don Cosme levantándose junto con su esposa.

Antes de que los afligidos padres abandonaran el despacho de don Horacio, Víctor se dirigió a ellos y dijo:

—Quiero agradecerles sobremanera su testimonio. Don Cosme, el otro día..., quiero decir que... que comprendo su reacción. Tuve que presionarle un poco, y sepa que lo siento si le molesté, pero es mi trabajo.

El gigantón se giró antes de salir y mirando fijamente al policía repuso:

—No se preocupe, joven. Es usted bueno, muy bueno. Céntrese en cazar a ese hijo de puta, lo quiero ver en el garrote.

Víctor dedicó la tarde a revisar sus notas. Esperaba que algo ocurriera, por eso había quemado el libro. Necesitaba saber si aquel era un negocio extraterrenal o una estratagema urdida por alguien para conseguir sus inconfesables propósitos. Pensó en lo que don Alberto le había dicho: el máximo beneficiado de aquel crimen habría sido, sin duda, don Augusto. ¿Podría alguien ser tan mezquino como para utilizar a la propia hija en una trama como aquella? Si así era, lo sentía por Aurora y, sobre todo, por Clara. Menudo padre. Había visto de todo en este mundo pese a su juventud y es que la profesión de policía hacía que uno vislumbrara lo peor de la condición humana, y por eso se negaba a creer que aquel caso fuera cuestión de espíritus o santería; allí había algo más. Todo esto se decía Víctor con objeto de acallar las reticencias de una parte de su atribulada mente que, a pesar de su racionalidad, se empeñaba en sembrar sobre el caso una sensación de irrealidad, de fatalismo sobrenatural que hacía que el subinspector temiera enfrentarse a un enemigo de naturaleza no humana. ¿Existían las maldiciones?

Se fue al teatro Apolo, pues tenía una localidad para ver *El sí de las niñas*. Salió con el ánimo un tanto bajo por el argumento de la obra. Amores imposibles, casamientos a la fuerza... ¡Qué mundo! Ya en la pensión, pasó el resto de la velada leyendo a fin de descansar su pensamiento del asunto de los Aranda o de la investigación sobre el asesino de prostitutas. A pesar de que intentaba no pensar en ello, no pudo evitar recordar el testimonio de los De Pelayo. Tenía que hablar con el tal De La Calle, un mal elemento, sin duda. Algo tenía que aportar al caso.

Se durmió sentado en su sillón, con un ejemplar de *El Quijote* que le regalara don Armando y que de vez en cuando leía y releía con verdadera devoción. Se adormiló con un mal presentimiento y tuvo un sueño inquieto y desapacible, como el de quien intuye que algo malo va a ocurrir sin saber exactamente qué. A eso de las cuatro y media de la madrugada lo despertó su casera, doña Patro. Había llegado un aviso urgente para don Víctor Ros, y un coche enviado por don Horacio lo esperaba en la calle:

¡Aurora había vuelto a intentarlo!

El joven policía gritó al cochero que volara por las desiertas calles de Madrid, pero el trayecto hasta casa de los Aranda se le hizo eterno. Cuando llegó se encontró con que había luces en la casa y don Alfredo le esperaba en la puerta.

—Don Horacio está dentro —dijo su compañero por todo saludo—. La joven ha vuelto a intentar matar a su marido.

—¿Cómo?

—Sí, al parecer se levantó de la cama aprovechando que su doncella se había quedado dormida, bajó a la cocina, tomó un cuchillo y se dirigió a la habitación de don Donato. La criada despertó a tiempo y llamó a gritos a los demás. La joven no llegó a entrar en la habitación que ocupaba su marido. Don Donato está bien, al menos físicamente, porque dice que se va de aquí en cuanto amanezca.

—Y si la joven ha estado con fiebre cerebral todos estos días, ¿cómo pudo saber en qué dormitorio estaba el herido?

—Ni idea.

—Por lo menos, ahora nadie le echará la culpa al libro —dijo resuelto Víctor.

—Verás, en cuanto a eso...

—¡No! —gritó el joven policía.

Corrió al interior de la casa y se dirigió a la biblioteca. Cuando entró en el cuarto, miró hacia la fatídica estantería y comprobó que, en efecto, el libro había vuelto del más allá para cumplir su maléfica misión.

—Vaya, vaya... —murmuró con una sonrisa nerviosa.

—No nos hemos atrevido a tocarlo —explicó Gregorio, el mayordomo.

—¿Y los demás? —preguntó Víctor.

—Doña Ana y doña Clara están con el doctor y con don Horacio en la habitación de Aurora, ambas pasaban la noche en esta casa —dijo don Alfredo.

—¿Y don Augusto? —preguntó el subinspector.

—Mandamos aviso a su casa antes que a nadie, es raro que no haya llegado aún —contestó el mayordomo.

Víctor y don Alfredo se miraron.

—Bueno —dijo el más joven sacando su lupa—, veamos este libro.

Tras tomar el texto maldito, Víctor se acercó a una lámpara de gas que brillaba en el tétrico vestíbulo. Examinó el volumen con atención y al instante su rostro se iluminó con una amplia sonrisa de alivio.

—Buf —exclamó—, por un momento he temido que nos enfrentáramos a fuerzas sobrenaturales.

—¿Cómo? —se extrañó don Alfredo.

—Sí, querido amigo. Debo decirte que en este momento puedo concluir que nos enfrentamos a un caso que se sale de lo normal, extraordinario si se quiere, pero en modo alguno sobrenatural. Desecho sin ningún género de duda la hipótesis de la maldición, y les aseguro a todos que hacemos frente a rivales muy, pero que muy humanos.

—¿Rivales? —repitió el mayordomo.

—Sí, Gregorio, sí. Para este tinglado hacen falta al menos dos personas. Pero no hablemos de ello ahora y envíe otro aviso a don Augusto; díganle que se presente aquí cuanto antes o su tardanza resultará altamente sospechosa. Y ahora, Alfredo, subamos a ver a la agresora; no creo que nos nieguen la entrada en estos momentos.

El mayordomo salió al patio y los dos policías subieron las lúgubres escaleras jalonadas de horripilantes retratos de épocas pasadas que ponían los pelos de punta hasta al racional subinspector. Hallaron a Clara sollozando, sentada en un pequeño diván situado en el recibidor que daba acceso al dormitorio principal de la casa. Parecía afectadísima. Un agente uniformado hacía guardia junto a ella. La joven, al ver a Víctor, se abrazó a él gimoteando.

—Tranquila, tranquila. Todo ha pasado, Clara. No tema —dijo quedamente el detective, mientras la chica lloraba y lloraba—. Sé que es difícil en un momento como éste, Clara, pero confíe en mí. Estamos mucho más cerca de echar el guante a quienes están utilizando a su hermana como medio para sembrar el dolor en esta casa.

Alarmado por los sollozos acudió don Horacio, quien, tras pedir a doña Ana que se hiciera cargo de su hija, indicó a Víctor que entrara en el dormitorio de matrimonio. Allí era donde se había producido el primer ataque. Aquel era el cuarto donde don Diego Vicente Reinosa había sido asesinado por su propia mujer. Allí se había producido diez años antes otra tentativa de homicidio, y ahora, Aurora había vuelto a reproducir esos sucesos hasta por partida doble. Víctor sintió un escalofrío en la espalda.

La joven permanecía como ida en la cama, murmurando incoherencias. Junta a ella, un médico le tomaba el pulso y su doncella sollozaba inconsolable. Las idas y venidas de los criados eran constantes en aquellos confusos momentos. Ahora traían un poco de agua hervida, un poco después alguien pedía unos paños y más tarde, la señora ordenaba que trajeran agua de azahar. Los murmullos y la tensión eran generales, aumentando aún más el nerviosismo y la sensación de desconcierto que reinaban en aquella maldita casa.

La chica estaba medio dormida, aunque, de pronto, como delirando, parecía despertar y observaba a los presentes con unos ojos enrojecidos y malignos que atemorizaban al más valiente. Parecía presa del odio. Luego deliraba unos segundos y volvía a dormirse. Víctor sintió que la pena le embargaba, una joven como aquella, hermosa y con toda la vida por delante, era presa de la demencia más absoluta.

—Mírela, don Víctor, es imposible sacar nada en claro de ella, se ha vuelto loca. Como la mujer del empresario santanderino hace diez años, doña Milagros. ¿Qué haremos ahora? —gimió don Horacio.

—Por lo pronto, hay que localizar a Fernando Hernández. Debemos comprobar si tiene coartada.

Mientras lo decía, el subinspector Ros contemplaba con atención el inmenso dosel que caía sobre aquella amplia cama. Luego, el joven policía paseó por la habitación echando un vistazo aquí y allá y golpeó en varias ocasiones la pared, para sorpresa de los presentes. Por unos instantes inspeccionó la mesita en la que Aurora dejara el ejemplar de *La Divina Comedia* antes de atentar contra su marido por primera vez. Luego se acercó a la joven enferma, la miró por unos segundos y se limitó a comentar:

—Tiene las pupilas muy dilatadas.

En ese momento entró el mayordomo. Hizo un aparte con don Horacio, don Víctor y don Alfredo y dijo entre susurros:

—El cochero acaba de llegar.

—¿Qué cochero? —preguntó don Horacio.

—El de la casa, lo envié a avisar a don Augusto —contestó Gregorio.

—¿Y?

—Me temo que el señor se ha pegado un tiro en la sien durante el trayecto —contestó el mayordomo en voz baja—. Está abajo, en el coche. El cochero no sabía qué hacer, escuchó el disparo poco antes de llegar.

Los tres policías se miraron. Aquello se les iba de las manos. No contaban con semejante sorpresa.

—Es fundamental que las damas no sepan nada ahora. No es el momento. Bajemos con disimulo al coche a ver si podemos hacer algo —ordenó don Horacio.

Gregorio ladeó la cabeza como diciendo que no había nada que hacer. Don Horacio farfulló una excusa a doña Ana que entraba en el cuarto en ese momento y los tres policías bajaron al patio. Era una noche aciaga para aquella desventurada familia. Junto al coche de caballos hallaron a los criados, muy alterados con aquella desgraciada concatenación de desdichados sucesos. Don Horacio puso algo de orden, mientras Víctor y don Alfredo se asomaban al interior del coche. Echado hacia un lado, como si durmiera, descansaba para siempre el atormentado don Augusto. Tenía la boca abierta y la lengua fuera, ladeada. Un tremendo boquete en el hueso temporal izquierdo demostraba que por allí había salido la fatídica bala; el interior del vehículo estaba sembrado de fragmentos de cráneo, sangre y sesos.

—Es un espectáculo desagradable —resumió Víctor muy serio.

—Sí, uno no se acostumbra nunca —asintió su veterano compañero.

Dispusieron que el cochero encerrara el coche en las caballerizas para que las damas no lo vieran y mandaron avisar al juez. Gregorio informó que doña Ana Escurza tenía un primo en la capital con quien tenía bastante confianza, así que decidieron que se le informase con objeto de que pudiera darle la fatídica noticia del fallecimiento de don Augusto.

A continuación, los tres policías se reunieron en la biblioteca con objeto de afrontar con garantías aquella crisis que, de no ser bien encarada, podía provocar más víctimas en aquella familia. Al poco llegó muy alterado el primo de doña Ana, de nombre Eusebio, un ex militar alto y delgado que, al parecer, disfrutaba de buenas rentas. Tras explicarle lo sucedido, Víctor indicó que era preciso sacar cuanto antes a Aurora de aquella maldita casa, por lo que resolvieron que la joven fuese trasladada a una villa de recreo que don Eusebio poseía en Palencia, en el campo, lejos del ajetreo de Madrid y, sobre todo, de miradas y oídos indiscretos.

Después de tomar tan comprometida decisión, don Horacio y don Eusebio se reunieron con doña Ana y con Clara para explicarles lo sucedido. Víctor dio gracias al cielo por no tener que presenciar la dolorosa escena, pues el comisario les había enviado a tomar declaración a don Donato. Justo cuando entraban en el dormitorio del marido agredido oyeron los gritos de doña Ana. Le habían dado la fatídica noticia. Sintió que se le hacía un nudo en el estómago y maldijo a los desalmados que habían llevado la desgracia a aquella casa.

Don Donato estaba sentado en un amplio butacón, junto a la ventana. Miraba al exterior de la mansión; las primeras luces del alba asomaban tímidamente entre la abundante hojarasca de una inmensa acacia que crecía salvaje en aquel asilvestrado jardín. Los pájaros comenzaban a cantar como suele ocurrir en verano, al despuntar el día. El joven llevaba el brazo en cabestrillo y vestía ropa de viaje. Giró la cabeza al oír entrar a los dos policías y les indicó con el gesto que se sentaran al borde de la cama.

—¿Qué ha sido ese grito? —preguntó Aranda.

—Su suegro se ha suicidado —dijo Víctor tomando asiento en el lecho del doliente marido. El joven hizo un gesto de desesperación y se pasó la mano por la cabeza.

—¡Dios Santo! Ya nada me sorprende en esta horrenda casa. ¿Creen que tenía algo que ver con todo esto?

—Quizá —murmuró Víctor—. Lo seguro es que era un hombre atormentado.

—¿Se va usted? —preguntó don Alfredo.

—Sí. Mi médico me desaconseja el viaje, pero no pienso quedarme aquí ni una sola noche más. Esta casa está maldita, y no voy a esperar a que me maten para demostrarlo.

—¿A dónde piensa ir, si puede saberse? —interrogó el inspector Blázquez.

—A una finca que tienen mis padres en Ciudad Real. Mi madre me espera allí. —El joven hizo una pausa y añadió—: Me da igual que piensen que soy un cobarde. Aurora está loca, loca de remate. No se imaginan ustedes la mirada de odio que vi en sus ojos; y ese músico... No pienso volver a poner un pie en Madrid en mi vida. Lo juro.

Los dos policías se miraron.

—Supongo que no hay ningún problema para que se ausente de Madrid —aceptó Víctor—; es más, opino que estará usted mejor lejos de aquí. Sólo una cosa...

—¿Sí?

—Antes de partir, deje bien claras sus señas. Es probable que volvamos a necesitarle. Y ahora, si nos disculpa, tenemos trabajo.

—Una última cosa —añadió Donato Aranda.

—¿Sí? —contestó Víctor volviéndose desde el umbral de la puerta.

—Una criada, Nuria, me ha comentado que ese condenado libro ha vuelto.

—Pues le ha comentado bien —sentenció don Alfredo.

Dicho lo cual, los dos policías dejaron solo al desconcertado joven.

Era obvio que don Donato, que no era exactamente un cobarde, estaba harto de aquel asunto.

CAPÍTULO 17

Víctor no se movió de su despacho en los días siguientes a los sucesos acaecidos en casa de los Aranda. Sólo salió de allí para asistir, de lejos, al entierro de don Augusto. El joven policía intentó, semioculto por un árbol, observar hasta el más mínimo detalle de aquel sepelio, que más parecía un acontecimiento social que un verdadero funeral. Sintió no poder abrazar a la doliente Clara, que parecía alejada y distante, como si su espíritu se hallara en otro lugar. Su cara reflejaba el sufrimiento de su familia, de su madre, doña Ana, de ella misma. Era muy joven aún para verse sometida a pruebas tan extraordinarias. Primero el ataque de su querida hermana Aurora a su marido, luego el suicidio de su padre y probablemente una ruina económica que parecía inevitable.

Evidentemente, el suicidio de don Augusto Alvear se silenció desde las más altas esferas, y se hizo creer al vulgo que el aristócrata había muerto a consecuencia de un desgraciado accidente ocurrido cuando limpiaba un arma de caza. Don Donato había viajado a Ciudad Real y Aurora se hallaba ya bajo el cuidado de sus tías solteras en la finca que don Eusebio poseía en Palencia. En suma, todo se ocultó.

A pesar de ello, Víctor sabía que era imposible evitar que poco a poco los cotilleos de las comadres comenzaran a hacerse eco de aquellos desgraciados sucesos, por lo que se juró a sí mismo resolver el caso y salvar el buen nombre de la familia de su amada. Sabía que era ingenuo por su parte, pero en el fondo creía que si lograba solventar el caso podría conseguir a Clara. Se imaginaba a sí mismo recibiendo los parabienes y la bendición de doña Ana Escurza para casarse con su hija. Un sueño idiota de enamorado. Aunque él era un liberal, un hombre de ideas abiertas que no podía resignarse a la rigidez del sistema, las cosas podían cambiar y nada era inmutable. Tenía que luchar por conseguirla, aunque el ejemplo de Aurora y el músico, Fernando, no resultaba demasiado alentador.

Por otra parte, el suicidio de don Augusto había provocado que don Horacio e incluso el mismo don Alfredo llegaran a la conclusión de que el patriarca de los Alvear era el instigador de aquella extraña trama pues, al parecer, habría sido el máximo beneficiario del asesinato de su yerno. Muerto Aranda, la heredera sería Aurora, pero, incapacitada ésta por loca, el patrimonio del yerno hubiera ido a parar a don Augusto. Su aparatoso suicidio en la noche del segundo ataque era para los compañeros de Víctor prueba evidente de su culpabilidad; además, en el sumario constaba que el finado había mentido deliberadamente en sus declaraciones y que puso todas las trabas a su alcance para evitar que los investigadores pudieran entrevistarse con don Donato y con doña Aurora.

Don Fernando Hernández, el músico enamorado, tenía coartada para aquella funesta noche, pues había permanecido en su pensión como testificaban su casera y cuatro huéspedes más, así que don Horacio concluyó que el caso estaba cerrado.

Víctor, por su parte, creía que don Augusto se había suicidado de puro remordimiento ante la noticia del segundo ataque y al comprobar que la desgracia se cebaba en su hija por su culpa. Al joven subinspector le parecía evidente que el padre de su amada había adquirido aquella casa maldita con el objeto de acelerar el compromiso de su hija con don Donato, muy lejos de pensar que tuviera tanta influencia sobre Aurora como para conseguir que ésta tratara de matar a su marido. Aunque, por otra parte, habría sido fácil para él deslizar alguna droga en la bebida o la comida de la joven que alterara su comportamiento hasta el extremo de inducirla al asesinato. Todo eran dudas en aquella historia.

El subinspector Ros tenía claro que aquel caso no era cosa de brujas, ahora lo sabía con certeza, su órdago había dado resultado positivo; pero ¿quién era la mano negra que había utilizado así a doña Aurora? Una lucecita en su cerebro le hacía pensar que don Augusto, no.

Pasó varias noches en vela leyendo una y otra vez los versos malditos de Dante Alighieri. Aquellas estrofas no le decían nada, las leía y releía y no sacaba nada en claro. ¿Qué quería decir aquello? Hablaba de ladrones, sí. ¿Había querido decir algo con ello la mujer del Indiano, don Diego Vicente Reinosa? Pensó en aquella historia del misterioso holandés. Sabía la fecha aproximada de su aparición, porque según doña Remedios, la madre de Gregorio, todo había ocurrido antes de que la filipina matara al señor de la casa. ¿Habría quedado algo de eso en los archivos? Decidió buscar a fondo. Tenía que solucionar aquel caso y recuperar a Aurora para el mundo de los vivos. Había quedado muy impresionado al ver a la joven en el lamentable estado en que se encontraba. Parecía una posesa.

De repente recordó el caso del industrial santanderino que casi fue asesinado por su esposa diez años antes. El informe que había leído decía que la mujer fue internada en un sanatorio mental. ¿Estaría en el mismo estado que Aurora? Debía verla.

Aprovechaba los días para bucear en los archivos y ocuparse de otros casos menores. Por fortuna, la ciudadanía estaba en vilo a causa de otros crímenes como el de Zornoza, donde un corneta había asesinado a un compañero de tres heridas en pecho, cabeza y cuello, para luego arrojarlo al río con una enorme piedra atada a la cintura. Había tenido la desfachatez de denunciar su desaparición, aunque tras descubrirse el cadáver confesó. Se alegró porque sucesos así evitaban que la prensa sensacionalista se ocupase del misterio de la casa de los Aranda.

Por otra parte, las altísimas temperaturas estaban comenzando a alarmar al vulgo, pues la prensa informaba de que en algunas fuentes de Madrid el agua había alcanzado casi los sesenta grados centígrados, lo cual ocasionaba la proliferación de agentes patógenos. Se aconsejaba beber el agua lo más fría posible para evitar enfermedades gastrointestinales. Se hacía difícil vivir en Madrid cuando los veranos se presentaban tan calurosos como aquel.

Víctor intentaba distraer la mente, y así, acudía al burdel de Rosa, o a bailes, funciones teatrales por horas o conciertos al aire libre, a estos últimos en compañía de Alfredo y su esposa. Con ellos presenció un aceptable concierto de la Banda del 2.º Regimiento de Ingenieros y la Charanga del Batallón de Cazadores de Cantabria en la Plaza de Oriente que encandiló a los asistentes. Y en el Circo Price admiraron los ejercicios ecuestres y gimnásticos ejecutados por la curiosa familia Chiessi y la actuación del hombrebala, y concurrieron a diversos bailes de los más populares de Madrid. Los domingos por la mañana, aguardaba a que don Alfredo y señora salieran de misa en la iglesia de San Pascual, para ir luego a la «playa de Recoletos», unas sillas de alquiler donde la gente se sentaba a charlar hasta la hora de la comida.

Proliferaban asimismo las asociaciones donde se bailaba, aunque también se hacía en las casas, en las reuniones familiares y, por supuesto, en las verbenas. Víctor contemplaba absorto casi cada noche cómo don Alfredo y su esposa, Mariana, bailaban arrobados. Parecía como si acabaran de conocerse. Solían frecuentar La Elegante, en los jardines de la Alhambra, el Liceo Madrileño, en el jardín de Recoletos, o a La Maravillosa, en la calle del Río. Mariana parecía empeñada en presentarle a todas aquellas conocidas suyas que estaban en edad de merecer, en un descarado intento de que Víctor sentara la cabeza. Él se lo tomaba a broma. No era buen bailarín, aunque el baile era uno de los pocos alicientes de la juventud de la época y la manera más al uso de conocer jóvenes casaderas.

—Una buena mujer es lo que necesitas, hijo —decía la esposa de Blázquez—. Para que se te pasen todas esas tonterías y te vuelvas menos reservado.

—¿Reservado yo? —protestaba él sonriente.

—Desde luego —apoyaba don Alfredo—. Y estirado, que a veces parece que te has tragado un sable.

Víctor reía las ocurrencias de sus amigos. Bailaban polonesas, polcas y mazurcas y, por supuesto, pasodobles, valses y habaneras. Pero el baile de moda, el que hacía furor entre los madrileños, era el «chotis», una derivación de la mazurca conocida en principio como polca alemana, que terminó por convertirse en una de las señas de identidad de Madrid. Solían retirarse pronto, aunque los bailes acababan entrada la madrugada. Víctor acompañaba a sus amigos a casa y luego iba a la pensión, aunque a veces se pasaba por el burdel. Se encontraba un poco perdido. Pasaba de sentirse el amo del mundo cada vez que avanzaba algo en la resolución del caso de la casa maldita a pensar que era un inútil a quien aquel tema le venía grande. Se sentía fuerte, seguro de sí mismo a ratos, cuando confiaba en que solucionaría ambos casos y conseguiría a Clara. Luego se abatía pensando que aquello no tenía solución, que ni capturaría al asesino de prostitutas ni podría aclarar el asunto del Indiano. Soñaba con Clara y necesitaba a Lola. A veces se sentía sucio. Todos le creían tan perfecto, un joven valor en alza, un tipo cabal y seguro de sí mismo, cuando él se sentía vulnerable, nadando en un mar de dudas. La razón, la lógica, habían de ser la tabla salvavidas que lo sacara a flote. En eso creía.

Corrían ya los primeros días de septiembre, las noches empezaban a ser más frescas y el asfixiante calor del estío comenzaba a remitir. A Víctor le costó mucho trabajo encontrar alguna información referente al holandés misterioso en los archivos policiales, no en vano todos aquellos sucesos habían acontecido hacía cincuenta años. Era como buscar una aguja en un pajar. Al fin, tras tres días dedicados a revisar más y más papeles y legajos, halló un expediente en el cual figuraba el certificado de ingreso en prisión de un tal Fons Kok, un súbdito holandés detenido por escándalo público en la calle de San Nicolás. Al parecer, el preso fue conducido a la cárcel de Cádiz, donde murió asesinado por otro interno a la semana de su llegada.

Era evidente que la mano de alguien poderoso había estado detrás de todo aquello, porque no se encarcelaba a nadie tan lejos por un simple altercado de orden público. Pensó en don Diego Vicente Reinosa. Seguro que su dinero había engrasado la maquinaria de la justicia para que el tal Kok fuese llevado hasta allí. Y el hecho de que hubiera sido asesinado al poco de estar entre rejas demostraba que el preso resultaba incómodo para alguien. Víctor sabía que era fácil pagar a algún desalmado para que quitara de en medio a un enemigo, incluso en prisión. Quizá por eso doña Remedios había escuchado a la filipina discutir con su marido tras la desaparición del holandés, y llamarle asesino, y que hablase de piratas y del Rincón del Diablo... Le parecía evidente que aquella historia era el punto de inicio de la extraña trama que había provocado que, décadas más tarde, dos mujeres diferentes hubieran atentado contra sus respectivos maridos, porque Víctor se negaba a creer que don Diego Vicente o su exótica esposa volvieran desde el más allá para, a través del demoníaco libro, inducir a dos inocentes mujeres a convertirse en asesinas. Además, a él le constaba que aquel libro no era nada, pero que nada, supraterrenal.

Víctor pasaba los días enfrascado en la investigación del caso, lo que hacía con disimulo, pues había recibido órdenes de don Horacio de dejar la investigación, y a la tarde paseaba por el Paseo del Prado con la secreta ilusión de ver a su amada Clara. La joven y su madre habían permanecido en su casa de Madrid, aunque al verse obligadas a guardar el luto de rigor, apenas salían de su residencia, salvo para asistir a misa o a hacer una visita a casa de algunas amigas. Su vida social se había reducido a la mínima expresión.

Por otra parte, Víctor tenía pendiente una entrevista con don Gerardo de La Calle, el aristocrático donjuán que había arruinado la vida de María de los Ángeles de Pelayo antes de que ésta muriera asesinada. Aquel caso sí seguía vivo, algo estancado pero vivo. El aristócrata no se encontraba en Madrid, estaba de viaje, y ello dio lugar a que Víctor se viera obligado a alejarse un poco de aquel asunto. En el fondo, el policía se sentía culpable porque poco a poco había ido perdiendo interés en aquel sumario en beneficio del asunto de la casa maldita de la calle San Nicolás. Sabía que lo hacía inconscientemente y por conseguir ver a Clara, pero pensaba que esa actitud no era, ni mucho menos, profesional. Él era un hombre racional, no podía comportarse así. Se prometía en aquellos momentos solucionar ambos sucesos y apaciguar así su conciencia.

El primer sábado del mes, Víctor acudió a un baile invitado por don Alberto Aldanza, su maestro y mentor. El conde del Rázes había insistido en que el joven policía debía aprender a moverse en sociedad, a relacionarse con lo más granado de Madrid, así que, a tal efecto, casi le obligó a asistir al acontecimiento social que había de reanudar la vida pública de la alta sociedad de la Villa tras el paréntesis estival: un baile que la casa de Alba daba en su ostentoso Palacio de Liria. Víctor tuvo que elegir un elegante frac de entre los muchos que poblaban el muy nutrido guardarropa del conde, quien no dejó al azar ningún detalle de la indumentaria de su joven amigo. Incluso le insinuó que tomara lecciones de baile, a lo cual el detective, muy enfadado, se negó.

A pesar de las muestras de desagrado que abiertamente mostraba, en el fondo el subinspector se sentía atraído por el ambiente sofisticado y lujoso en que se desenvolvía la nobleza. Su relación con dicho estamento era, a todas luces, ambivalente. Por un lado, como buen liberal, los despreciaba. No soportaba visitar sus palacios y mansiones y comprobar cómo vivían, cuando la mayoría de la población se hacinaba —como él y su madre— en pequeñas viviendas de alquiler, conocidas popularmente como «cochiqueras» por su reducido tamaño y su escasa ventilación. Había niños en la calle, pilluelos que luchaban por llevarse un mendrugo a la boca, obreros en paro, mujeres solas, sin marido, que apenas conseguían ganarse la vida honradamente, todos sucios, mal vestidos y desesperados, mientras que la nobleza se empecinaba en negar la realidad con sus bailes, su lujo y su boato.

Pero, por otra parte, la pompa, la buena vida y el buen gusto propios de aquella gente de porte aristocrático le resultaban atractivos. Sabía que en lo más profundo de su ser sentía envidia por no ser uno de ellos y disfrutar de los veraneos en el norte, la ópera, las influencias....

Llegaba a pensar que era liberal por ser pobre, ya que a cualquiera le habría gustado pertenecer a la clase alta, no preocuparse por el dinero, vivir a caballo entre Madrid, París y Biarritz, viajar a lugares lejanos y exóticos como don Alberto Aldanza y vivir una existencia de lujo y ociosidad.

Él nunca sería así; era un don nadie, un emigrante extremeño, un pobre policía que jamás llegaría a ningún sitio y no podría ganar lo suficiente para mantener aquel tren de vida, aquellos lujos que, a qué negarlo, le complacían. De hecho, cuando el carruaje del conde del Rázes llegó a los amplios y cuidados jardines del Palacio de Liria, Víctor sintió una opresión en el pecho. Aquello parecía de ensueño, un mundo irreal, de cuento de hadas. La imponente y decorada fachada del palacio favorito de la casa de Alba aparecía, al bajar del coche de caballos, iluminada por multitud de antorchas que daban al recién llegado la sensación de encontrarse en pleno cuento de príncipes y princesas. El criado mulato de don Alberto les ayudó a descender del carruaje y de inmediato dos lacayos del anfitrión se hicieron cargo de sus capas y bastones para guiarlos luego donde el mayordomo pudiera cumplimentarles como se debía. El trasiego y la llegada de vehículos eran continuos y el lujo y la belleza de los mismos y de los tiros que los arrastraban desprendían una innegable sensación de esplendor que ocultaba en parte la verdadera situación económica de algunos de los hasta hacía poco «grandes de España».

El palacio le pareció al joven detective una construcción bella y grandiosa, que respondía a la moda francesa de trasladar las viviendas nobles a espacios más abiertos donde pudieran apreciarse las hermosas fachadas y los suntuosos jardines. Llegaron algo tarde, porque, según decía el conde del Rázes, «resultaba elegante», y de inmediato se metieron de lleno en el bullicio del refinado y atestado salón de baile. Al joven le llamó la atención una inmensa lámpara que pendía del techo e iluminaba como un sol hasta el menor rincón de aquella amplia estancia; el suelo brillaba esplendoroso, y las lámparas de la pared arrancaban rutilantes rayos de luz de las joyas de las damas. Víctor se sintió intimidado. Había militares que vestían el uniforme de corte, elegantes damas, algún príncipe de la Iglesia, y se murmuraba que cabía la posibilidad de que el propio monarca hiciera su aparición. Al fondo pudo entrever al marqués de Salamanca, muy solicitado. Le llamaron la atención algunos caballeros vestidos con una extraña innovación llegada de las Islas Británicas: el frac rojo, que lucían con pantalón de punto blanco, media blanca y zapato negro abierto. Le pareció algo horrible.

Don Alberto se perdió en medio de un concurrido grupo, al fondo, donde se hallaban situados los músicos. Al momento reapareció acompañado por una bella dama. Era una mujer alta, hermosa, de cara redonda, con hermosos y grandes ojos negros, almendrados y curiosos luceros que examinaron con detalle al subinspector.

—Ésta es mi amiga, la condesa de Archiveles. Aquí mi protegido, don Víctor Ros Menéndez, joven subinspector de policía.

—Vaya, vaya —dijo la dama, que debía rondar los cuarenta—. ¿De dónde ha sacado usted a este joven?

—Encantado —acertó a decir Víctor, algo cortado ante la insistente mirada de la condesa.

—Y es usted policía. Qué emocionante, ¿no?

—No tanto como cree la gente. A menudo es un trabajo rutinario.

—Aquí, don Víctor —explicó don Alberto—, es una de las mentes que más prometen en el panorama europeo. En unos años será el mejor detective de Europa.

—¡Caramba! —exclamó la de Archiveles.

—Y ahora, querida amiga, si nos disculpa, he de presentar a mi pupilo.

Rodeó don Alberto el hombro del policía y fue presentándole uno por uno a todos sus amigos y conocidos. El joven subinspector percibía el interés en las damas y en las madres de éstas al comprobar que el excéntrico conde del Rázes había acudido acompañado por un misterioso desconocido. Era evidente que damas y jovencitas se acercaban con disimulo, fingiendo como que hablaban o escuchaban atentamente en corrillos próximos para hacerse las encontradizas con don Alberto y ser presentadas al recién llegado. También leía Víctor la decepción en sus rostros cuando escuchaban que no era un noble llegado de ultramar ni un misterioso extranjero, sino un simple subinspector de policía a quien apadrinaba el conde.

El detective se sintió un poco decepcionado porque había albergado en secreto la esperanza de poder ver a Clara en el baile, pero el luto y las normas sociales impedían que ella o su madre asistieran. Todo el mundo sabía ya lo de Aurora, y varias señoras preguntaron a Víctor sobre los pormenores del caso, aunque él se negó a hablar acogiéndose al secreto profesional.

Al menos la condesa de Archiveles parecía una mujer amable y directa, sin el aire de desprecio y desdén que caracterizaba a todos los de su clase. Se mantuvo casi toda la noche al lado del joven mientras que don Alberto atendía algunos asuntos, e incluso insinuó a Víctor que la sacara a bailar. El policía, un tanto avergonzado, tuvo que declinar la invitación argumentando que en su barrio no le habían enseñado, aunque al final se atrevió con un vals. Aquella mujer olía como debía de hacerlo el cielo, y se lo dijo.

Doña Helena, la condesa, pareció divertida por el comentario y se entretuvo en informar al joven sobre quién era quién, no sin adornar sus comentarios sobre la concurrencia con chismes y chanzas que hicieron reír al detective. Conoció así Víctor a los Altamira y los Salvatierra, de quienes se decía que estaban endeudados hasta las cejas. También fue presentado a la condesa de Vilches y a la duquesa de Rivas, que le pareció seria y estirada. Lo mejor de la nobleza madrileña se hallaba allí reunido: los Osuna, los Bermejo, el marqués de Alcañices, el conde de Siruelas y la marquesa del Condado. A Víctor, doña Helena le pareció una mujer encantadora. Había enviudado a los veintiuno y vivía de las rentas del patrimonio de su marido. Según le contó don Alberto, se rumoreaba que tenía una intensa vida amorosa, y a tenor de lo que chismorreaban las damas de más edad, su palco del Teatro Real era algo así como el Paraíso Terrenal para aquellos afortunados caballeros −un minoritario y exclusivo grupo de elegidos− a los que la bella dama hacía el honor de recibir allí.

En un momento dado, don Alberto hizo desde lejos una seña a su joven pupilo y éste, tras disculparse con la condesa, siguió a su mentor hasta un salón que le pareció decorado con suma elegancia. Conocido como la Sala Flamenca, era una confortable estancia con el suelo cubierto por mullidas alfombras, decorada en sus paredes con multitud de hermosos lienzos de diferentes tamaños y estilos y rematada por un techo profusamente engalanado del que pendía una monumental lámpara que parecía una luminosa araña. Estaba ocupada por varios caballeros que fumaban. Don Alberto se dirigió hacia uno de ellos, algo entrado en carnes, quien se giró y resultó ser el orgulloso pretendiente de Clara al que Víctor había visto pavonearse en el Paseo del Prado.

—Don Víctor —dijo don Alberto, conocedor de los entresijos del caso de las prostitutas—, le presento a don Gerardo de La Calle, recién llegado de su viaje a Francia.

El otro hizo un gesto de fastidio. Pareció reconocer al policía, a quien dijo:

—Le conozco. Del Prado.

—Yo también le conozco. Sabrá que he acudido en dos ocasiones a buscarle a su casa.

—Sí, algo me dijeron los criados. He estado fuera.

—Se nos hacía imprescindible hablar con usted.

—Usted dirá.

—¿No cree que sería mejor hablar en otro lugar y otro momento? —repuso Víctor.

—Soy un hombre ocupado, aproveche ahora que me tiene delante —contestó el orondo aristócrata tras beber un trago de Jerez y atusarse las rizadas y pobladas patillas.

—Bien. Quería hablar con usted respecto a María de los Ángeles de Pelayo.

—¿Otra vez con eso? —dijo desdeñoso De La Calle.

—Está muerta. Hemos identificado el cadáver. Apareció en un solar. Fue asesinada.

—¿Y...?

A aquel *bon vivant* no pareció afectarle en absoluto la muerte de la que había sido su amante.

—Sus familiares dicen que usted había vuelto de nuevo a su vida días antes de su desaparición.

—Esa joven estaba loca. Se fue de su casa. ¿Qué culpa tengo yo de eso?

—Tuvo un hijo suyo.

—Podía ser de cualquiera, era una mujer de costumbres un tanto..., digamos licenciosas.

—Eso no es lo que dicen sus padres. Aseguran que usted jugó con ella y que la arrastró a la desesperación.

—Tonterías. Yo nunca la obligué. Ella se enamoró y se tomó en serio lo que era una simple aventura.

Víctor miró a don Alberto, que permanecía en silencio y observaba impasible a don Gerardo, analizando hasta su último gesto para sacar de él toda la información posible.

El joven policía cambió de tema:

—¿Conoce usted por casualidad a una mujer anciana, bien educada, con acento extranjero y con una enorme verruga en la nariz?

—Conozco a mucha gente.

—Conteste, por favor.

—Pues no, no conozco a nadie tan horripilante.

—¿Vio usted a doña María Ángeles después de que se fuera de su casa?

—No, aunque tampoco es que lo recuerde bien, la verdad.

—Ya.

—¿Tiene alguna pregunta más que hacerme, subinspector?

—No. Al menos de momento.

—Pues entonces me van a disculpar, pero mi copa está vacía. Y, por cierto, le ruego que no me moleste más —zanjó alejándose con parsimonia don Gerardo.

—No me gusta ese hombre, don Alberto. Me parece un tipo despreciable —comentó el subinspector Ros a su mentor.

—Tampoco a mí me gusta, Víctor, tampoco a mí.

El joven policía guardó silencio. Parecía habérsele ocurrido algo.

—Discúlpeme un momento, don Alberto —dijo alejándose hacia donde se hallaba la condesa de Archiveles.

El conde del Rázes observó cómo el detective hacía un aparte con la condesa —que, desde luego, coqueteaba con el joven claramente— y le decía algo al oído.

Al rato volvió junto a don Alberto.

—¿Y bien?

—Es una pequeña treta que he preparado para ese engreído —contestó el subinspector—. Observe.

Los dos caballeros vieron que la condesa se acercaba al orondo y pomposo don Gerardo. La bella mujer cambió varias frases con aquel petimetre y ambos se rieron. Entonces, ella sacó su carnet de baile, y abrió el pequeño libro y tendió un lapicero a don Gerardo para que éste se anotara a sí mismo en la lista de bailes pendientes de la dama.

—Perfecto. Ha picado —dijo Víctor.

—¿Ha picado? ¿En qué? —repuso don Alberto algo intrigado.

—Pero ¿no se da usted cuenta? Ese presuntuoso rufián es zurdo.

—¡Como el asesino de prostitutas!

—Exacto. Interesante, ¿verdad?

Eran cerca de las tres de la madrugada y se anunció el cotillón. Era algo usual en los bailes de la época, un pequeño regalo mezclado con algún juego que precedía al último e interminable baile. Los lacayos salieron con unas bandejas de plata mientras sonaba una marcha militar. En las bandejas había unas bolsas de terciopelo. Verdes para los caballeros, granates para las damas.

El mayordomo de la casa explicó las reglas del juego y todos se entregaron a disfrutar de él. La anfitriona parecía reír divertida.

Los caballeros abrieron sus bolsas; cada una de ellas contenía una llave. Las damas hicieron otro tanto y hallaron un candado con hermosas cintas para colgárselo del cuello. A continuación, el revuelo. Cada caballero debía encontrar a su dama, o mejor, el candado que se abría con su llave.

Algunas porfiaban por que el hombre de sus sueños abriera el suyo, otros luchaban sin desmayo en el intento de abrir el candado de la dama de su preferencia. A veces se leía el desencanto en una pareja al ver que el azar les había unido para el cotillón, otras se notaba que a los bailarines les había satisfecho el emparejamiento. La llave de Víctor abrió el candado de la condesa de Archiveles.

—¡Vaya, qué suerte! —exclamó él.

La dama lo miró condescendiente y dijo:

—Ay, querido don Víctor, es usted una ricura; siendo policía como es, ¿aún cree en las casualidades?

Comenzó el último baile, que había de ser rematadamente largo como mandaban los cánones.

CAPÍTULO 18

Al día siguiente, Víctor se levantó temprano para tomar el tren hacia Aranjuez. Se alegraba de que el tórrido estío hubiera finalizado, pues no conseguía adaptarse a las altas temperaturas del Madrid veraniego tras su paso por Oviedo y Figueras. Salió de la estación de Atocha, que con sus dos construcciones era conocida como «el Embarcadero», e hizo el trayecto entre Madrid y Aranjuez embebido en sus pensamientos. No podía evitar volver una y otra vez a los dos casos que le mantenían ocupado. Recordó la fiesta de la noche anterior y sintió una intensa punzada de indignación al recordar a Gerardo de La Calle, un tipo ruin y sin escrúpulos que había destrozado la vida de una joven honrada. Presentía que aquel crápula era su hombre.

En el vagón con asientos corridos de madera, un par de paisanos de los que llamaban trajineros, que acudían a los pueblos a vender quincalla, hilos, cordeles y artículos de mercería, departían con dos mujeres sobre los últimos sucesos. La gente hervía de indignación por el secuestro de don Juan Aurioles y Aurioles, que al parecer había sido liberado en la provincia de Granada tras ser raptado en Cádiz hacía ya seis meses por tres hombres con el rostro oculto con un pañuelo encarnado. Nada menos que seis largos meses había sido retenido por aquellos bandidos en una cueva inmunda, para ser soltado tras el pago realizado por la familia. Los allegados de don Juan negaban haber pagado, claro. Los bandidos le habían dado dinero para el tren y el hombre había emprendido camino a casa, pero al llegar a la estación de ferrocarril de Málaga desfalleció y permanecía como ido por la grave experiencia sufrida.

Víctor se dijo que los caminos de algunas zonas de España no eran ni mucho menos seguros, pues el bandolerismo seguía existiendo y el número de secuestrados comenzaba a alarmar a las autoridades. Eran muchos los que, tras la Guerra de Independencia, se habían acostumbrado a vivir a lo fácil, de la violencia, tirando de navaja o de trabuco para aflojar el bolsillo de los ricos en caminos perdidos. En el norte, algunos de los antiguos guerrilleros habían encontrado acomodo luchando en las filas de don Carlos, pero en el sur el recurso de echarse el monte había resultado lo más fácil para muchos ex combatientes.

Pidió el periódico a los trajineros y le echó un vistazo. Un ladrón había sido detenido en la calle de la Greda número ocho robando ropa blanca. Al verse descubierto atacó con una navaja al portero del inmueble, quien lo redujo a golpes propinados con el palo de su escoba. Después de ser atendido de las contusiones, el detenido había ingresado en prisión. «Cuánto degenerado», pensó Víctor para sus adentros. Desde luego, su asesino de prostitutas no era el único pervertido de Madrid.

Su mente volvió al caso de los Aranda. Una lucecita en el fondo de su cerebro se negaba a cerrarlo. Don Alfredo decía que, desgraciadamente, el caso de los Aranda estaba cerrado. De alguna manera, el padre, don Augusto, había creado tal estado de ánimo y pesar en su desgraciada hija que ésta había terminado por atentar contra la vida de su marido. Seguramente pensaba heredarla tras su ingreso en el manicomio o su ejecución a garrote vil. Al no conseguir su objetivo y comprobar que, además, había arrastrado a Aurora a la locura más absoluta y atroz, don Augusto se había quitado la vida, agobiado por sus múltiples deudas y atormentado por el más aterrador remordimiento. Así pensaban don Alfredo y don Horacio, y fuerza era reconocer que aquel planteamiento del caso no resultaba ni mucho menos descabellado. Era obvio que el patriarca de los Alvear conocía al dedillo la historia de aquella maldita casa y podía perfectamente haber sustraído el libro del cajón de Víctor a través de algún agente sobornado, para hacerlo llegar luego a la biblioteca de la casa de la calle San Nicolás y acrecentar así la leyenda y exonerar a su hija de culpa. Por eso, después de que Víctor quemara el libro, don Augusto volvió a colocar otra copia del ejemplar maldito en su sitio, para sembrar el pánico entre su familia y la servidumbre.

Víctor ya no sabía qué pensar; lo único cierto era que la pobre Aurora languidecía al cuidado de sus tías en Palencia y que su marido, don Donato, había salido a escape de Madrid con la idea de no volver nunca más a la ciudad en la que a punto había estado de perder la vida por dos veces. Todas estas explicaciones parecían la interpretación más racional de aquel extraño caso —y lo más probable era que así fuera—, pero Víctor no terminaba de creer del todo en aquella teoría. No sabía por qué.

Don Alfredo decía que lo hacía para poder estar cerca de Clara, y en parte no le faltaba razón, porque mientras el caso permaneciera abierto, el joven agente tendría la excusa perfecta para poder seguir frecuentando la casa de su amada. Aunque eso ya era cosa del pasado. A pesar de ello, una multitud de interrogantes bullía en la lúcida mente del detective.

¿Por qué dos mujeres habían intentado matar a su marido tras leer el mismo fragmento de *La Divina Comedia* antes que Aurora? En eso no había intervenido don Augusto. ¿Qué tenían esas malditas palabras? ¿Encerraban quizá algún conjuro u orden que inducía al subconsciente del lector a comportarse como un asesino? La filipina, Genoveva, antigua señora de la casa, practicaba la santería, ¿querría eso decir algo? ¿Tendría algo que ver la historia del holandés con los hechos acaecidos cincuenta años después? ¿Por qué se habían vuelto a repetir los intentos de asesinato con una precisión milimétrica? ¿Quién podía beneficiarse, aparte de don Augusto, de la muerte de su yerno? Recordó la imagen de Aurora en el lecho, presa de un dolor profundo que la atenazaba y le impedía volver en sí. Le recordaba mucho a su hermana Clara. Eran de rostros muy similares aunque quizá Aurora fuese menos agraciada al haber heredado la nariz de su padre menos estilizada que la de doña Ana y Clara. Aurora era de tez más oscura y cabello moreno y ondulado. Debía de ser bella en condiciones normales. Pensó en que la joven había intentado asesinar a su marido comportándose como una posesa. ¿Y si eso mismo pudiera ocurrirle a su amada Clara? ¿No sería algo de familia? Una especie de locura hereditaria. No quiso ni pensar en ello.

Su mente volvió de nuevo al caso de las prostitutas asesinadas. El tal Gerardo de La Calle era un mal bicho, un degenerado que se dedicaba a arruinar la vida de jóvenes indefensas y a malgastar la fortuna de su padre viviendo a todo tren. Además, era un rival peligroso a la hora de ganarse la simpatía de la familia de Clara.

Era zurdo.

¿Estaría su mente atribuyendo a aquel desagradable individuo el papel de asesino para desembarazarse de un competidor amoroso? ¿No sería mejor que abandonara el caso por falta de objetividad? Era obvio que estaba demasiado implicado.

También pensó en la misteriosa anciana extranjera que había llevado a las chicas asesinadas a su perdición. ¿Quién sería? ¿Para quién trabajaría? ¿Cómo podría encontrarla?

El anuncio a gritos del jefe de estación le hizo saber que había llegado a Aranjuez. Bajó del tren y tomó un coche de alquiler que lo llevó de inmediato a una amplia casona situada a las afueras del pueblo, junto a una fresca y hermosa pinada. Allí vivía recluida Milagros, la mujer que diez años antes intentara asesinar a su marido, Benjamín Rodríguez. Había enviado un telegrama la tarde antes, así que lo

esperaban cuando llegó. El director de aquel elitista manicomio, llamado eufemísticamente «casa de reposo», salió a
recibirle al portal. Era un tipo algo siniestro, alto, delgado
y que lucía un fino bigotillo que le daba un aire un tanto
ridículo. Dijo llamarse don Nemesio. El rector de aquella
pequeña comunidad para ricos desvariados le hizo pasar a
su despacho. Tras indicarle que tomara asiento, dijo:

—No sé por qué quiere usted verla; una tomatera de las
que tenemos en el huerto le daría más información.

—¿De veras? —contestó el subinspector haciéndose el
sorprendido.

—Pues sí, la mayor parte del tiempo está ida, como
ausente, algo así como un vegetal humano, y luego, cuando
habla, lo que hace en muy contadas ocasiones, dice sólo
incoherencias.

—¿Como qué?

—No sé, «el libro», «el libro», «flores blancas» o algo así,
e «Incógnitus»; eso, eso, sí, «Incógnitus», «Incógnitus», lo
dice mucho.

—Vaya.

—A mí, personalmente, cuando está ida (que dicho sea
de paso, es la mayor parte del tiempo) me recuerda a una
cataléptica que tuve en el sanatorio en que trabajé en
Viena, un caso excepcional.

—¿Podría verla?

—A eso ha venido, ¿no?

—Sí, por supuesto.

—Sígame entonces.

Los dos hombres salieron al jardín por una puerta trasera de la casona. Tras bajar unos peldaños se accedía a un
sendero jalonado por centenarios pinos que desembocaba
en un huerto o jardín donde unos diez chiflados se afana-
ban en sus locuras, vigilados por tres enfermeras vestidas de
blanco. Había macetas aquí y allá, casi todas a reventar
de geranios rojos y rosas.

—El trabajo en el huerto les relaja mucho —aclaró el director—. Nuestros internos pertenecen a las mejores familias,

así que empleamos los métodos más modernos y menos cruentos para mantenerlos en buen estado.

—Ya; ¿y ella?

—Allí —señaló don Nemesio.

Víctor se acercó al fondo del huerto, donde, bajo un limonero, se hallaba sentada en una silla de ruedas una mujer de mediana edad. Permanecía ausente, con la mirada perdida en el infinito, inmersa en su propia locura. El joven detective pensó que aquella dama debió de ser bella y sintió lástima por ella y por sus hijos. Pasó la mano por delante de sus ojos sin obtener respuesta alguna.

—¿Ve? Se lo dije —comentó el director del centro.

—Incógnitus —dijo Víctor.

Al escuchar esa palabra, ella dirigió la mirada al agente sin girar la cabeza, lo observó por unos segundos con los mismos ojos que Aurora y se perdió de nuevo en su locura.

—Milagros. ¡Milagros! Vaya. No reacciona, no. Ya he visto todo lo que tenía que ver, muchas gracias.

Víctor estrechó la mano de don Nemesio, quien pareció lamentar que se acabara aquella visita. El policía subió al coche de caballos hundido. Se sentía impotente para sacar a aquellas dos mujeres de la locura. ¿Qué extraño brebaje les habían dado? ¿Y quién lo habría hecho? ¿Estarían sus mentes dañadas irreversiblemente?

Comió en Aranjuez y cuando llegó a Madrid eran ya las seis de la tarde. Un impulso le hizo tomar un coche y dirigirse a la calle de Santa Isabel, a casa de los Alvear. Cuando llegó, entregó su tarjeta a la criada y, tras esperar unos minutos, vio a Gerardo de La Calle que salía del saloncito que había junto al patio interior. Sintió que le invadía una oleada de indignación.

—¡Hombre, el abnegado sabueso! —exclamó el otro con tono socarrón.

—¿Qué hace usted aquí? —preguntó Víctor de muy malos modos.

—He venido a dar el pésame a las damas por el fallecimiento de don Augusto. Estaba de viaje cuando el funeral.

—Aléjese de ellas.

—Le conozco a usted del Prado, me fijo de sobra en mis competidores, y rondaba usted siempre alrededor de Clara y su familia. Créame, de los pretendientes de la joven es usted el más pobretón, así que hágame caso y échese a un lado; no puede jugar con los mejores.

—No se acerque a ella, se lo advierto.

—No sea impertinente, buen hombre. Ella está por encima de sus posibilidades. Es una joven deliciosa. Casi la había olvidado, pero al verle a usted en el baile la recordé; tendré que agradecérselo a usted. En fin, supongo que será otra conquista más para la colección —concluyó con una horrible sonrisa don Gerardo.

Víctor tuvo que controlarse al pensar en la sola posibilidad de que aquel mal bicho hiciera con Clara lo mismo que con la hija de don Cosme. Sintió que la ira crecía en su interior. Miró con aire fiero al aristócrata y contestó:

—Don Gerardo, me consta que ha ido usted muy lejos y que ha infringido la ley. Y lo voy a demostrar.

—Tenga cuidado con lo que dice y piense muy bien con quién se mete o es posible que termine de agente uniformado en Marruecos —contestó De La Calle, que, tras bufar como un gato, salió de la casa.

Víctor fue conducido entonces al saloncito. Allí se encontró con doña Ana y con Clara, ambas vestidas de negro y enfrascadas en unos bordados que a él le parecieron complejos y elaborados. Recordó a su madre al verlas coser.

—¡Don Víctor! —saludó doña Ana levantándose para darle la bienvenida—. ¿Cómo usted por aquí?

El joven policía observó que las mejillas de Clara se teñían de cierto rubor.

—Quería hablar con ustedes. Disculpen que no haya avisado antes, pero se me ocurrió de pronto la idea de visitarlas.

—Las visitas son bienvenidas y la suya, más aún. Suponen una distracción —contestó doña Ana—. Pero siéntese, siéntese.

—Ya no viene usted nunca a vernos —intervino Clara en un claro reproche que agradó al detective.

—Sólo tienen ustedes que decirme cuándo quieren que venga y aquí estaré a su disposición.

—¿Y bien? —dijo la madre de Clara—. ¿Qué le trae por aquí?

—Quería decirles que sigo investigando el caso. No creo que don Augusto..., al menos, no él solo... Pienso que aquí hay algo más.

—Es usted el único que cree en la inocencia de mi marido —agradeció doña Ana visiblemente halagada.

—Me temo que así es. Hoy he visitado a la otra joven que habitó la casa, ya saben, Milagros, la que también atacó a su marido. Considero que ha quedado en la misma situación que Aurora.

—¡Pobrecilla! —lamentó Clara.

—Creo que debieron de darles alguna droga o algo parecido. Tuvo que ser algo fuerte, muy fuerte, lo suficiente como para alterar su conciencia y hacer que perdieran el dominio de su propia voluntad.

—¿Y sabe usted qué droga es ésa? —quiso saber doña Ana.

—No, pero si doy con los desalmados que lo han hecho podríamos saberlo. ¿Qué noticias tienen de Aurora?

—Sigue igual.

—Vaya, lo siento. ¿Y de don Donato?

Doña Ana Escurza, muy seria, contestó:

—Su abogado vino a verme ayer. Hemos llegado a un acuerdo. No sé si sabe usted que mi marido percibió un dinero...

—Conozco los detalles.

—Mejor; pues don Donato va a solicitar la nulidad matrimonial, así que hemos tenido que devolver dicha suma. Él, a su vez, nos ha devuelto la casa que mi marido le entregó. Ahora está a mi nombre. ¡Menudo regalo!

—Vaya. ¿La han cerrado?

—No; la escasa servidumbre que la atiende sigue allí. Intentaremos venderla.

Clara añadió:

—Pero es muy difícil que alguien la compre. Todo Madrid sabe lo que ha ocurrido y la leyenda parece más viva que nunca.

—Difícil situación.

—Sí, nos vemos en una posición un tanto delicada.

—Si me necesitan, las ayudaré en lo que me permitan mis modestas posibilidades.

—Gracias por su ofrecimiento, pero ya veremos cómo arreglamos esto. Hace un momento, otro joven se ha ofrecido también.

—Gerardo de La Calle.

—El mismo; ¿lo conoce?

—No todo lo bien que quisiera. Miren, no quisiera meterme donde no me llaman, pero me siento en parte responsable de ustedes por lo ocurrido con don Augusto, así que les diré que tengan cuidado con ese hombre, don Gerardo. Prométanmelo, por favor.

Las dos damas asintieron, un tanto intrigadas con el comportamiento del policía.

—Sé que les puede sonar extraño esto que acabo de decirles, pero, por favor, confíen en mí.

—Lo haremos, descuide —dijo doña Ana—. Y ahora, tengo que ir un momento a dar unas instrucciones a la cocinera. Y usted, joven, quédese, quédese un rato y distráigame un poco a Clara, ¡le hace tanta falta!

Doña Ana salió del saloncito dejándole a solas con su amada. ¡No podía creerlo! La señora de la casa le hacía un gran honor confiando en él de aquella manera. Pensó que debía aprovechar la ocasión para hablar con Clara, conocerla mejor, saber cómo se sentía... Le pareció haber visto una mirada cómplice entre la madre y la hija cuando doña Ana salía del cuarto, pero al momento se dijo que aquello eran imaginaciones suyas; ¿cómo iba Clara Alvear a sentirse interesada por él, un «pelagatos» del barrio de La Latina?; y, lo más importante, ¿cómo iba a consentir doña Ana Escurza que su hija pelara la pava con alguien como él? Aunque eso era lo que parecía haber ocurrido. Se puso nervioso. Le sudaban las manos. En aquel momento reparó por primera vez en los últimos meses en que, realmente, se había enamorado. Su compañero, Blázquez, siempre le decía que parecía algo frío, distante, e insistía en que debía dejarse llevar un poco, «parecer más humano».

No advertía en que aquélla era una actitud premeditada por su parte, una manera de impresionar a los demás, de crear una barrera invisible que impidiera que le hiciesen daño. En el fondo continuaba siendo el pobre muchacho indefenso que llegara a Madrid y que tuvo que luchar mucho para sobrevivir en un mundo duro y hostil. No entraba en sus planes enamorarse. Ni de Clara ni de nadie. ¿Cómo había ocurrido? Todo había sucedido de manera natural, como si las cosas estuvieran escritas así desde siempre. Tenía que esforzarse y no dejarse abatir por los convencionalismos sociales. Había que cambiar aquel mundo.

—¿Y bien? —dijo Clara con aire divertido, sacándolo de su bloqueo mental.

—¿Sí?

—¿No va usted a contarme nada? Apenas hago vida social por el luto.

—Ah, sí, claro, claro... —contestó, mientras pensaba en qué contar a la joven—. El otro día fui a una fiesta, bueno, un baile, en el Palacio de Liria.

—Lo sé.

—¿Cómo? —repuso asombrado.

—Mis amigas me contaron hasta el más mínimo detalle de todo lo que se vio y se dijo. Una joven no puede perderse en modo alguno algo así. Me dicen que causó usted cierto revuelo.

—¿Yo? ¡Qué va! —denegó Víctor sonriente.

—Sí, sí, me consta que llamó usted mucho la atención entre las jovencitas.

—No crea lo que le dicen. En cuanto se enteraban de que soy un simple policía, perdían el interés inmediatamente.

Ella rió divertida.

—Sí, la gente bien es así. No se lo tome usted a mal pero todas esas jóvenes buscan hacer buenos casamientos con gente de su condición.

—Ya, ya, me hago cargo. ¿Y usted?

—¿Yo?

—Sí; ¿piensa usted casarse con alguien de alcurnia?

Clara rió la ocurrencia del policía.

—¿Me está interrogando usted, subinspector?

—Puede que así sea.

—¿Y qué hará conmigo si no le gusta la respuesta, detenerme? —repuso ella con un inequívoco brillo en los ojos.

—Quizá. Conteste a la pregunta.

—Y usted, ¿se casaría con una joven que no fuera de su clase?

—Yo he preguntado primero. Además, es de mala educación contestar a una pregunta con otra.

La chica permaneció pensativa por un instante; parecía divertida y miraba a los ojos al subinspector. Al fin habló:

—Puede que si cierto joven me lo pidiera..., tal vez sí.

—¿Y su familia?

—Yo no soy Aurora. Ya advertí a mi padre que no me vendería como si fuera una finca. Él sabía que no podría casarme contra mi voluntad. Le dije que si me prometía con alguien que me desagradara, me mataba al instante. Además, después de lo ocurrido con mi hermana no permitiría que nadie me hiciera lo mismo por nada del mundo.

—Clara, es usted muy valiente y decidida para...

—¿Para ser una mujer?

—Para ser tan joven.

—No es cuestión de edad o sexo, sino de carácter. Yo no pienso dejar que me traten como una posesión más de la familia. No soy un cerdo que se vende en el mercado de los jueves.

—Daría lo que fuera por ser ese joven del que usted hablaba —se escuchó el policía decir a sí mismo.

¡Hacía falta ser estúpido!

Ella pareció halagada.

Los dos se quedaron mirándose a los ojos por unos instantes que se hacían eternos. Estaban sentados el uno frente al otro y sus rodillas casi se tocaban. Víctor sintió como si una fuerza lo acercara al rostro de Clara. Era una fuerza invisible pero intensa que lo controlaba como si fuera un muñeco. Justo cuando los labios de ambos se iban a encontrar se abrió la puerta y los dos saltaron hacia atrás en sus asientos. Entró una criada joven, que con una sonrisa pícara anunció:

—Doña Ana dice que se queda usted a cenar.

—No, no...

Clara miró a la sirvienta y decidió:

—Consuelo, dile a mi madre que Víctor acepta encantado.

El subinspector no supo qué contestar. Los dos jóvenes quedaron a solas de nuevo.

—Sobre lo que ha ocurrido hace un instante... —empezó Víctor.

—Lo lamenta, ¿verdad?

—Sí; bueno, ¡no, no! No lo lamento, en absoluto. No me malinterprete, pero yo..., mis intenciones con respecto a usted...

—¿Le parece que nos tuteemos, Víctor?

—Sí, claro —asintió él tragando saliva. Aquello iba muy rápido y sentía que estaba perdiendo el control de la situación. Siempre que estaba en presencia de Clara le ocurría lo mismo—. Yo, Clara...

—¿Sí?

—Sobre lo que pasó antes quiero que sepa...

—Que sepas.

—Eso, eso, perdone; digo, perdona, Clara. Me gustaría que supieras que mis intenciones en relación a ti son honestas. Yo, en fin, sólo soy un pobre policía y no debería ni siquiera decirte que...

—¿Qué?

El joven se armó de valor y dijo de carrerilla:

—Que te conozco desde hace tiempo y te miraba paseando por el Prado cada tarde. Te veía como se ve a una estrella lejana que ni sabe de nuestra existencia, pero soñaba con conocerte y gracias a este caso desgraciado pude hacerlo.

—Ya lo sé.

—¿Que ya lo sabes?

—Sí, sabía que me pretendías; mi aya, Magdalena, me hizo notar tu presencia una tarde y desde entonces siempre te veía paseando cerca de mí y de mi familia.

Víctor no salía de su asombro. Sintió que hasta se ruborizaba.

—Por eso el primer día que te vi en casa de Aurora, hiciste un gesto.

—Sí, claro, te reconocí al instante, pero no sabía que eras policía.

—Ya. A veces quisiera ser millonario para...

—Estás muy bien así, créeme. Las cosas no son tan sencillas.

—Clara, yo haría lo que fuera por ti.

—Lo sé, Víctor, lo sé.

—Siento tanto lo que ha pasado con tu familia... ¡Si pudiera hacer algo para que todas estas desgracias no hubieran ocurrido...!

—Nadie ha podido evitarlo. No te negaré que a veces me siento desfallecer, pero debo ser fuerte por mi madre. Estamos solas, Víctor, y eso resulta duro, muy duro.

—Me tienes a mí.

En ese momento se volvió a abrir la puerta y entró doña Ana Escurza.

—La cena está servida —dijo para que la siguieran.

En contra de lo que temía, Víctor se sintió cómodo a la mesa de las Alvear. La cena fue sencilla y el ambiente distendido. Clara le preguntó sobre el caso y él les contó todo lo que sabía sobre el Indiano y su extraña historia, les narró lo sucedido con el holandés y les explicó, en general, todo lo que había averiguado sobre el asunto. Las dos mujeres parecían fascinadas. ¿Podría aquel joven sacar a Aurora del estado en que se hallaba? Ambas se mostraban ilusionadas al respecto. Demasiado quizá.

Luego le preguntaron más cosas acerca de su trabajo. Cómo todos los profanos en la materia, se interesaban principalmente por las situaciones de peligro que había vivido, por las aventuras y hazañas del joven policía.

Clara resultó ser muy aficionada a todo lo policíaco y lo interrogó a fondo sobre el caso de las prostitutas asesinadas. Llevado por la confianza, les contó por encima lo que había averiguado y ambas mujeres se mostraron consternadas al conocer la historia de María de los Ángeles de Pelayo. Les pareció abominable la actuación de don Gerardo, así que el detective pensó que podía sentirse tranquilo respecto a aquel petimetre engreído. No podía creer en su suerte, la historia de aquel mezquino barrigón le salió así, de manera natural. Tomaron café y desgranaron en la sobremesa las claves de aquel caso. Fue entonces cuando Clara lo sorprendió diciendo:

—¿Y no piensas que quizá te has equivocado centrándote en la única víctima decente de ese desalmado?

—¿Cómo?

—Sí; ¿no crees que hubiera sido más efectivo fijarte en la víctima que más información podría darte sobre el asesino?

—¿Y cuál es ésa, si puede saberse?

—La primera —afirmó resuelta la joven—. Creo que es de lógica pensar que la primera víctima te dará la clave. Supongo que los asesinos cometen más errores cuando son novatos y, además, seguro que empezó por alguien a quien conocía. Investiga a la primera asesinada y tendrás a tu hombre.

Víctor se quedó pensativo y boquiabierto. Claro, era obvio. ¿Cómo no se le había ocurrido? Pensó que aquella joven era el ser más maravilloso que había conocido. Su razonamiento era de lo más lógico, y no perdía nada por investigar a fondo las circunstancias de la primera muerta. Al parecer se había enamorado de una joven de armas tomar, y aquello le gustaba. Ella sonreía divertida. A veces le daba la sensación de que jugaba con él, que se anticipaba a sus pensamientos. Clara Alvear no era una joven casadera al uso, una chica bien educada en el extranjero que ansiaba casarse, bordar y tener hijos. Era inteligente, despierta, le gustaba leer como a él y su espíritu parecía indómito. Decididamente le gustaba Clara.

Cuando salió de casa de los Alvear era medianoche. Le parecía estar flotando.

Capítulo 19

Víctor fue a visitar al vidente al que acudiera Aurora el día del primer ataque, sin poder quitarse de la cabeza lo acontecido la noche anterior. Doña Ana Escurza lo había invitado a cenar y compartió la tarde y la velada con su amada, Clara. El corazón no le cabía en el pecho, se sentía ilusionado y percibía que el reto de resolver aquel caso se le presentaba como un imponente murallón que debía salvar para terminar de ganarse la voluntad de doña Ana y conseguir la mano de Clara. Parecía evidente que la joven compartía sus sentimientos. ¡Aquello parecía un sueño! ¿O sólo era una sensación suya? Caminó desde su pensión hasta la Cava Baja, donde el adivino ejercía su oficio en el primer piso del número dieciséis. Víctor conocía la zona a la perfección, pues fue el escenario de sus primeros e inocentes juegos y, luego, el de sus posteriores fechorías de golfillo. Tanto la Cava Alta como la Baja surgieron extramuros de la ciudad medieval como fosos destinados a evitar posibles ataques. Por ellas se podía acceder a la ciudad incluso cuando estaban cerradas las puertas de la misma. La Cava Baja en especial, que se extendía desde la plaza de Puerta Cerrada hasta la del Humilladero, era el área en que más habían proliferado las fondas, tabernas y posadas donde recalaban los vendedores que venían de Toledo y Segovia a vender sus mercancías en el mercado de la Cebada o en el de San Miguel. Además, aquello había incrementado el número de talleres artesanos que vendían manufacturas a los comerciantes, como latoneros, cordeleros y boteros. Por allí pululaban intermediarios y trajineros, chulapas, viajantes,

235

mozos y carreteros en espera de que surgiera el porte que les solucionase el día. Había en la zona buenos lugares en los que comer o beber unos chatos: El León de Oro, las posadas de San Pedro y de la Villa... Víctor observó que, como siempre, las calles estaban muy concurridas, con un incesante ir y venir de paisanos. El ambiente siempre colorista de La Latina le infundía optimismo. Brillaba el sol, y los rapaces correteaban por las calles intentando distraer una cartera, arrancar un real a algún señoritingo por algún recado de amores o, simplemente, buscando perros a los que apedrear.

Los sonidos eran los de su infancia: el traqueteo de las carretas, el ruido de las fichas de dominó al impactar en las mesas de las tabernas o los gritos de las comadres que hablaban de balcón a balcón. Balcones de repujado hierro, amplios ventanales y cuidadas macetas que con sus vivos colores distraían la vista de las manchas de humedad, de los desconchones de las paredes de las viviendas que los caseros, malditos usureros, no reparaban ni a la de tres. Olía a vino, a canela y a estiércol de las caballerizas; olía bien, a su barrio. Aquellos no eran los aromas del Palacio de Liria ni siquiera los de la casa del marqués de Salamanca, ni los de las lujosas mansiones de tantos y tantos nobles a los que había comenzado a conocer y de los que en momentos como aquellos se sentía muy, pero que muy lejano. Era su barrio.

La gente estaba preocupada por los desastres que habían producido las inundaciones en muchos puntos de España. La fuerza de las aguas había arrasado zonas de lugares tan distantes como Guadalajara o Ciudad Real. En la misma capital, más de cien familias humildes se habían visto en la calle, ya que sus viviendas se habían anegado. Las cañerías habían terminado por reventar y había que traer las aguas directamente del Henares para abastecer algunos puntos de la capital.

En el domicilio del adivino fue recibido por una mujer delgada y de aspecto cadavérico que, tras hacerle esperar unos segundos en un salita horriblemente decorada, lo hizo pasar. Según le dijo, había tenido que despertar a Renato Minardi, alias «Psíquicus», el conocido y admirado vidente de la Cava Baja. Cuando se vio en el despacho de aquel timador, Víctor pudo comprobar que la descripción que Clara le había hecho del vidente que visitaba su hermana era bastante exacta. Sonrió al pensar que su amada hubiera sido un excelente policía. Renato Minardi resultó ser un tipo vulgar, de unos sesenta años, que ocultaba su prominente barriga bajo una inmensa túnica adamascada y su calva con un turbante de seda en el que llevaba engarzado un enorme rubí, a todas luces falso.

—¿Y qué desea la policía de este pobre adivino? —dijo a modo de presentación aquel indeseable con marcado acento extranjero.

—Quería hablar con usted en relación con una de sus clientes. Aunque supongo que eso debía de saberlo antes de que llamase siquiera a su puerta —contestó el detective con retintín.

El otro le lanzó una mirada maligna con sus ojos de color azul, hermosos y gélidos a la vez, cortantes y fríos como el acero.

—No se ría de las artes adivinatorias —contestó el adivino—. No es conveniente jugar con poderes que escapan al control de la mayoría de los mortales.

—Ya, claro —contestó impertérrito Víctor—. No me he presentado, soy el subinspector Ros y quiero hablar con usted de Aurora Alvear.

—No sé quién es.

—Haga un esfuerzo.

Psíquicus parecía molesto, hizo una larga pausa y tras suspirar dijo:

—No puedo hablar de mis clientes: secreto profesional.

—¿Dice que es usted italiano?

—Sí, de la Toscana.

—Ya —contestó el policía recordando a Ruggero, un milanés radical a quien conoció en Oviedo. Tomó nota de que el acento de Psíquicus en nada se parecía al de su compañero de célula revolucionaria–. Y antes de venir aquí, ¿dónde ejerció?

–En Barcelona.

–¿Y le iba bien?

–Sí, muy bien.

–¿Y por qué se vino aquí entonces?

El orondo adivino volvió a mirarle con odio. Había dado en el blanco. Aquel tipo no era trigo limpio.

–Ay, ay, Psíquicus. No hace falta que disimule conmigo. He conocido cientos de timadores como usted y no, por favor, ahórrese todo eso de las maldiciones o le atizaré un bastonazo de campeonato –amenazó Víctor alzando la mano derecha–. ¿De verdad me va a obligar a telegrafiar a Barcelona pidiendo a la policía de allí informes acerca de usted?

La intimidación quedó flotando en el aire y el adivino pareció molesto de veras. El policía comenzó a juguetear sin miedo con una calavera que Psíquicus tenía sobre la mesa a modo de pisapapeles. Era auténtica.

–¿Aurora Alvear dice, agente? Algo creo recordar...

–Pues empiece.

–Vino hace cosa de un año. Sufría de mal de amores. Estaba enamorada de un pobre profesor de piano y su padre había decidido casarla con otro hombre.

–Sabe usted lo que hizo, ¿verdad?

–Todo Madrid lo sabe. Es un secreto a voces.

–El día en que apuñaló a su marido estuvo aquí por la tarde; ¿qué quería?

–Estaba peor que nunca. Muy nerviosa. Quería que las cartas dijeran que podría casarse con el músico, que se produciría un giro del destino que la dejaría libre.

–¿Y qué dijeron las cartas? –inquirió el policía con una sonrisa irónica.

–Intenté que le dieran un poco la razón, para calmarla. Estaba fuera de sí. Le dije... –El adivino se echó las manos a la cara, emitió un sollozo y gimió–: ¡Que el cielo me perdone algún día!

Era un pésimo actor, así que Víctor exigió con fastidio:

—¿Qué le dijo? ¡Hable!

—Le dije, más por quitármela de encima que por otra cosa, que las cartas decían que su marido moriría joven.

—Ya.

—¿Cree que pude influir en aquella pobre trastornada?

—No. Ni en broma. No sea usted majadero, por amor de Dios.

—¿Cómo? Yo nunca me lo perdonaría, cuando me enteré de lo sucedido, me sentí culpable.

—Sí, sí, seguro. ¿Dijo algo que le llamara la atención, ya sabe, si iba después a algún sitio?

—No tengo ni idea. No teníamos demasiada confianza.

—De acuerdo. Volveré a visitarle. No le oculto que no me agradan todas estas majaderías, así que tenga cuidado con lo que dice a la gente impresionable si no quiere volver a verme por aquí con una orden de arresto. Ahora, si me disculpa...

—Descuide, descuide, se hará como usted dice —asintió aquel mezquino estafador mientras acompañaba a Víctor por el oscuro y estrecho pasillo lleno de manchas de humedad.

Ya en la calle, el joven policía sintió que le invadía una creciente sensación de desagrado; no le gustaba aquel tipo. Había intentado mostrarle a Aurora como una mujer desquiciada e irascible, cuando todos los informes coincidían en que era un modelo de persona centrada y educada. ¿Por qué mentía así el tal Psíquicus? Algo ocultaba, sin duda.

Después de la entrevista con el adivino, Víctor se dirigió directamente a Sol para bucear en el archivo y buscar información referente a la primera prostituta muerta. La idea de Clara le parecía buena. Según sus notas, la víctima era Agapita Ridruejo Rullán, asesinada hacía dos años y medio. No tenía la certeza de que fuera la víctima inicial de aquel maníaco, pero al menos era la primera de la veintena de cadáveres que habían aparecido con una puñalada en el costado y treinta reales encima. Pensó entonces en Judas, ¿no había traicionado a Cristo por treinta monedas de plata? Tomó nota de la dirección de la finada: calle Humilladero veinticinco. Salió a comer algo primero. Se encaminó hacia la taberna del conocido Colita, en la calle de Mesonero Romanos. Estaba decorada en el exterior con paneles de color rojo vino y azulejos ilustrados con escenas varias, todas del mundillo del toro. Dentro, se sentó a una de las mesas de mármol con banco corrido y pidió bacalao con tomate. El mostrador era de madera, oscuro, con la parte superior de cinc. Había mucha bulla en el local, pues varios parroquianos estaban enzarzados en una polémica sobre si Lagartijo era o no mejor que Frascuelo. Víctor sonrió divertido ante aquellos grandes dilemas que eran lo que de verdad importaba en el país. Aquello no tenía arreglo.

Pidió la cuenta y reparó en un lema inscrito en azulejos tras la barra, que decía: «La política p'a los políticos, las mujeres a ratos y el vino a toas horas.» Sonrió.

Reconfortado por el intenso aroma del fuerte café salió hacia su destino: la casa de la primera prostituta asesinada. Volvió a pasar por la Cava Baja, algo más tranquila a aquellas horas de la tarde, y en unos minutos llegó a su destino. Se encontró con que los inquilinos del segundo derecha nada sabían de Agapita. Ellos habían ocupado el pequeño piso apenas hacía seis meses. Era el típico edificio de la zona de La Latina dividido en pisos más pequeños por sus ricos propietarios para sacar más beneficio alquilándolos a gente de pocos posibles. Las viviendas interiores como aquella daban al patio central, el lugar donde se juntaban las comadres y jugaban los chiquillos. Había un lavadero comunal para la ropa.

Por fortuna, una mujer que subía la escalera e iba al segundo izquierda, se detuvo antes de abrir la puerta de su casa y miró al policía.

—¿Pregunta usted por Agapita?

—Sí, soy policía —dijo Víctor mirando a la anciana, que llevaba dos barras de pan bajo el brazo.

—Pues pase por aquí, pase, que se me pega el arroz con judías.

Víctor siguió a la mujer hasta el pequeño salón del piso, que reclamaba a gritos una buena capa de pintura. Los muebles eran viejos y destartalados y unas cuantas fotografías de la familia, oscuras y borrosas, decoraban las paredes de aquella estancia inundada por el olor del guiso que preparaba la mujer.

—Mi marido no tardará en llegar, conduce un tranvía —explicó ella encaminándose a la minúscula cocina.

—He oído que pronto serán de vapor —comentó él intentando romper el hielo.

—Dios le oiga. Llega muerto de hambre, el pobre; ya sabe, todo el día luchando con las bestias...

—Tiene usted hijos por lo que veo, ¿no? —dijo el agente señalando una fotografía de la familia.

—Sí, dos varones. Uno es albañil y el otro pasante, ha estudiado leyes —contestó muy orgullosa—. ¿Qué busca de la Agapita?

—Investigo su vida.

La mujer, sin dejar de avivar el carbón de su minúscula cocina, añadió sin mirarle:

—La mataron.

—Lo sé. Hábleme de ella; ¿vivía sola?

—Sí, tenía un hijo pequeño, Javier, una criatura preciosa. Acabó en la inclusa, yo me lo hubiera quedado, pero...

—¿Y de qué vivía? —continuó Víctor adentrándose en terreno escabroso.

La mujer miró al suelo como eludiendo la pregunta.

—No está bien hablar mal de los muertos.

—Es para cazar al hombre que la mató.

La mujer quedó pensativa de nuevo.

—Era la mantenía de un pez gordo.

—¿Cómo?

—Sí, un hombre muy rico. Pagaba el alquiler y le pasaba una cantidad todos los meses; fíjese, si incluso le pagaba una criada para la casa y para cuidarle el chiquillo. Ella iba siempre como una reina, muy bien vestida.

—¿Y ese hombre era?

—No puedo decírselo. No quiero líos. Además, me consta que la trató muy bien, ella era una tirada, hacía la carrera en los bajos de Atocha, una pena; él la recogió, parece que le cayó en gracia y la retiró. Un señor.

—¿El hijo era suyo?

—No, no, el hijo era de un señorito que tuvo. Agapita siempre fue una buena zagala, vino de Castellón para trabajar como criada, aunque nunca quería hablar de eso. Ni siquiera sé en qué casa sirvió. Una vez me dijo que el señorito la preñó, ya sabe, lo típico, pero ésta era tonta y al parecer se enamoró, ya veusté, ¿en qué cabeza cabe pensar que un amo se case con la criada? Según me contó, al saber que estaba embarazada del hijo del amo la pusieron de patitas en la calle. Ella tenía diecisiete años. Imagínese, una cría, preñá, en la calle y en invierno en Madrid. Acabó de pajillera hasta que tuvo el crío claro, y luego se dedicó a lo que tantas.

—¿Y dice usted que no sabe en qué casa le ocurrió eso?

—No, pero seguro que era rica, eso sí.

—Y después de eso, un hombre poderoso se hizo cargo de ella.

—Sí, la tenía de querida, ya le digo, hecha una reina.

—Ya, ya. Pero, insisto: ¿quién era ese señor? Necesito saberlo. Es importante. Tengo que encontrar al canalla que la mató.

La mujer se lo pensó unos segundos y dijo al fin:

—Pero yo no se lo he dicho.

—Lo juro.

—Es un diputado por Alicante, sé que se llama don Arturo y que tenía casa en la calle de los Desamparados.

—No se preocupe, señora, nadie sabrá que usted me lo ha contado. Me ha sido usted de mucha ayuda, se lo aseguro.

—¿Quiere usted quedarse a comer, don...?

—¡Don Víctor, don Víctor Ros! —contestó el policía que ya corría por el pasillo—. ¡Y mil gracias, señora!

Tras hacer las averiguaciones pertinentes sobre el diputado por Alicante, Víctor se encaminó a casa de doña Patro con intención de dormir una siesta. Durante el camino, que hizo a pie, pensó que debía contar aquellos avances de la investigación a Lola «la Valenciana»; por cierto, ¿cuánto tiempo hacía que no la visitaba? Mucho, sin duda. Sintió deseos de ir al prostíbulo, pero la nueva situación y las expectativas surgidas con Clara lo mantenían como en una nube, ausente y feliz. Pensó en Lola y se sintió excitado; después de todo, ¿qué más daba? Todos los hombres lo hacían. Era lo más normal del mundo. No había un solo varón de posibles que no mantuviera querida oficial. Algunos tenían más de una, y hasta varios hijos con ellas. ¿Por qué iba él a ser diferente?

Pensó en Clara y en la idea de ir al burdel de doña Rosa. No debía. ¿Se estaba volviendo idiota? Se habría sentido culpable de hacerlo, así que de momento pensó en otra cosa. Pensó en el protector de la primera asesinada, el diputado, que resultó ser don Arturo Alcázar Rico, casado, hombre poderoso y acaudalado que vivía en Madrid desde hacía más de diez años. Tenía que hablar con él. ¿Sería su hombre? Al llegar a la pensión se encontró con que un lacayo muy aparatoso había dejado un sobre perfumado para él. Era de la condesa de Archiveles: lo invitaba a su palco del Teatro Real aquella misma noche para asistir a una representación de *Rigoletto*, de Verdi.

Se quedó sorprendido y, sobre todo, confuso. El antepalco de la condesa de Archiveles era algo así como una especie de reducto de Venus en el mismo centro de Madrid. Todo el mundo lo sabía. Tenía miedo de asistir, pues sus sentimientos hacia Clara eran profundos y no deseaba enredarse con la atractiva condesa, pero, por otra parte, él era un don nadie y no se atrevía siquiera a pensar en rechazar la invitación de una mujer tan influyente. Además, la condesa era una mujer apetecible y, al parecer, versada en el arte del amor. En el fondo se sentía halagado. Intentó conformarse pensando que comenzaban a abrírsele las puertas del Madrid aristocrático y eso era lo que él buscaba para poder hacerse un hueco en aquel mundo junto a Clara. Sí, eso era, una oportunidad para progresar en sociedad. ¿Qué podía hacer? Resolvió que nada perdía por asistir, sólo era cuestión de andarse con cuidado y no quedarse a solas con doña Helena. ¿O sí? Se le antojó un negocio sencillo. Iría a la ópera y decidiría sobre la marcha. Debía confiar en su instinto. Además, así podría conocer a don Arturo Alcázar y quizá pudiera vigilar de lejos al bastardo de don Gerardo. Por fortuna, aún tenía en el armario el frac que le había prestado don Alberto.

Tras la siesta aprovechó la tarde para realizar otra gestión que tenía pendiente. Pasó por la casa maldita, en la calle San Nicolás, y pidió a Nuria que le dejara llevarse prestado el ejemplar de *La Divina Comedia* que «había reaparecido tras arder en la chimenea». Todo el mundo creía que era un ejemplar demoníaco y dotado de misteriosos poderes, pero el joven policía sabía que no era así. Con el oscuro libro en su poder, se dirigió a una pequeña librería que le habían recomendado. Era un minúsculo establecimiento situado en la calle Mayor, regentado por un anciano de aspecto endeble y despistado que, pese a su apariencia de ratón de biblioteca, era capaz de localizar cualquier libro por insólito o antiguo que fuese. Cuando Víctor entró en la desordenada tienda, un tintineo hizo salir al dueño, que debía de encontrarse enfrascado en alguna compleja lectura en la trastienda.

—Usted dirá.

Víctor le tendió el ejemplar que llevaba en la diestra y dijo:

—Quiero conseguir uno exactamente como éste; ¿es posible?

El viejo sonrió mostrando unos dientes podridos y descuidados y tomó el libro, lo sopesó y luego procedió a abrirlo y estudiarlo con mucha atención.

—Sí, puede verse. Es algo antiguo pero creo que podrá hacerse; déjeme sus señas y en cuanto tenga noticias le mando aviso con mi aprendiz.

—¿Será caro?

—Depende de lo difícil que sea de encontrar, pero le diré que hace cosa de unos diez años le conseguí tres como éste a un tipo que vino muy interesado en ello. Por tanto, no es imposible.

—¿Cómo? ¿Recuerda cómo era ese hombre?

No podía creer lo que acababa de escuchar.

El viejo hizo memoria masajeándose las sienes.

—Era alto, delgado. Tenía un algo aristocrático.

—¿Era italiano?

—No, no, era de aquí. No recuerdo su cara. ¡Hace tanto tiempo! Pero no sé, creo recordar que por sus maneras me pareció persona de alta clase social.

—¿Era calvo?

—No, qué va, tenía pelo; moreno, creo.

—¿Guarda usted algún tipo de albarán o factura?

El viejo negó con la cabeza.

—No, éste es un negocio familiar y vendo pocos volúmenes, lo siento.

—Gracias de todos modos. Déjelo, no es menester que me busque el ejemplar. Con éste me basta.

El policía salió del comercio algo aturdido. Hacía diez años que alguien había buscado ejemplares del libro maldito. Hacía diez años. Justo cuando Milagros intentó matar a su marido. Aquélla era la prueba de que se hallaba frente a una trama planeada con paciencia y a muy largo plazo. Se las veía con uno o varios individuos de mente privilegiada. Debía andar con cuidado.

Víctor cenó temprano en casa de doña Patro y, tras engalanarse con el frac que le prestara don Alberto, tomó un coche de alquiler y partió hacia el Teatro Real. Una vez más se maravilló ante el incesante trasiego de los carruajes de la nobleza, que acudía siempre presta a este tipo de acontecimiento social. ¡Qué pena, qué derroche! El Teatro Real siempre le había fascinado, estratégicamente situado entre la plaza de Isabel II y la majestuosa plaza de Oriente, aquella clásica aunque moderna construcción ofrecía siempre los más selectos eventos de la vida social madrileña. Y él estaba allí, como uno más.

Tras bajar del coche de caballos, Víctor se cruzó a la entrada con don Gerardo. Éste le provocó esbozando una sonrisa irónica que ignoró mirando hacia otro lado con desdén. Decididamente, aquel individuo escondía algo y lo iba a averiguar.

Precedido por un acomodador al que dio una generosa propina, el policía llegó en un momento al palco de la condesa de Archiveles, donde comprobó con un suspiro de alivio que allí ya esperaban don Alberto Aldanza, dos señoras de edad y un espigado individuo que debía rondar los setenta y a quien todos llamaban «coronel». Al menos, aquello no era una emboscada amorosa.

La condesa insistió en que el joven se sentara junto a ella, justo delante de don Alberto. Era aquel un palco estratégicamente situado, desde el cual los invitados de doña Helena podían observar con detalle al todo Madrid que ya tomaba asiento en las butacas del patio o iba y venía a los palcos mientras cumplimentaba a las amistades y chismorreaba acerca de unos y de otros. El espectáculo parecía hasta cosa secundaria.

Don Alberto dio un golpecito en el hombro del detective, le tendió sus binoculares y señaló hacia don Gerardo, que ocupaba su palco junto a dos jovencitas casaderas acompañadas por sus madres.

—Ese hombre no descansa —susurró el conde del Rázes.

Doña Helena, que había observado que De La Calle era objeto de interés de sus invitados, dijo con desdén:

—Ese don Gerardo es un impresentable. Menudo sarpullido le ha salido al padre con un hijo de tamaña catadura. Sé de buena tinta que no gana para pagar los desmanes de ese cerdo barrigudo.

Doña Helena y don Alberto ayudaron al detective a identificar a don Arturo, el amante de la fallecida Agapita, que parecía feliz sentado en la platea junto a su esposa. Era un hombre de estatura mediana, de porte altivo y gallardo, barba, bigote y pelo negro. Parecía desenvolverse con soltura en aquel sofisticado ambiente.

Los últimos acordes y escalas de afinación de la orquesta indicaron al público que el comienzo de la obra era inminente. Se apagaron las luces y todo el mundo ocupó su localidad ante el soniquete de la campana indicadora de que los presentes debían tomar asiento cuanto antes. Víctor quedó impresionado por el espectáculo, pese a que la fama del barítono Graziani le precedía. El público se mostró algo reservado al principio, quizá expectante ante lo que el artista podía dar de sí, aunque al final del segundo acto hubo de volver a salir a escena entre una nutrida salva de aplausos. La señora Armendi, en el papel de Gilda, y el señor Gayarre, el tenor, también fueron objeto del reconocimiento de los asistentes. Las luces, el lujo, el cotilleo y la sensación de agradable displicencia con que aquellos aristócratas contemplaban la vida, comenzaban a tentar al joven liberal, quien, aunque en el fondo deseaba terminar con todo aquello, debía reconocer para sus adentros que anhelaba poder vivir como sus nuevos amigos, a lo grande.

Pero ¿qué hacía él allí? ¡Él era un liberal! Era lógico que se sintiera atraído por aquella forma de vida, pero como hombre racional y avanzado debía luchar por eliminar todos los privilegios de aquella clase alta que tenía sumida en la pobreza a la mayoría de los españoles.

Por otra parte, don Alberto le había abierto muchas puertas y lo trataba como a un hijo; de hecho, hubo un par de emocionantes momentos durante la representación en que el conde del Rázes le presionó el hombro con afecto, acariciando casi su cuello, con auténtico cariño, como se hace con un ser querido de veras. Víctor no sabía cuál era su sitio. Estaba confundido, perdido de nuevo.

Se hallaba Víctor sumido en estas complejas disquisiciones cuando llegó el entreacto y pudo charlar con el coronel, que curiosamente había servido en Filipinas como capitán de infantería de marina en una nave de la flota española, *La Aparecida*. Víctor le preguntó si había oído hablar de algo llamado El Rincón del Diablo.

—Claro, joven, es una pequeña bahía situada en la costa oeste de la isla de Luzón, cerca del cabo de Baler.

—¿Y sabe de alguna historia de piratas que pudiera haberse dado en la zona? —inquirió Víctor.

El otro negó con la cabeza.

—Me temo que no, joven, pero desde luego se trata de una zona abrupta y con mucha vegetación. Un lugar interesante para los trapicheos de contrabandistas y conspiradores.

—Vaya, es curioso —reflexionó el detective.

—Coronel, ¿nos acompaña? —dijo una de las damas.

Las dos señoras y el coronel se ausentaron para visitar el palco de unos amigos. Dos criados de doña Helena sirvieron un ligero refrigerio mientras llegaban algunos invitados más. Don Alberto salió del palco para saludar a un conocido y el joven policía pidió disculpas y se encaminó hacia la planta baja al ver que don Arturo abandonaba la platea en solitario.

Víctor abordó al diputado por Alicante en el momento en que éste encendía un cigarro en compañía de tres distinguidos señores.

—¿Don Arturo?

—¿Sí? —dijo el otro girándose.

—No nos han presentado, me llamo Víctor Ros Menéndez y soy subinspector de policía; aquí tiene mi tarjeta. Quería entrevistarme con usted un día de estos y la casualidad ha hecho que le encontrara aquí; ¿podríamos hablar un momento?

El diputado, algo turbado por la situación, miró con desprecio a Víctor, pero éste, reaccionando con rapidez, se le acercó y le musitó al oído:

—Es por lo de Agapita.

La cara de don Arturo se transfiguró.

—Es sólo un minuto —añadió Víctor sonriente, a la vez que miraba a los contertulios y aclaraba—: No teman, no voy a detenerle, aquí el señor diputado trabaja en un proyecto de modernización del Ministerio de Interior y tengo que consultarle unos datos técnicos.

Hecha esta falsa aclaración, todos sonrieron y el diputado acompañó de buen grado al policía a un rincón. Si algo había aprendido Víctor en su trato con la aristocracia era que el cuidado de las formas tenía vital importancia.

—Gracias por el comentario —dijo don Arturo—. Es lo menos que podía usted hacer al importunarme de esta manera. Sólo me faltaba que la gente pensara que tengo cuentas pendientes con la justicia.

—Tiene usted toda la razón, señor diputado, y le pido mil disculpas, pero es para mí imprescindible mantener una reunión con usted para hablar de Agapita.

—No sé de quién me habla —sentenció el prohombre.

—Sabe usted que la mataron, ¿no?

—Le repito que no sé de quién me habla.

Víctor lo miró con expresión de fastidio y añadió dándose la vuelta:

—No me tome por tonto, don Arturo, no me tome por tonto. Pero, en fin, sea como usted quiere; conste que he hecho todo lo posible por evitarle el escándalo.

—Espere —dijo el diputado alzando la mano—, espere. Algo podrá arreglarse; ¿qué tal mañana a las once?

—¿Dónde? ¿En su casa?

—¡No, por Dios, no! En algún café, como dos amigos.

—¿Le parece bien el Levante, junto a Sol?

—Allí estaré.

Víctor se despidió del político y se encaminó hacia el palco de la condesa de Archiveles. Al llegar comprobó que la dama estaba sola; sentada en el cómodo sillón del antepalco, degustaba con fruición uno de los mejores Burdeos de su bodega.

—Hombre, don Víctor. Pase, pase, me han dejado sola —invitó con ojos de gata en celo—. Siéntese; ¿quiere tomar algo?

—No, gracias —dijo él algo violento mientras tomaba asiento.

La dama se le acercó un poco más y añadió:

—Menos mal que ha advertido usted que estaba sola y ha venido a hacerme compañía. Es usted tan galante, y tan..., tan joven...

Aquella atractiva mujer se iba acercando y Víctor se sintió envuelto por su embriagador y carísimo perfume francés. Ella apoyó sus manos en el pecho del policía, se acercó muy despacio y lo besó en la mejilla. Víctor observó que sus enormes ojos pardos brillaban en la penumbra del antepalco. Pensó en Clara. Quería salir de allí, pero la experimentada dama comenzó a besarle en el cuello. Poco a poco, sin prisa. De pronto, posó la mano sobre el pantalón del policía y envolviendo su hombría con delicadeza comenzó a acariciarle. Antes de que Víctor pudiera farfullar una falsa protesta, la condesa acercó sus labios a los suyos y lo besó con pasión. Víctor se abandonó y comprobó con sorpresa que la dama le abría la bragueta e introducía la diestra bajo el pantalón. Pensó en Clara, pero la condesa olía tan bien...

—¿Qué es esto? —gritó una voz desde la puerta entreabierta.

Los amantes dieron un respingo en el sofá y se levantaron mientras recomponían su vestimenta.

Era don Alberto Aldanza.

—¡No puedo creerlo! —gritó fuera de sí—. ¡Me doy la vuelta un momento y te aprovechas para lanzarte sobre Víctor como una perra en celo!

Ella bufó y miró con ojos malignos al mentor del policía:

—¡Hago lo que me da la gana! ¡Víctor es un hombre hecho y derecho! ¡No es un jovencito de los de tu cuadra, no es de tu propiedad!

—¡No muerdas la mano que te da de comer, Helena! —gritó el conde del Rázes señalando a su amiga con el índice enhiesto, amenazante.

Ambos oponentes permanecieron mirándose con fiereza por unos instantes. Víctor estaba confundido. La situación resultaba muy violenta. Demasiado. Decidió salir de allí a la carrera. Las sienes le latían con fuerza.

—¡Espera, Víctor, espera! —escuchó a don Alberto Aldanza tras él.

Capítulo 20

Víctor salió algo aturdido del Teatro Real. Su mente no acertaba a calibrar lo ocurrido. ¿Qué había querido decir la condesa con lo de «un jovencito de los de tu cuadra»? ¿Abrigaría algún tipo de pretensión de tipo amoroso don Alberto con respecto a él? Mientras se colocaba a la espera del paso de algún coche de alquiler, pensó que el conde del Rázes le parecía un caballero demasiado atildado, pero nunca había pensado que sus inclinaciones amorosas se orientaran hacia los miembros de su propio sexo. De ser así, el «paternal interés» que su mentor sentía por él, bien podía ser otra cosa que, la verdad, no agradaba al joven policía. No compartía las maneras de sus compañeros de oficio que se ensañaban con los homosexuales cuando eran detenidos, de hecho, a él le daba lo mismo con quién durmiera cada cual, pero no se sentía inclinado de esa manera hacia don Alberto.

¿Qué había querido decir éste cuando amenazó a la condesa y le gritó «no muerdas la mano que te da de comer»? Quizá sus amigos no eran como él pensaba. Entretanto, una voz le hizo levantar la cabeza. Un caballero alto y elegante, vestido con frac, capa y chistera, tomó del brazo a una dama para ayudarla a subir al coche de alquiler. Exactamente dijo:

—Sube, querida.

Y lo dijo con un acento, con una entonación, que le resultó familiar.

¿A quién había oído hablar con ese mismo tonillo?

El siguiente coche era el suyo. Mientras el vehículo se acercaba recordó: ¡Psíquicus, el adivino!

Sí, eso era; aquel orondo timador tenía un acento que el subinspector no había logrado identificar, aunque de algo sí estaba seguro: no era italiano.

Cuando se disponía a subir al coche, Víctor mostró un puñado de reales al lacayo que le abría la portezuela y le preguntó:

—Perdone, ¿conoce al caballero que ha subido al coche anterior?

—Sí, cómo no —contestó el otro ante la perspectiva de un dinero fácil—. Es un diplomático, el señor Van Hook.

—¿Y sabe usted de dónde es?

—Pues claro —respondió el hombre tomando el dinero con una mano y cerrando la portezuela con la otra—. Holandés.

El coche partió raudo y la palabra quedó flotando en el aire. ¡Holandés! ¡Psíquicus no era italiano, sino holandés! ¿Por qué había mentido?

Decidió enviar un cablegrama a la policía de Barcelona. Necesitaba el historial de aquel tunante.

A la mañana siguiente, a las once, Víctor hizo una pausa en el trabajo para dirigirse al Levante. Atravesó la Puerta del Sol, concurridísima a aquella hora y fue hasta el café. Se sentía agitado ante aquella entrevista, se acercaba al asesino por momentos. Don Arturo le hizo esperar un poco, así que cuando llegó se disculpó achacando el retraso a su participación en una comisión del Congreso. El diputado por Alicante parecía nervioso, pese a lo cual pidió un café solo, como el joven policía.

—Lo sabía —dijo don Arturo Alcaraz Rico.

—¿El qué?

—Que esto iba a pasar. Cuando Agapita apareció muerta supe que esto me estallaría en las manos, era inevitable que su relación conmigo saliera a la luz. Por fortuna, la policía...

—No se esmeró demasiado —completó Víctor.

—Así fue, sí.

—Una joven de vida alegre, madre soltera y sin familia no interesa a nadie.

El diputado bajó la cabeza.

—Sé lo que piensa. Sí, actué como un cobarde, tenía un hijo que acabó en la inclusa y no hice nada por él; pero temía que mi mujer se enterase de todo y montara un escándalo.

—¿Era suyo?

—¿El crío? ¡No, hombre, no! —negó riendo—. Era fruto de su vida anterior.

—¿Disfruta usted pegando a las mujeres?

—¡Oiga, no le consiento...! —gruñó el diputado apretando los puños.

Los dos hombres se miraron a los ojos.

—Mire, inspector...

—Subinspector.

—Subinspector, en aquella época yo aún no tenía casa en Madrid. Me refiero a que cuando empecé mi relación con ella pasaba largas temporadas aquí, en la capital, sin mi mujer y, ya sabe, comencé a buscar alguna que otra expansión. Sobre todo en casas respetables. —Víctor, azorado, recordó sus frecuentes visitas al prostíbulo en que ejercía Lola—. Un día, mi cochero me recomendó un cambio, yo ya conocía a todas las chicas de los mejores burdeles, digamos que me aburría; en fin, que fuimos a Embajadores y recogí a una carrerista.

—Agapita.

—Agapita, sí. No se imagina usted cómo estaba. Me sentí sucio al ver que hay hombres que se aprovechan de jóvenes en ese estado. Ni que decir tiene que aquel día no pude hacer nada con ella.

—Pero luego sí.

—Luego sí, en efecto. Yo la quería.

—Siga, por favor.

—Aquella noche la invité a cenar. Supe que tenía un hijo pequeño, en fin, me apiadé de ella. Era una joven encantadora, muy buena, es una injusticia que terminara así.

—Eso no va a quedar impune, no se preocupe. ¿Y no será que al poner usted casa en Madrid tuvo que deshacerse de ella?

—¡No diga eso ni en broma!

—Pero usted traería a su señora a Madrid.

—Sí, pero nunca pensé en dejar a Agapita. Además...

—¿Sí?

—Cuando la mataron, esperaba un hijo mío —concluyó el diputado con un intenso brillo en los ojos; parecía que fuera a echarse a llorar.

—Vaya, eso no constaba en el informe policial. Lo siento.

—No importa.

—Y el hijo de Agapita...

—Diga.

—¿Sabe usted de quién era?

—Claro. Me lo contaba todo. Era un ángel. La vida no se había portado muy bien con ella, que digamos. Vino a Madrid a servir y, por cierto, recomendada a una muy buena casa. O eso creía ella.

—¿Qué casa?

—Eso no importa. Lo que cuenta es lo que allí le ocurrió.

—¿Y qué le pasó?

—Pues lo de siempre. El señor de la casa tenía un hijo y ya sabe usted que los primeros escarceos amorosos de los varones de mi clase se dan, indefectiblemente, con las criadas. Ellas no se atreven a protestar y consienten, no sea que las despidan. En fin, digamos que, como a tantas otras, el señorito se le metió en la cama. No sé si la enamoriscó o si ella se dejó engañar con la absurda idea de cazar un buen partido, pero el caso es que cuando se supo que estaba preñada la echaron a la calle. El joven en cuestión fue enviado unos meses a Biarritz. Ni que decir tiene que la pobre se vio sola y en una ciudad hostil, ¿qué iba a hacer?

—¿Y en qué casa servía Agapita?

—Eso no se lo puedo decir.

—Ya, prefiere usted cargar con la cruz de ser el único sospechoso.

—¿Tanto jaleo por una chica asesinada hace dos años? Me sorprende la nueva eficacia de nuestra policía.

—No sea irónico. No se lo he dicho, pero buscamos a un tipo que ha matado a más de veinte mujeres, la mayoría prostitutas, y usted es el comienzo de mi hilo. Por cierto, ¿no será usted zurdo, por un casual? El asesino lo es, y sería mucha casualidad que...

El diputado quedó mudo.

—Insisto, pues, ¿quiere seguir siendo el único sospechoso?

—No, no —dijo don Arturo sacando un pañuelo de la levita y secándose el sudor que caía a raudales por su frente.

—¿Me dirá en qué casa servía Agapita?

—Sí, claro. En casa muy principal, la de don Bernabé de La Calle.

Víctor quedó boquiabierto. Tras la sorpresa inicial, dijo:

—O sea, que el hijo del señor, el que preñó a la joven, fue...

—Don Gerardo de La Calle —sentenció el diputado.

—¡Madre mía! —exclamó el policía mientras alzaba el brazo para pedir la cuenta.

Víctor pasó la tarde sentado en la butaca de su cuarto de la pensión tomando notas y reflexionando acerca de los últimos acontecimientos. ¡Don Gerardo de La Calle era el misterioso rufián que había provocado la expulsión de Agapita, condenándola a una vida de miseria y prostitución! Cuántas casualidades...

Y Víctor no creía en absoluto en ellas.

Se sentía animado. Estaba cerca, cada vez más.

La primera joven asesinada por el maldito homicida quedó embarazada de don Gerardo de La Calle. Había servido en casa del padre de éste. Era un hecho probado.

Por otra parte, la única víctima decente del asesino de prostitutas había resultado ser alguien que pertenecía al círculo de amistades del engreído don Gerardo. Y no sólo eso. María de los Ángeles de Pelayo –al igual que Agapita– había sido enamoriscada, preñada, utilizada y abandonada por aquel malcriado y licencioso individuo. Al igual que Agapita, la pobre María de los Ángeles vio su vida arruinada por don Gerardo. Y las dos habían sido víctimas del cruel asesino.

Don Gerardo era zurdo, como el autor de los crímenes. Todo el mundo decía que era un joven aburrido de los placeres de la vida, un señorito malcriado, sádico y cruel, que vivía a expensas del dinero de su padre. Aquel era su hombre, sin duda. Tenía que hablar con Lola «la Valenciana».

Aquella misma tarde, a última hora, Víctor se pasó por casa de las Alvear. Después de charlar un rato con madre e hija, pudo gozar a solas de la compañía de su amada, pues doña Ana Escurza se ausentó para atender unos asuntos domésticos. Habló con ella de sus últimos avances en el caso de las prostitutas muertas. Se sintió aliviado al contarle las últimas informaciones obtenidas sobre don Gerardo de La Calle y respiró tranquilo al comprobar que su amada quedaba avisada sobre el carácter y modo de actuar de aquel canallesco aristócrata. Clara no podía creer que un joven de tan buena familia y que mostraba tan buenos modales fuera capaz de comportarse de aquella manera con dos mujeres indefensas e ingenuas a las que había arruinado la vida.

—Clara, tu consejo ha resultado acertadísimo. Creo que la clave era estudiar con más detalle lo sucedido con la primera víctima.

—La suerte del principiante —comentó la joven riendo—. ¿Y qué vas a hacer ahora?

—Tampoco tengo la certeza de que sea él. Creo que primero voy a provocarlo un poco, ya sabes, para ver cómo reacciona. Luego, quizá intente tenderle una trampa. No me parece un tipo demasiado avispado.

—¿Y cómo le tenderás esa trampa?

—Creo tener a la persona adecuada.

—¿Quién?

—Una joven prostituta.

Ella, con un atisbo de celos asomando a sus ojos, preguntó:

—¿Y de qué la conoces, si puede saberse?

—Es mi profesión, tengo que relacionarme con ese tipo de gente —mintió sintiéndose culpable.

—¿Y qué has averiguado sobre el libro? —preguntó de nuevo la joven, cambiando de tema y de caso.

—Estuve en una librería especializada en localizar los ejemplares más extraños y difíciles de encontrar. Y adivina.

—¿Qué?

—Hace diez años alguien encargó tres ejemplares exactamente iguales al de la biblioteca de la casa maldita.

—¿Y quién fue?

—El dueño no lo recuerda, un tipo alto, no sabe más; pero eso demuestra a las claras que este caso viene de lejos. Recuerda que hace ahora diez años que Milagros, la anterior propietaria de la casa, intentó matar a su marido.

—¿Casualidad? —dijo Clara sonriendo.

—Demasiada casualidad me parece.

—¿Qué piensas?

—Creo que alguien, por algún motivo y conociendo lo acontecido hace cincuenta años con la filipina, decidió preparar un golpe maestro: la continuación de la leyenda que había surgido tras la muerte de don Diego Vicente Reinosa. No sé muy bien cómo, ese alguien es capaz de sustituir el libro a su antojo de la biblioteca.

—¿Algún pasadizo?

—No, me consta que no —aseguró él sonriendo como quien oculta algo—. Pero considero que se encargó muy mucho de que el libro pareciera el culpable del extraño comportamiento de Milagros y de Aurora.

—¿Y no fue así?

—Hombre, no me atrevo a descartarlo de buenas a primeras, pero me inclino más por algún tipo de droga que altere la conciencia de la víctima. Es evidente que Milagros ha sufrido el mismo proceso que tu hermana, de eso no hay duda.

—¿Y cómo iban a drogarlas a las dos?

—No sé, no tengo ni idea. Por otra parte, te diré que llegué a pensar que ese fragmento del libro fuera algún tipo de conjuro. No me malinterpretes, no me refiero a un conjuro en el sentido mágico, sino una serie de palabras, un sortilegio capaz de hacer entrar en trance a alguien y dominar su voluntad.

—Pero mi madre lo leyó en su dormitorio y no intentó matar a mi padre.

—Eso es.

—Quizá sólo haga efecto en la habitación en que murió el Indiano. No perdemos nada por probar —reflexionó ella.

—¿Por probar qué? Me parece una tontería; además, necesitaríamos a alguna chica que se prestara a ello y tuviera un marido o un novio a quien situar en la misma habitación.

—¡Nuria!

—¿La criada de casa de tu hermana? ¡Estás loca, Clara! Me niego.

—¿Y si ella estuviera de acuerdo? No perdemos nada con intentarlo; además, tú y tus hombres estaríais allí, no correría peligro.

—No sé, supongo que tienes razón, no perdemos nada, pero no me parece buena idea.

Los ojos de la chica brillaban por primera vez en muchos días. Parecía ilusionada con la posibilidad de ayudar a su hermana.

—Por favor... —rogó ella.

—En fin, que sea lo que Dios quiera —aceptó Víctor dándose por vencido—. Habla con ella, a ver qué se puede hacer.

El subinspector salió de casa de las Alvear a eso de las ocho. Dio un paseo para hacer tiempo y cuando oyó dar las nueve se dirigió a casa de don Bernabé de La Calle, el padre de don Gerardo. Sabía que aquella era una hora intempestiva, por lo que la eligió a propósito, para causar la máxima molestia posible. Un simple vistazo al exterior de la morada de la familia era suficiente para deducir que allí vivía gente adinerada. La inmensa casona estaba situada en la calle de Villanueva, cerca de Recoletos, era de estilo neoclásico con una imponente fachada jalonada por columnas de estilo dórico y adornada con unas inmensas vidrieras que dotaban al inmueble de una excelente iluminación. El jardín, aunque exiguo, estaba bien cuidado, con un magnífico seto de cipreses que el jardinero había mimado con esmero salpicándolo con figuras vegetales aquí y allá que recordaban al mismísimo Versalles.

Tras tirar del llamador, Víctor fue recibido por una criada de aspecto simplón que se sobresaltó un tanto al ver la placa del agente. De inmediato hizo llegar la tarjeta del subinspector a su señor. Don Bernabé, interrumpiendo la cena íntima con su esposa, apareció sin tardanza en el vestíbulo. Parecía alarmado.

—Perdone si interrumpo su cena, pero me temo que el asunto es urgente —dijo el policía, y mostró su placa con aire intimidatorio.

Don Bernabé era un hombre de mediana estatura, pelo cano, incipiente calvicie y enormes bigotes blancos que se había enriquecido con el negocio del azúcar de Cuba.

—Se trata de mi hijo, ¿verdad?

—En efecto. Necesito hablar con usted.

—No hay problema. ¿Qué ha hecho?; ¿alguna bronca?; ¿está bien?

—Me temo que es algo más grave —dijo muy circunspecto el subinspector.

—Está bien, pase, pase a mi despacho.

—Creo que sería necesaria la presencia de su esposa.

—¿Cómo?

—Sí, tengo que hablar con ustedes de asuntos domésticos.

Don Bernabé mostró sorpresa. Víctor leyó en su rostro que no sabía cómo reaccionar.

—Engracia —requirió el señor a la criada—, acompañe al señor a mi despacho; la señora y yo iremos en un momento. Y sírvale lo que quiera.

La doméstica condujo al detective al amplio despacho de la casa. Víctor se quedó de pie, paseando nerviosamente sobre la mullida alfombra.

Poco después entró el anfitrión acompañado de una dama canosa y entrada en carnes, como su hijo.

—Aquí mi señora, Irene. Tome asiento, don...

—Don Víctor.

—Sabrá que ésta no es una hora muy adecuada... —comenzó diciendo don Bernabé.

—Lo sé y les pido disculpas, pero hoy mismo he realizado unas averiguaciones que me han hecho imprescindible venir —mintió.

—Diga, diga.

—Se trata de una serie de asesinatos que estamos investigando.

—Sí, lo sé —dijo el aristócrata con entonación de fastidio—, el asunto de María de los Ángeles. Me enteré. Era como una hija para nosotros.

—Sí, pero hay algo más.

—¿Y bien? —intervino la señora de la casa.

—Miren, es verdad que María de los Ángeles de Pelayo murió asesinada por el hombre al que buscamos que, por cierto, es zurdo —añadió, y la frase hizo aparecer un extraño rictus en el rostro de doña Irene—. Y lo cierto es que don Gerardo no se portó demasiado bien con la hija de su amigo, don Cosme de Pelayo.

—Nunca aprobé la conducta de mi hijo en aquel asunto, pero eso no le hace culpable de asesinato —bufó don Bernabé.

—Ya, ya, claro, pero el caso es que hay más.

—¿Sí?

— Tenemos informaciones que apuntan a que su hijo dejó embarazada a una criada suya, Agapita. Esa chica fue expulsada de esta casa y terminó prostituyéndose. Pero eso no es todo; fue asesinada también. Por el mismo hombre.

Doña Irene se persignó. Se quedó blanca. Don Bernabé, lejos de estallar de ira como esperaba Víctor, tomó aire, con calma, y empezó a hablar pausadamente a la vez que miraba al policía con ojos inteligentes y penetrantes.

—Mire, joven, reconozco que no sabía que Agapita había sido asesinada por el mismo hombre que nuestra querida María de los Ángeles y es un dato que tendré que valorar con más calma, pero ¿qué quiere que haga yo ahora? ¿Qué tenemos que ver con ello aquí, mi santa esposa, y un servidor? Investigue usted, hombre de Dios, que para eso le pagan, y venga luego con sus conclusiones. ¿Qué pretendía molestándonos así, que montáramos un numerito? No le ocultaré que mi hijo no ha resultado ser precisamente un miembro honorable de nuestra sociedad, pero no le creo capaz de algo así, de manera que si insinúa que ha tenido algo que ver con esas muertes, tiene dos posibilidades ante usted. Le diré la primera: lo demuestra y todo el peso de la ley cae sobre Gerardo. Y también le avanzo la segunda: no lo demuestra. Tendría usted problemas por haber sembrado la duda sobre familia tan influyente. Y no me malinterprete, no le estoy amenazando, al contrario, le muestro en panorámica las posibilidades que se abren ante usted, y es usted, y solamente usted, quien debe resolver cómo actuar. De cualquier manera, ninguna de esas dos posibilidades pasa por venir a interrumpir la cena de dos ancianos decentes e importunarles acerca del comportamiento de su único hijo que, dicho sea de paso, les está costando la salud. Así que ahora le ruego que abandone esta mi casa, y que en lo sucesivo haga lo que ha de hacer: su trabajo. Vamos, querida. Engracia le acompañará a la salida.

Dicho esto, don Bernabé y su esposa salieron del despacho dejando a Víctor boquiabierto, perplejo y con la sensación de haber hecho el más espantoso de los ridículos. Acudió a aquella casa con el propósito de presionar a su máximo sospechoso y sólo había conseguido quedar como un imbécil. A veces pensaba que aún tenía mucho que aprender. Decidió tomar un coche de alquiler para darse prisa, pues tenía localidad para el Teatro de la Zarzuela. Esta noche daban *Tocar el violón*, *La voz pública* y *Para una modista, un sastre*. Necesitaba relajarse.

CAPÍTULO 21

Víctor miraba embelesado por la ventana de su despacho. El ir y venir de carruajes y transeúntes por la calle Carretas lo mantenía sumido en una especie de relajante sopor, al menos de cara a don Alfredo, pues la inquieta mente del joven y ambicioso subinspector no dejaba de cavilar e iba una y otra vez de un caso a otro.

¿Qué tenía que ver lo ocurrido con el Indiano con los sucesos acaecidos con Aurora y don Donato? ¿Qué era aquello de El Rincón del Diablo? Allí había una historia de piratas, al menos de contrabandistas, y eso le hacía intuir que existía dinero detrás, o un tesoro, tal vez. Parecía haber una conspiración en torno a los recién casados, aunque todo el mundo prefirió creer que aquel asunto había sido obra de don Augusto Alvear. ¿Quién o quiénes estaban detrás de aquel turbio asunto? ¿Quién había ido a comprar, hacía diez años, tres ejemplares de *La Divina Comedia* idénticos al maldito de la casa de la calle San Nicolás? Parecía como si alguien hubiera decidido proveerse de una buena reserva de volúmenes exactamente iguales al maldito libro. ¿Para qué? Para nada bueno, eso seguro.

El otro caso parecía asunto resuelto. Todo apuntaba a aquel imbécil de don Gerardo, un inútil que se había dedicado a cometer tropelías durante toda su vida, sin que éstas le reportaran el merecido castigo. Lógicamente, el nivel de sus fechorías había ido en aumento hasta llegar a donde ni siquiera su padre podría salvarle: el asesinato múltiple. Sintió lástima por los padres de Gerardo de La

Calle; aunque don Bernabé le había hecho sentirse como un auténtico y rematado imbécil la noche anterior.

Aquel hombre rezumaba clase, buenas maneras y, sobre todo, inteligencia, mucha inteligencia. Era un caballero. Captó el propósito del policía, leyó sus intenciones y, por último, lo había colocado en su sitio sin una sola voz, sin una mala palabra. Lo amenazó veladamente, cierto, pero sólo le dijo algo que el subinspector ya sabía: es peligroso molestar a las familias influyentes.

Y quizás él estaba molestando a demasiadas.

Eran las doce de la mañana cuando el mozo de los recados sacó de sus ensoñaciones a Víctor. Una nota de Clara le informaba de que aquella misma noche realizarían una prueba con el libro maldito gracias a la colaboración de la criada de su hermana, Nuria, y su novio, un carbonero de Lugo. A Víctor no le gustaba la idea, pues pensaba que no iban a sacar nada en claro de aquel experimento, pero, a pesar de ello, no ignoraba que debía aprovechar cualquier oportunidad de ver a su amada. No tenía la certeza de que la joven lo amara, pues, aunque parecía mirarlo con buenos ojos, tampoco él se había atrevido a declararse oficialmente.

¿No correría la misma suerte que don Fernando Hernández, el músico? Desechó el pensamiento al instante; él no era un artista apocado y pusilánime, iba a conseguir lo que quería. Estaba seguro.

O al menos no iba a rendirse a las primeras de cambio.

Envió a su vez otra nota a la joven contestándole que asistiría a la prueba y, tras terminar con unos papeleos que tenía pendientes, volvió a casa de doña Patro a paso vivo. Comió y durmió luego una larga y reparadora siesta. Despertó más tarde de las seis y se dedicó a leer un poco para distraer la mente de los dos casos que estaba intentando resolver. La prensa venía densa. Los periódicos liberales y los conservadores polemizaban por el hecho de que el ministro de Hacienda, señor Orovio, hubiera abandonado el último Consejo de Ministros antes de que éste concluyera. Según unos, era un indicio de que había disensiones en el ejecutivo y se anunciaba una crisis de Gobierno. Según los otros, los miembros del ejecutivo habían mostrado su apoyo unánime a las inminentes reformas del señor ministro de Hacienda. Así era el país. Hasta el más mínimo detalle se interpretaba en clave política. Al menos en aquellos momentos. Por su parte, *El Parlamento* denunciaba la injusta detención de uno de sus redactores, quien, tras presenciar una riña en plena calle San Agustín, había acudido a la inspección de orden público más cercana a reclamar a los agentes de la autoridad su intervención para evitar una desgracia. Ante la negativa del agente a personarse en el lugar de los hechos, el periodista lo amenazó con denunciar públicamente en su periódico aquel comportamiento, por lo que el plumilla fue detenido al instante. El pobre periodista había pasado toda la noche en el calabozo entre maleantes. Víctor se indignó. Le molestaba que el poder establecido atacara a la prensa libre, quizá la única institución de aquel atrasado país que se hallaba en condiciones de denunciar el sistema caciquil que todo lo dominaba. Por supuesto, había unos cuantos periódicos que molestaban a los poderosos y por eso intentaban silenciarlos. España no cambiaba.

Cenó frugalmente a las nueve y partió hacia la casa maldita cuando los relojes daban las diez. Allí se encontró con su adorada Clara, que había pedido permiso a su madre para llevar a cabo aquel experimento, encaminado a averiguar qué mal afligía a su hermana. La joven parecía ilusionada. Don Alfredo, que había sido avisado por Víctor, ya se hallaba presente en la casa, junto con Nuria y su novio, además de Gregorio, el mayordomo de suaves y estudiadas maneras.

El novio de la joven criada, el carbonero, se llamaba Antón y parecía no haber salido en su vida de su pazo natal, allá en la lejana Galicia. Además, daba continuamente la sensación de no entender muy bien lo que se le decía, por lo que Víctor dudó de que el pobre fuera consciente del asunto en que su novia y la señora de ésta lo habían metido. Esperaron a que dieran las doce en la cocina bebiendo aguardiente y café. Todos se sentaron en la inmensa mesa de roble. Sólo faltaba Eugenio, el caballerizo, que se había ausentado unos días para visitar a su anciana madre en Benasque. La iluminación de la estancia era más bien pobre, por lo que las caras de los contertulios aparecían cadavéricas y alargadas a los ojos de los allí reunidos. La conversación fue escasa, y se creó un extraño ambiente entre los presentes, que sentían como si algo irreparable fuera a ocurrir aquella noche. La casa del Indiano parecía ejercer una turbia influencia sobre todo el que ponía los pies en ella.

Excepto Antón, claro, que con la vista perdida, la boca abierta y expresión bobalicona miraba el fuego como hipnotizado, embebido en extrañas cavilaciones. Lo enviaron a dormir a la cama de matrimonio del Indiano y el pobre dio las gracias una y otra vez a sus anfitriones por dejarlo descansar en tan cómodo y elegante lecho. A las dos de la madrugada, Clara, que hacía las veces de dueña de la casa, ordenó que todos se situaran en sus puestos. Nuria y Gregorio comprobaron que el infeliz dormía profundamente y la amada de Víctor ordenó que se procediera según lo dispuesto. Dejaron solos a los dos novios en el cuarto maldito con la esperanza de que el experimento diera algún resultado. Previamente se aseguraron de que no hubiera objeto punzante alguno en la habitación, con la intención de que Nuria, al igual que sus predecesoras, hubiera de bajar a la cocina a buscar un enorme cuchillo. Don Alfredo, Víctor, Clara y Gregorio aguardaron en el vestíbulo por el que se accedía al cuarto, tras la puerta cerrada del dormitorio, intentando escuchar lo que ocurría dentro.

—¿Y si lo asfixia con la almohada? —dijo algo angustiado don Alfredo.

Tétricamente iluminado por una vela, Víctor sonrió diciendo:

—Tranquilos, no va a pasar nada.

Escucharon cómo la joven criada leía en voz alta el párrafo maldito. Le costó un buen rato hacerlo, pues era poco menos que analfabeta. Volvió a hacerlo una y otra vez, según le habían indicado.

—Menuda lectora ha escogido usted, señorita —reprochó Gregorio a Clara, quien lo miró con cara de pocos amigos y replicó:

—La que había, Gregorio, la que había.

Pasó una hora y no escucharon sonido alguno que pudiera alarmarles. Oyeron dar las cuatro y el mayordomo y Clara se durmieron sentados en el suelo. Don Alfredo y Víctor aguardaban agazapados, revólver en mano, a que algo ocurriera, pero, al fin, vencidos por el sueño y el aburrimiento, acordaron entre susurros despertar a sus dos colaboradores y hacer algo.

—Esto es muy raro, no se ha oído nada. Vamos a entrar —decidió el inspector Alfredo Blázquez.

El propio Blázquez encabezó la comitiva como agente más veterano. Eran las cinco y media, aproximadamente. La hora en que Aurora atentara contra su esposo por primera vez.

Al entrar comprobaron que el dormitorio, entre penumbras, era más tétrico y horripilante aún que a la luz del día.

—¡Dios mío! —gritó Clara señalando al pobre Eugenio, que yacía sobre el lecho en postura antinatural, con la cabeza torcida mientras un reguero de líquido caía por la comisura de sus entreabiertos labios. Parecía inerte.

—¡Está muerto! ¡Está muerto! —gritó alguien.

Sobre la mesa camilla en que había leído el párrafo maldito una y otra vez descansaba la cabeza de Nuria que, entretanto, no cesaba de murmurar incoherencias.

—¡No, no, no es posible! ¡No es posible! —comenzó a gritar el mayordomo totalmente fuera de sí—. ¡Dios nos ha castigado! ¡La maldición se ha hecho realidad! ¡La maldición vendrá ahora por nosotros, vendrá...! —y se lanzó escaleras abajo desquiciado.

Entonces Víctor chistó enérgicamente a sus dos compañeros y dijo:

—¡Silencio! ¡Escuchad!

Un siniestro soniquete, una especie de espeluznante y grave gruñido, sonaba en el aire cada vez que Nuria cesaba de murmurar frases incomprensibles. Era un sonido horrible, demoníaco.

—¿Qué es ese ruido del infierno? —murmuró don Alfredo con aprensión a la vez que tiraba del percutor de su arma.

—Encienda la luz y se lo diré —contestó Víctor, quien aguardó a que su amada encendiera una de las lámparas de gas de la pared—. Señorita Clara, don Alfredo, ahí tienen la respuesta a su pregunta. Ese rugido de ultratumba es... ¡el ronquido de un carbonero de Lugo!

Los tres miraron a Eugenio, que dormía a pierna suelta en aquella cama roncando como una bestia mientras un hilillo de baba resbalaba por su barbilla.

—Pero ¿y Nuria?

Víctor se aproximó a la sirvienta dormida e hizo que sus acompañantes se acercaran a ella:

—No, Eugenio, no, que nos pueden ver; cuando estemos casados... —murmuraba la joven entre sueños.

—¡Nuria! —gritó el detective zarandeando a la joven, que despertó bruscamente.

Después de mirar a los presentes con sorpresa, la criada dijo mirando el libro abierto ante ella:

—Me he debido de quedar dormida, y no me extraña. Con este bodrio que me han hecho leer...

Los tres estallaron en una sonora carcajada.

—¡Vaya par! —exclamó Víctor—. Alfredo, haga el favor de localizar a ese valiente mayordomo mientras yo despierto al bueno de Antón.

—¡Cuánto lo siento, Víctor! El experimento ha sido un fracaso, tal como tú decías —reconoció Clara desanimada mientras Blázquez salía del cuarto.

El joven policía sonrió misteriosamente y contestó:

—No, Clara, no. El equivocado era yo. Esta pequeña aventura ha resultado muchísimo más útil y esclarecedora de lo que pensaba en un principio. Y debo reconocer que todo ha sido, una vez más, gracias a ti. Hoy nos encontramos un poco más cerca de salvar a tu hermana, y a ti te lo debemos. No desesperes y ten confianza en mí. Todo se andará. Mi red comienza a rodear a los canallas que han concebido este maléfico plan. Que se preparen para soportar el terrible peso de la ley sobre sus malignas cabezas.

A la mañana siguiente, justo cuando don Alfredo y Víctor regresaban de tomar sendos cafés con leche en el Levante, se encontraron con una inesperada visita en su despacho. Don Gerardo de La Calle esperaba a Víctor sentado en la incómoda silla que éste tenía dispuesta frente a su mesa para los invitados, generalmente delincuentes.

—¡Hombre! —dijo don Gerardo con una falsa sonrisa en los labios.

—Vaya, una inesperada y pestilente visita —contestó Víctor mientras colgaba su sombrero y su bastón de la percha.

El orondo aristócrata se puso en pie y se encaró directamente con el joven subinspector.

—¡Es usted un cobarde, yendo de esa manera a mi casa a molestar a mis padres!

—No diga cosas que luego no podrá mantener. Está usted muy cerca del garrote, amigo. Ándese con cuidado.

—¡Es usted un miserable! —gritó furibundo De La Calle—. ¡Usted no va a probar nada!

—Eso lo veremos —repuso Víctor sin inmutarse.

En ese momento, don Gerardo alzó la mano para golpear al policía, pero éste, más ágil y rápido, paró el golpe con la mano izquierda, dirigió la derecha al cuello de su rival y comenzó a presionar con fuerza su nuez con el índice y el pulgar.

—¡Mire lo que le voy a decir, escoria! Tiene un minuto para abandonar este edificio; si transcurrido ese tiempo lo veo aquí dentro, le detendré por intento de agresión a un funcionario público. ¿Entendido?

Don Gerardo no podía hablar; empezaba a sentir asfixia y su rostro estaba adquiriendo un preocupante tono purpúreo.

—¿Entendido? —repitió el policía.

El otro asintió, por lo que Víctor soltó su presa, se hizo a un lado y lo dejó caer fuera del despacho a la vez que le propinaba un puntapié en el trasero para ayudarle a abandonar la estancia. Pareció disfrutar haciendo aquello.

Don Alfredo cerró la puerta sonriente y dijo:

—Bien hecho, amigo.

Víctor, sonriente también, comentó:

—Bueno, al menos he conseguido ponerlo nervioso.

—Sí, parece que su visita a los De La Calle le ha molestado sobremanera.

—Eso me compensa, porque sus padres me parecieron un auténtico caballero y una verdadera dama. Me hicieron sentir mal, la verdad, aunque ahora veo que este tipejo se siente acosado y ésa es la mejor situación para que cometa un error.

—¿Qué va usted a hacer ahora?

—Tenderle una trampa; seguro que pica el anzuelo.

Cuando salía de su despacho en Sol y encaminaba sus pasos hacia la pensión de doña Patro, Víctor oyó que alguien lo llamaba por su nombre. Al volverse, comprobó que don Alberto Aldanza le hacía señas desde su lujoso coche.

—Ven, hijo, te llevo a casa —dijo el conde del Rázes.

El joven policía no quiso rechazar la invitación y subió al carruaje.

—Últimamente eres muy caro de ver —manifestó el noble.

—He estado muy ocupado con los dos casos —contestó el detective.

—¿Cómo? ¿Aún sigues con esa tontería de la casa de la calle San Nicolás?

—Sí; todos piensan que era asunto de don Augusto, pero yo no opino igual, y creo que estoy más cerca que nunca de la solución.

—¿Y el otro asunto, el de las prostitutas?

—Eso es asunto resuelto.

—¿Tienes un culpable?

—En efecto, creo que así es.

—¡Vaya, vaya! Eso hay que celebrarlo. Te invito a comer y me cuentas.

—No, don Alberto, estoy muy ocupado.

—Ya... Es por esa tontería que ocurrió en el palco, ¿no?

—No me agradó aquel incidente, la verdad.

—No fue lo que parecía; en realidad, te hice un favor. A pesar de ello, quiero pedirte disculpas por aquella escena. Pero te diré una cosa: tú no conoces a Helena, se lo he visto hacer cientos de veces, se encapricha con facilidad, engatusa a un joven y luego se olvida de él. Más de uno se ha arruinado y alguno que otro ha llegado incluso a suicidarse. Es una arpía, ahora todo son lisonjas y luego habrías sentido su desprecio. Además, no te hubiera interesado que todo Madrid supiese lo ocurrido en el palco, a ella le gusta contarlo, ¿sabes? Hubieras estropeado lo tuyo con la hija de los Alvear.

—Quizá eso debía haberlo decidido yo, ¿no?

—Ya. Estás enfadado. No será por esa tontería que dijo Helena.

—¿Qué, lo de «los jóvenes de su cuadra»? —recordó Víctor con retintín—. A mí me importa un comino lo que cada cual haga en su dormitorio.

—¡Por Dios, Víctor! Sabes que te he tratado como a un hijo.

—Nunca lo he negado.

—La invitación a comer sigue en pie.

—No tengo tiempo, don Alberto. Lo siento, de veras —dijo en tono cortante; era evidente que el joven estaba indignado con su mentor.

273

—Tenía interés en hablar contigo porque voy a estar fuera de Madrid unos días, tengo unos asuntos pendientes en Segovia, pero el caso es que me intriga saber quién es ese despreciable asesino. ¿Me avisarás cuando lo hayas capturado?

—Claro, tengo motivos más que sobrados para pensar que es Gerardo de La Calle.

—No me sorprende —admitió el conde sacando un poco de rapé para aspirar—. ¿Y cómo vas a capturarlo?

—Por eso estoy tan ocupado. Esta noche voy a hablar con una amiga prostituta para tenderle una trampa.

—La Valenciana.

—La misma. Quiero que me ayude a capturar a ese desgraciado.

El coche llegó a la puerta de la pensión de Víctor.

—Ten cuidado, hijo —añadió don Alberto—. Tienes que andar con mucho tiento, este asunto es complejo.

—Descuide, don Alberto. Actuaré con prudencia.

Efectivamente, aquella misma noche, Víctor se personó en el burdel de la Ronda de Embajadores en que ejercía Lola «la Valenciana». Rosa, la dueña que daba nombre a aquel prostíbulo, lo recibió con muchos parabienes.

—¡Vaya, don Víctor, dichosos los ojos!

—Buenas noches, Rosa.

—Ya no viene usted mucho por aquí, no —comentó la meretriz mientras tomaba el sombrero y el bastón del policía.

—He estado muy ocupado. Venía a ver a Lola. ¿Está ocupada?

—Voy a ver un momento, usted espere aquí y, si desea tomar algo, pídalo sin dudarlo, ¿eh? —contestó Rosa alejándose por el pasillo.

Víctor saludó con la cabeza a dos caballeros que, como él, esperaban sentados en la lujosa antesala de aquel prostíbulo. Al poco apareció la propia Lola y le hizo una seña.

La siguió sin decir palabra. Entraron en el cuarto que ocupaba la chica, una estancia excesivamente recargada en la que Rosa se había excedido en el uso del terciopelo y el raso de color rosado.

—Bueno —dijo ella cortante—. Al fin tienes una necesidad. Me temía que te hubieras metido a monje.

—He estado ocupado.

—Pues debes de haberlo estado mucho, porque has pasado de ser un cliente demasiado asiduo a algo así como un ermitaño —repuso la joven, acercándose a él y aflojándole el nudo de la corbata.

—No, Lola, no. Sólo he venido a hablar contigo.

—¿A hablar? ¿Qué te pasa? ¿Te has vuelto «raro» a la vejez?

—Es sobre las jóvenes asesinadas; creo que tengo al hombre que lo hizo.

—¡Hombre, al menos tienes palabra!

—Sí, seguí con el caso hasta el final.

—¿Habéis detenido a ese cerdo?

—No, no es tan fácil. Por eso venía a verte.

—Por eso. Ya —murmuró la joven, quien parecía sentirse rechazada.

—Sí, es un joven de familia influyente, un tal don Gerardo de La Calle.

—¡Vaya, hombre!

—¿Lo conoces?

—Sólo de vista. Hace dos años, Rosa lo echó de esta casa por atizarle a una chica. Creo que le gustan las cosas raras.

—Sí, por ahí van los tiros, creo yo. Quiero tenderle una trampa.

—¿Y por qué no lo detenéis sin más? Me consta que hay compañeros tuyos que lo harían confesar, los muy cabestros.

—No se puede actuar así, es una persona importante. Necesito pruebas, y he pensado que podrías ayudarme a echarle el guante.

—¡No puedo creerlo! No apareces por aquí en semanas y ahora te presentas como si nada hubiera pasado para que haga de cebo —se quejó la chica propinando un severo bofetón al policía. Estaba indignada. Víctor se sintió violento. Muy serio, se tocó la zona dolorida. Era evidente que la joven se sentía dolida por su ausencia.

—Creía que nuestra relación era sólo algo estrictamente comercial —contestó.

Lola le dio otra bofetada y se lanzó sobre él con intención de arañarle la cara. El policía reaccionó ágilmente y sujetó a la chica por las muñecas a la vez que sus rostros quedaban muy cerca el uno del otro. Víctor aspiró su perfume y rememoró momentos inolvidables vividos con ella en aquel mismo cuarto.

—Lola, lo siento. No quería haber dicho eso. Sabes que no lo pienso. En absoluto.

Se sintió como un idiota. ¿Por qué había dicho una tontería semejante? Nunca había juzgado a Lola y nunca había pensado siquiera en hacerlo.

Ella se deshizo del abrazo del policía y alisándose el vestido contestó:

—Mejor así.

—Sí.

Entonces, con un tono exageradamente irónico, Lola añadió:

—Hace mucho que no vienes; ¿es que ahora te alivias solito?

—Supongo que me lo merezco. Soy un idiota absoluto —dijo él sentándose con los antebrazos apoyados en las rodillas y la cabeza gacha—. Sí, Lola, hace tiempo que no vengo.

—¿Has encontrado a otra fulana, vas a otro burdel?

—No, no voy a ninguno. Es sólo que..., que no me apetece. Bueno, sí; me apetece, pero hay alguien especial.

La joven lanzó una escrutadora mirada al policía con sus hermosos y almendrados ojos negros. Quedó pensativa por un instante y de repente lanzó una carcajada.

—¡Acabáramos! Es por la pánfila ésa que ibas a rondar al Prado..., ja, ja, ja... ¡Ay, Víctor, Víctor...! Pero ¿es que te has vuelto loco?

—Clara no es ninguna pánfila —rebatió muy serio.

—Ah, Clara. ¡Qué confianzas! ¿De verdad crees que vas a llegar a algún sitio con una chica de su clase? ¡Abre los ojos! Ahora lo entiendo, claro. ¡Una puta es poco para ti! Y pensar que... No seas ingenuo, sólo vas a conseguir hacerte daño; ¿acaso crees que eres el primero en enamorarse de alguien fuera de su alcance? Vas de cabeza al desastre, Víctor, piénsalo. Sé de lo que hablo. Es mi especialidad, enamorarme siempre de la persona equivocada.

—Te agradezco el consejo —dijo él muy serio—. Nunca he pretendido hacerte daño.

—No te preocupes, hijo mío. Así es este oficio —razonó Lola fingiendo indiferencia—. A ver, cuéntame lo de la trampa. A fin de cuentas, fui yo quien te obligó a meterte en este lío. Al menos vengaré a mi amiga Chelito.

Víctor la miró durante unos segundos que a ella le parecieron eternos. Sintió pena por la joven. La vio como la cría que tuvo que salir huyendo de una vida sórdida en Valencia. Por fin habló:

—La cosa es sencilla. Tengo un par de hombres que siguen sus pasos, y sé que cada tarde va a un club de caballeros de la calle Mayor, el Club Lepanto. Allí lee el periódico y fuma un cigarro con algunos contertulios, luego sale y cena en algún restaurante caro; rara es la noche en que no frecuenta algún prostíbulo o se lleva a alguna mujer a unas habitaciones que tiene alquiladas, precisamente, en la Puerta del Sol. Mañana lo esperaremos a la salida de su club, no temas, estaremos vigilando. Tienes que echarle el lazo, ya sabes, intentar llamar su atención, gustarle. Intenta concertar una cita o algo así, lo demás será asunto hecho. Cuando quiera ponerse en contacto contigo para...

—Para matarme.

—Eso no ocurrirá, descuida. Te enviará a una mujer con una capa amplia y gris, es una dama de porte aristocrático que tiene una enorme verruga en la cara. No vayas con ella a menos que tengas la certeza de que te seguimos, ¿de acuerdo? —La chica asintió, pero Víctor insistió—: ¿Has entendido esto último? Es muy, muy importante.

—Descuida, sólo me iré con esa mujer cuando tú estés sobre aviso.

—Bien. Mañana entonces pasaré a recogerte a eso de las siete y media. No tengas miedo. Habrá agentes de paisano en toda la zona y, recuerda, si te propone irte con él, en ese mismo momento abre la sombrilla.

—No tengo sombrilla, Víctor. Apenas salgo de día.

—Yo te traeré una. Hasta mañana y gracias por tu ayuda.

—Gracias a ti, Víctor; a pesar de todo, eres el único que se ha tomado interés en este caso.

Lola comprobó que el policía había salido sin oír su último comentario. Se acercó al armario en busca de su botella de coñac. Aquella noche se le iba a hacer muy larga.

Víctor acudió a recoger a Lola a la hora convenida en un coche de alquiler acompañado por don Alfredo. Corrían los primeros días de octubre y el aire fresco era ya bienvenido. No hablaron mucho en el trayecto al Club Lepanto. Apenas unas advertencias de Víctor para que la joven, que parecía nerviosa, tuviese mucho cuidado. Apostados a unos cincuenta metros de la barroca fachada del edificio del prestigioso club, Víctor y don Alfredo observaban desde el interior del coche a Lola. El joven detective se sintió culpable por utilizar a la chica, quien una y otra vez pasó por la puerta del inmueble haciendo como que paseaba. Al fin, Ramírez, un agente de paisano, salió del edificio, se detuvo en las escaleras que daban acceso al mismo, sacó el pañuelo y fingió secarse el sudor de la calva. Era la señal convenida. Un discreto mendigo que pedía limosna junto al club hizo una señal a Lola y ésta se encaminó hacia el lugar acordado. De inmediato, el mofletudo don Gerardo apareció en las escaleras. Miró a uno y otro lado como buscando un coche de alquiler y continuó su camino con prisa. No vio a la joven, que muy hábilmente se interpuso en su recorrido.

—¡Qué bien lo ha hecho! —comentó Víctor a su compañero.

Los dos policías vieron como el supuesto asesino se agachaba para recoger una preciosa sombrilla rosa que Víctor había regalado a Lola para la ocasión. Intercambiaron unas frases y ella continuó su camino. De La Calle subió a un coche de alquiler y Víctor bajó del suyo para que don Alfredo continuara la persecución del sospechoso.

Una vez se cercioró de que los dos coches habían doblado la esquina, el joven subinspector se situó a la altura de Lola y tomándola del brazo caminó a su par:

—¿Qué tal ha ido?

—Ha mordido el anzuelo. ¡Todos los hombres sois iguales!

—Cuéntame.

—¿Lo has visto?

—Sí, de lejos.

—Pues ha sido cosa sencilla. He hecho como que se me caía la sombrilla y él se ha agachado a cogerla. Entonces me he inclinado, asegurándome de que se me veía bien el escote. ¡Tenías que haber visto qué ojos! «Usted es don Gerardo», he dicho yo. «¿Nos conocemos?», ha contestado él. «Sí, de casa de doña Rosa, en Embajadores», le he respondido.

—¿Y qué ha dicho?

—«No te recuerdo.» Y yo he dicho: «Pues no sé por qué no viene a conocerme. No va usted mucho por allí.» «No me llevo bien con la arpía de tu jefa», me ha explicado. «Puede arreglarse en otro sitio; mándeme aviso cuando quiera estar con una mujer de verdad», le he soltado. ¡Se le caía la baba! «Lo haré, doña...» «Lola, llámeme Lola», he dicho, alejándome con coquetería.

—¡Bien, Lola, bien! ¡Bravo! ¿Hacia dónde vas ahora?

—¿Por qué? ¿Vas a llevarme a la ópera con tus nuevos amigos?

Se sintió dolido, pero no por sí mismo, sino por ella. Era evidente que Lola estaba herida. Le disgustaba sentir el desprecio en la mirada de la chica.

—Sólo lo decía para acompañarte. En estos días no debes andar por ahí sola.

—Vaya, ¡qué considerado te has vuelto!

—No hagas bromas con eso. Gerardo de La Calle es un loco peligroso. ¿A dónde vas?

—Al burdel. Trabajo allí. ¿Acaso lo has olvidado?

CAPÍTULO 22

Víctor y don Alfredo se sorprendieron un tanto cuando, a la mañana siguiente, fueron convocados al despacho de don Horacio. Subieron a ver al comisario un tanto intrigados y con la sospecha de que aquella entrevista no les iba a deparar nada bueno. Don Horacio Buendía parecía de un humor de perros, a pesar de lo cual no perdonaba el jerez con bizcochos de media mañana. Una costumbre muy extendida entre la gente de posibles.

—Pasen, pasen, siéntense —dijo sin dejar de leer un memorando que sostenía en la mano mientras devoraba un bizcocho borracho—. Bueno, me parece que esta vez la ha hecho usted buena, don Víctor.

—¿Cómo?

—Sí, perdone, quizá lo mejor será empezar por el principio. Veamos. Acaban de comunicarme una noticia bomba desde Alcalá de Henares. Anoche anduvieron ustedes tras don Gerardo de La Calle, ¿no es así?

—Sí, claro —asintió don Alfredo—. Yo mismo le pedí a usted permiso para montar un discreto operativo.

—Sí, sí. ¿Y estuvieron siguiendo al sospechoso toda la noche?

Don Alfredo volvió a hablar por los dos:

—Lo identificamos a la salida de su club, la chica que usamos como cebo contactó con él con éxito y, luego, mientras don Víctor la acompañaba a su..., su lugar de trabajo, yo seguí al sospechoso en un coche de alquiler. Los otros agentes se fueron a casa. Sabemos que De La Calle tiene alquiladas unas habitaciones aquí enfrente, en la misma

Puerta del Sol, así que quedé con don Víctor en vernos en dicho lugar.

—¿Y qué hizo el sospechoso? —preguntó suspicaz el comisario.

—Recogió a una joven que al parecer lo esperaba en una esquina. Subió a su carruaje y vinieron a las habitaciones de don Gerardo. Yo me mantuve a la espera en el coche. Había luz en la casa. A eso de las nueve llegó don Víctor. Esperamos hasta la una, hora en que la joven salió del inmueble y se subió a un coche que la esperaba. Don Gerardo apagó las luces y como pasó más de una hora y no salía, supusimos que se quedaba a dormir en sus habitaciones, muchas veces no pernocta en el palacete de sus padres, así que nos fuimos a descansar pensando que sus correrías habían terminado por aquella noche.

—¿Y qué hicieron entonces?

—Don Víctor me acompañó en el coche a casa y luego se fue a su pensión.

—¿Es eso cierto?

Víctor, que parecía molesto, contestó:

—Claro, puede consultar con el cochero, Adolfo, es amigo mío. Pregúntele y verá que me dejó en casa de doña Patro a eso de las dos y media.

—Ya, ya —aceptó el comisario—. Bueno, alguien en la casa le vería acostarse, ¿no es así?

—No, era tarde, todo el mundo dormía. Comisario, ¿a dónde quiere ir a parar?

—Pues quiero ir a parar a que después de irse ustedes, De La Calle debió de salir de la casa, porque acabó de madrugada en Alcalá de Henares.

—¿Y ha cometido alguna tropelía? No me lo perdonaría —dijo Víctor con la alarma reflejada en el rostro.

—Peor —contestó Buendía—. Lo encontraron muerto en un callejón a eso de las seis y media de la madrugada.

—¡Dios mío! —exclamó don Alfredo pasándose la mano por la frente con gesto apesadumbrado.

—Lamento no haberlo podido detener. Habría disfrutado viéndolo en el garrote vil.

Víctor lo había dicho muy serio. No se reflejaba expresión alguna en su rostro. Su mirada era fría e inmisericorde. Don Alfredo reparó en ello.

—Quizá esas ansias suyas le hicieron adelantarse. De hecho, no le veo muy afectado —insinuó el comisario.

—¿Qué pretende decir con eso? —exclamó Víctor.

—¡Don Horacio! —terció don Alfredo.

—Tranquilos, tranquilos. Sólo hacía de abogado del diablo. A don Gerardo le descerrajaron un tiro en pleno rostro. Lo identificaron por la ropa y unos papeles de una finca que acababa de comprar a su nombre. Y, ¿saben?, el casquillo que había junto al cadáver nos pone en una situación difícil.

—¿Sí? —preguntaron los dos compañeros al unísono.

—Era del calibre treinta y ocho, como el revólver de don Víctor.

—Pero ¡don Horacio! —casi gritó Víctor indignado. Su rostro se estaba poniendo de color púrpura.

—Tranquilo, joven. No digo que lo hiciera, pero piense, piense usted. ¿No se da cuenta de la delicada situación en que se encuentra y en la que, de paso, me ha dejado a mí y al cuerpo de policía? Hágase cargo, ¡válgame Dios! Encuentra usted a un sospechoso sobre el cual se supone tiene usted ciertos prejuicios.

—¿Cómo?

—Sí, sé que cortejaba a una joven que es de su agrado. La del otro caso que les encargué a ustedes. La pequeña de los Alvear.

—Pero ¿cómo...?; ¿de dónde...?

—No se esfuerce, joven —le interrumpió don Horacio alzando la mano—. Yo también sé hacer mi trabajo y es mi deber enterarme de todo lo que se cuece en mi departamento. Imaginen que soy un abogado a sueldo de la familia De La Calle. Ya me imagino lo que dirán: «Usted sentía una manifiesta animadversión hacia el sospechoso;

usted lo consideraba culpable de una serie de truculentos asesinatos; usted importunó a sus padres acudiendo a su casa a acusar a su propio hijo; usted llegó a golpearle en este mismo edificio; usted intentó tenderle una trampa con una prostituta amiga suya, y usted lo siguió hasta sus habitaciones de Sol. No tiene usted coartada para después de que abandonaran la vigilancia y, para más inri, lo asesinaron con un arma de idéntico calibre al de la suya.» —Víctor y don Alfredo miraban a su superior boquiabiertos, así que éste continuó hablando—: Sí, don Víctor, sí. Hace una semana recibí una queja que provenía de muy altas instancias. Al parecer, don Bernabé de La Calle se había mostrado muy molesto con su comportamiento y, ahora, ¡mire en qué berenjenal nos ha metido! No quiero que siga usted en este caso o, mejor dicho, en lo poco que queda de él. Usted decía que De La Calle era el hombre, ¿no?; pues listo, muerto el perro se acabó la rabia. ¡No quiero volver a oír hablar del tema! Don Alfredo se encargará de los últimos flecos y, ¡por Dios, don Víctor!, no se acerque a nada ni a nadie que tenga relación con este caso, se lo ordeno. Don Bernabé es hombre poderoso y tiene buenos abogados, es capaz de intentar cargarle a usted la muerte de su hijo.

—Pero ¿se sospecha de alguien? —preguntó don Alfredo.

—¡Qué se yo! —repuso el otro—. Era un mal bicho. Pudo ser cualquiera: un chulo a cuya puta estafara, un marido cornudo e incluso alguna joven a la que hubiera engatusado. Ése es otro asunto y ya lo llevan en Alcalá, así que, expediente resuelto, ¿de acuerdo?

Don Alfredo asintió, pero Víctor quedó pensativo. El joven subinspector parecía no estar del todo satisfecho.

—¿Qué pasa ahora? —quiso saber el comisario dirigiéndose a él.

—No sé, en parte me alegro de lo ocurrido, era un rufián que mataba putas a sabiendas de que nadie investigaría sus muertes, pero hay algo que no encaja. Tanto tiempo tras él y, justo cuando le vamos a echar el guante, alguien lo quita de en medio. Además, ¿qué hay de la anciana de acento extranjero?

—Alguna alcahueta, Víctor —repuso don Alfredo más tranquilo.

—Sí, quizá sea así —admitió el joven.

—Pues eso, hala, hala, a trabajar, y usted, joven, no se meta en más líos, se lo ordeno. Veremos cómo salimos de ésta.

—No sé, me siento como un imbécil —manifestó Víctor sentado a una mesa del café Levante frente a una humeante taza de café.

—No tienes por qué tomártelo así, Víctor —dijo Don Alfredo—. Bien está lo que bien acaba.

—Ya lo sé, Alfredo, pero debes tener en cuenta que ahora soy el máximo sospechoso del asesinato de don Gerardo.

—Reconocerás que motivos de sospecha has dado, ¿no?

—Sí, a veces voy demasiado rápido. Me veía en la cima del mundo: «joven subinspector que detiene a un monstruo…», ya sabes; en fin, está claro que me he excedido. Le golpeé, fui a casa de sus padres y además no tengo coartada. Dios me coja confesado. He sido un imbécil.

—No podrán demostrar nada, eres inocente.

—Son gente influyente, Alfredo —murmuró Víctor rascándose la barbilla con aire pensativo—. Aunque…

—¿Sí?

—Don Horacio dijo que el tiro le había destrozado la cara, lo tuvieron que reconocer por los ropajes y unos papeles que llevaba.

—¡Ya sé a dónde quieres ir a parar! —exclamó el inspector Blázquez sonriente y alzando el índice—. El muerto no era Gerardo de La Calle, sino un desgraciado al que él mismo puso su ropa y ahora el rufián está oficialmente muerto y se ha deshecho de ti para seguir matando.

—Pues sí, eso iba a decir.

–Don Gerardo no daba para tanto, Víctor. Era un tipo primario, esclavo de sus sentidos, sólo eso. No te calientes la cabeza y mantente alejado de esta historia. Con el tiempo todo se enfriará. Olvídalo. Esto puede acabar con tu carrera, hijo. Deja que pase el tiempo y todo quedará olvidado, te lo digo por experiencia. Tienes a tu asesino, ¿no?

Víctor sorbió el último trago de su café con aire ausente y replicó:

–Pues eso es, que ahora no estoy tan seguro de eso. Dirás que soy un inconformista.

–No –dijo don Alfredo pagando la cuenta–, sólo es que te has quedado a dos velas. Estabas a punto de tocar la gloria, de resolver un gran caso, y plaf, ha volado; en fin, así es la vida. Prefiero que ese pervertido esté muerto que ganar una medalla. Vamos al despacho.

–Quizá tengas razón –musitó pensativo Víctor.

Los dos compañeros salieron del café y se encaminaron a la sede del ministerio. Subieron al despacho con aire un tanto deprimido y entraron en el mismo con la idea de retomar su trabajo. Tenían otros sumarios un tanto olvidados. Apenas Víctor había comenzado a ojear unos expedientes del archivo entró el mozo de los recados repartiendo el correo interno.

–Ha llegado un informe para usted desde Barcelona, don Víctor –dijo el joven lanzando sobre la mesa del subinspector un sobre de color ocre en el que se leía con letras rojas y gruesas la palabra «confidencial».

–¿Y eso? –preguntó don Alfredo.

–Seguro que otro fiasco mío. Un informe que pedí a Barcelona sobre el adivino que echaba las cartas a Aurora Alvear. Lo pillé en un renuncio y tuve una corazonada, pero al ritmo que llevo dudo que consiga resolver un solo caso en toda mi vida. Además, quizá tengáis razón y lo de la casa de los Aranda fuera sólo cosa de don Augusto –contestó el joven policía muy cabizbajo a la vez que abría el sobre.

—Ten fe, hijo. Confía en tu instinto —intentó animar don Alfredo a su compañero—. Además, habrá más casos.

El subinspector Ros abrió el sobre con desgana, sacó un expediente que comenzó a leer con un lápiz en la mano derecha y la cabeza apoyada en la otra mano con aire cansino. Era obvio que estaba deprimido. De vez en cuando subrayaba alguna palabra con cara aburrida. Poco después terminó la lectura y miró a don Alfredo con ojos desorientados.

—¿Y bien?

—Nada. Lo dicho, otro pinchazo. Empiezo a pensar que en este caso estoy en vía muerta. Menudo detective estoy hecho.

—A ver, Víctor, déjame que lea —dijo el inspector Blázquez.

Víctor le lanzó el expediente por encima de la mesa y el otro comenzó a leer en voz alta.

—Ron Koh, súbdito holándes, alias Renato Minardi, alias Incógnitus, residente en la calle....

—¡Espera, espera! ¿Cómo has dicho? —interrumpió Víctor poniéndose en pie como impulsado por un muelle. Don Alfredo lo miró como si estuviera loco.

—¡Repite, repite eso! —insistió el joven policía moviendo las manos con insistencia.

Don Alfredo leyó de nuevo despacio a la vez que miraba a su compañero.

—Ron Koh, súbdito holandés, alias Renato Minardi, alias Incógn....

—¡Incógnitus! ¡Incógnitus! ¿Te das cuenta Alfredo? ¡Ya lo tenemos! ¡Ya lo tenemos! ¡Es él, es él! ¡Lo sabía! —parecía exaltado, feliz con los ojos muy abiertos, como asombrado.

—¿A quién?, ¿el qué? —repuso Don Alfredo totalmente confundido.

—Sí, es cierto —dijo el otro como un poseso—. Es pronto, espera, debo telegrafiar a Santander para confirmarlo, pero, ¡claro!, ¡Incógnitus! ¡Incógnitus!

Don Alfredo vio con sorpresa que el subinspector salía corriendo del despacho. Luego oyó cómo bajaba los peldaños de dos en dos. Aquel joven estaba loco, pensó para sí.

Antes de que la criada de las Alvear pudiera siquiera anunciar su presencia, Víctor Ros entró en el saloncito como una tromba.

—Señoras —dijo por toda presentación—. Perdonen que me presente de esta manera en esta su casa, pero debo tratar con ustedes un asunto de la máxima urgencia.

—Usted siempre es bien recibido aquí, don Víctor —contestó doña Ana Escurza dejando a un lado su breviario. La dama seguía vistiendo un luto riguroso—. Tome asiento, joven, y explique qué es eso tan urgente que viene a decirnos.

—Doña Ana, usted sabe que yo no haría nada que pudiera poner en peligro a su hija Clara. No le mentiré si le digo que se ha convertido para mí en alguien muy... especial —expuso el joven policía, que observó de reojo cómo su amada se sonrojaba—. El caso es que..., bien, no sé cómo decirlo. —Al fin se armó de valor y concluyó—: Creo haber identificado a los rufianes que hicieron que Aurora se comportara así.

—¿Cómo? —exclamaron ambas al unísono.

Pudo leer la esperanza en sus rostros.

—Sí, tengo fundadísimas sospechas sobre dos individuos, pero es posible que sean más. Han tejido una compleja y paciente red que nos va a costar desenmarañar pero creo que ha llegado el momento de actuar.

—¿Y por qué no los mandas detener? —preguntó Clara.

—Porque no tengo la absoluta certeza de que sean ellos, no quisiera equivocarme y provocar con ello que huyesen los auténticos culpables. Puede que haya más cómplices. Tengan ustedes en cuenta que la única posibilidad con que contamos para lograr que Aurora se recupere es capturar a esos bandidos. Si existe un antídoto para su mal, ellos lo conocen, seguro. Por todo esto, he ideado un plan, una trampa, que nos permitirá saber si mis sospechas son ciertas y, sobre todo, capturar a esos bandidos con vida.

—Me parece muy bien —dijo doña Aurora.

—Ya..., bueno..., de eso se trata... —vaciló el policía—. Bueno, ustedes verán... Para ese plan, necesito de la colaboración de Clara, doña Ana, su hija es la única persona que podría ayudarme. Sé que puede sonar algo extraño...

—Cuenta conmigo —aceptó la joven muy resuelta.

—Espera, Clara, quizá quieras conocer antes los detalles.

—Cuenta conmigo, todo sea por recuperar a mi hermana.

Había determinación es su rostro. Estaba guapa.

Víctor comprobó que doña Ana asentía, como dando su bendición a la decisión de su hija.

—Quería consultarlo con ustedes antes de enviar unos telegramas. No vas a correr ningún riesgo, Clara. Verán, el plan es sencillo...

CAPÍTULO 23

Después de salir de casa de las Alvear, Víctor acudió a la oficina de Correos más cercana y envió tres telegramas: uno a Palencia, otro a Aranjuez y el último a Ciudad Real. Habían convenido tender la celada dos noches después, en la casa de la calle San Nicolás. Aquella noche, don Alfredo y Mariana le habían invitado al Teatro de la Zarzuela para ver *Jugar con fuego*. No se enteró de nada durante la representación. Ni siquiera recordaba qué camino había seguido para regresar a la pensión. Estaba absolutamente centrado en la resolución del caso. Su mente funcionaba como un engranaje engrasado y perfecto. Cuando tenía un asunto importante entre manos se convertía en pura razón, un ente abstracto que no hacía más que pensar y pensar. Apenas pegó ojo y soñó con su plan.

Dedicó la mañana siguiente a realizar los preparativos de la emboscada, tras convencer a don Horacio para que le autorizara el operativo correspondiente. El comisario no parecía muy convencido después del fiasco del asunto del finado don Gerardo. Por fortuna, gracias a la vehemencia con que el subinspector defendió sus argumentos, Buendía decidió conceder un voto de confianza a su subordinado y autorizó todas sus actuaciones para el día prefijado.

Después de comer en casa de doña Patro, Víctor acudió a su despacho, donde ultimó algunos detalles de la operación y confirmó que todos los asistentes necesarios para aquel último acto podrían estar presentes. Decidió irse a descansar. Cuando salía de las instalaciones del ministerio en Sol, se encontró con doña Rosa, la dueña del prostíbulo en que ejercía Lola «la Valenciana».

—¡Hombre, Rosa, cuánto bueno!

—Don Víctor, me alegro mucho de verle. ¿Le pillo en buen momento?

—Claro, Rosa, claro —contestó el policía deteniéndose en mitad de la escalera—. Dime, dime.

—¿Está Lola con usted?

El policía sintió que lo invadía un negro presentimiento. Tuvo miedo.

—¿Cómo? —preguntó asombrado.

—Sí, anoche salió a verle a usted y no ha vuelto todavía. Estamos preocupadas.

—Espera, espera, Rosa, repite eso. ¿Has dicho que salió conmigo?

—Sí, claro, vino un cochero con una nota suya. Ella la leyó y me dijo: «Rosa, me voy; Víctor me necesita.»

Víctor se quedó mudo, mirando sin ver.

—Yo no le envié ninguna nota...

—¿Entonces?

—¡Tenemos que encontrarla! Vamos arriba.

El policía volvió sobre sus pasos y empezó a subir la escalera de nuevo. Rosa leyó el pánico en los ojos del subinspector, que había perdido su aparente seguridad al saber que la chica podía estar en peligro.

Víctor intuyó desde el principio que aquel era un mal asunto. Después de comprobar que sus compañeros no pensaban realizar ningún esfuerzo extra para buscar a una simple prostituta, salió a la calle a buscarla. Estuvo toda la noche pateándose las calles de Madrid. No dejó tugurio, burdel o taberna sin revisar. Preguntó a todas las furcias de los bajos de Atocha, de Embajadores y de los barrios más deprimidos, habló con todos los chulos que pudo; nadie sabía nada. Entonces recordó que Rosa le había dicho que fue a buscar a Lola un cochero de alquiler, de manera que a eso de las cinco de la mañana se presentó en casa de Adolfo, el cochero poeta, y lo levantó para iniciar las pesquisas. Apenas pararon en toda la mañana, pues Víctor parecía obsesionado por averiguar dónde estaba la joven prostituta. Adolfo sospechó que el asunto debía de ser grave, porque el grado de afectación del policía era considerable, tanto que ni siquiera quiso parar un momento a tomar un café. Estaba fuera de sí, había perdido el control de la situación.

A las cuatro de la tarde dieron con el hombre que buscaban. Un cochero gordo y canoso, entrado en años, al que todos llamaban el Gallo. Cuando le preguntaron si había recogido a una prostituta del burdel de Rosa en Embajadores, hacía dos noches, el otro contestó que sí. Al ver el interés de sus interlocutores, el cochero hizo un gesto con el índice y el pulgar como diciendo que quería dinero. Víctor le mostró la placa apartándose un poco la levita para que también se viera el revólver y al otro se le demudó el rostro.

—Hable —ordenó el policía.

—Subí al burdel, como me dijo la señora, y...

—¿La señora?

—Sí, una anciana con un manto amplio; no se le veía bien la cara pero tenía una verruga en...

—¡Dios mío! —gimió el subinspector cubriéndose con las manos el rostro.

Por un momento, Víctor pareció hundido. Alfredo creyó ver que tenía los ojos húmedos. Era un hombre desesperado. Al poco, el policía logró recomponerse y preguntó:

—¿Adónde las llevó?

—La joven bajó conmigo y entró en el coche.

—¿Adónde las llevó? —repitió.

—Al mismo lugar en que recogí a la anciana, en la calle Mayor.

—¿Y bajaron juntas?

—Sí, aunque la puta debía de ir borracha, parecía que se apoyaba en la vieja.

—Sin duda la drogaron —concluyó Adolfo.

Víctor tuvo que sentarse en un banco. Se sentía mareado. La cabeza le daba vueltas.

—Lleva usted una noche sin dormir, debe descansar —le pareció escuchar que decía Adolfo antes de perder el sentido.

—Es una simple crisis nerviosa.

La frase la había pronunciado una voz desconocida. Víctor abrió los ojos y se vio rodeado por Adolfo, doña Patro y un individuo que se lavaba las manos en una jofaina y que le pareció un médico.

—¿Qué hora es? ¿Cuánto tiempo llevo aquí? —quiso saber el detective muy alarmado.

—Unas tres horas; serán las siete y media de la tarde —contestó Adolfo.

—Tengo que irme, ¡la trampa! Es hoy, ¡esta noche!

—Debe usted descansar —dictaminó el galeno.

—Ya descansaré mañana —replicó Víctor, que ya se había puesto los pantalones—. Adolfo, tienes que llevarme a la calle Santa Isabel, y luego necesitaré tus servicios toda la noche; va a ser una larga velada.

Doña Patro y el médico miraron estupefactos al policía que, muy resuelto, salió del cuarto a la carrera. Adolfo los miró, se encogió de hombros y, tras dudar un instante, siguió a Víctor a la calle.

Los miembros del exiguo servicio de la casa de la calle San Nicolás se sintieron muy satisfechos cuando doña Ana Escurza les comunicó que la señorita Aurora regresaba a casa aquella misma noche. Al parecer, los solícitos cuidados de sus tías, así como los aires puros y las frescas aguas de Palencia, habían logrado que la joven se recuperase un tanto de la fiebre cerebral que padecía. También se alegraron al saber que don Donato Aranda, el señor de la casa, retornaba asimismo a Madrid para intentar arreglar las cosas con su esposa. Resultó tan repentino que apenas tuvieron tiempo de poner todo en orden en aquella desgraciada y horripilante mansión. A las nueve, la hora en que el crepúsculo comenzaba a imponerse al día, llegó la señorita en un coche. Lucía un elegante vestido de viaje y se cubría con un velo a efectos de evitar a la joven la molestia de los mosquitos e insectos del camino. No se le veía del todo bien el rostro, pero parecía sonriente y saludó a unos y otros entre risas y muestras de alegría. Entre el cochero, el caballerizo de la casa y Gregorio bajaron los dos pesados arcones en que la joven traía todo su equipaje. Doña Ana Escurza tomó a la joven por el brazo y dijo:

—Vamos, Aurora, necesitarás descansar —y añadió, mirando a la doncella personal de la joven, que había bajado del coche junto a su señora—: Y usted, Auxiliadora, súbale a mi hija un vaso de leche y unos bollos. Cenará en su dormitorio.

Una hora más tarde, doña Ana partió hacia su casa de la calle Santa Isabel.

Al poco llegó el coche que traía a don Donato. Venía el dueño de la casa muy repuesto y bronceado por el ejercicio de la caza en la finca que su padre poseía en Ciudad Real. De inmediato preguntó por su esposa y, muy contento, subió los peldaños de dos en dos hasta entrar en el dormitorio maldito. Los sirvientes escucharon las risas y la alegría con que el matrimonio se reencontró. Se miraron unos a otros con sorpresa. Milagrosamente, todo parecía olvidado. El joven se dio un baño para librarse del polvo del camino y a las once bajó a cenar; lo hizo solo, pues, según dijo, su esposa dormía agotada por el viaje.

—Perdone el señor lo frugal de la cena, pero hasta esta misma mañana no hemos sabido que volvían ustedes.

—Descuida, Gregorio, descuida —disculpó Donato atacando con apetito el bistec con guarnición de verduras que le habían servido.

—Doña Aurora parece recuperada, ¿verdad? —comentó el mayordomo.

—Totalmente.

—Parece algo milagroso, ¿no?

—Nunca he sido hombre piadoso, pero sé reconocer un milagro cuando lo veo, y esto ha sido un verdadero y auténtico prodigio. Demos gracias a Dios, Gregorio.

—La he visto algo más delgada —apuntó el sirviente.

—Sí, hombre, una enfermedad tan grave y larga suele dejar mella en el organismo, pero es joven y se recuperará. Se nos abre un horizonte maravilloso; viviremos muchos años en esta casa y la llenaremos de niños.

—Dios le oiga —contestó Gregorio.

Después de cenar, don Donato se retiró al dormitorio maldito junto con su agotada esposa. Nuria y Gregorio se miraron con aprensión. ¿Volvería a ocurrir lo mismo? Todos se retiraron a sus habitaciones y la casa quedó a oscuras.

Las horas fueron sonando en el carrillón del salón y la noche dejó paso a la madrugada. El crujido de la añeja madera que tapizaba las escaleras y paredes del maldito caserón quebraba el silencio de la noche y un viento frío y cortante ululaba y hacía oscilar las cortinas del dormitorio de matrimonio. Alrededor de las cinco y media comenzó a escucharse algo. Primero era como un rumor, pero luego se fue haciendo más claro que aquello era una voz. Una voz profunda y cavernosa que sonaba en el dormitorio y repetía una y otra vez unas palabras difíciles de entender, como una letanía que encogía el alma.

—«Mórbidus»... «Mooóórbidus»... —se oía en la oscuridad.

De pronto, doña Aurora se incorporó como un resorte del lecho y se acercó a la mesa camilla en que la filipina leyera hacía cincuenta años el libro maldito.

Acercó el rostro a la pared y escuchó atentamente.

Entonces se volvió y caminando lentamente fue hacia la puerta del dormitorio y la abrió. Despacio y haciendo crujir el suelo de madera bajo sus pies, la estilizada figura progresó hasta llegar a las escaleras. Las bajó ruidosa pero pausadamente y se detuvo en la puerta de la biblioteca. Iba hacia el libro maldito. Éste la reclamaba para sí. La llamaba, la dominaba como a un ser sin voluntad ni capacidad de decisión. Aquella voz de ultratumba seguía repitiendo una y otra vez:

—«Móooorbidus»... «Móooorbidus»...

Era el libro que, desde el más allá, dominaba la mente de la joven al repetir una y otra vez el conjuro. Ella se agachó y se quitó el calzado. La voz, que seguía sonando lenta y pausada, llenaba aquella maligna casa de horror y espanto. En aquel momento, la figura de la joven atravesó la oscuridad del vestíbulo y se dirigió de manera sigilosa pero con decisión hacia la cocina.

Entró en ella y se acercó a una figura que, apoyada ante un armario, murmuraba una y otra vez su horripilante retahíla. Sonó un chasquido y quien murmuraba notó que algo frío le rodeaba la muñeca. Se oyó el crujir del percutor de un arma y del cuerpo de la chica salió una voz varonil que amenazó:

—Si te mueves, te vuelo los sesos. ¡Lo tengo! —gritó a continuación.

Llegó un ruido de pasos que bajaban por la escalera. Una figura varonil corrió a la puerta principal y abrió los postigos, en tanto que otra entró en la cocina e iluminó la estancia con una lámpara de aceite.

Gregorio, el mayordomo, comprobó estupefacto que frente a él y apuntándole con un revólver tenía a una especie de híbrido entre doña Aurora y Víctor Ros. El joven policía llevaba una larga peluca y un fino camisón que flotaba sobre su habitual traje de mezclilla. La muñeca del mayordomo estaba apresada por unas esposas que a su vez permanecían unidas al sonriente detective. Detrás de él, don Alfredo, con la lámpara en una mano y el revólver en la otra, lucía una enorme sonrisa. Se oyeron más pasos y entró don Donato acompañado por dos agentes uniformados.

—Ya he abierto el portón. Aquí están los refuerzos —dijo el propietario de la casa.

El mayordomo tenía la boca abierta.

—*Voilá*. Has caído, canalla —masculló Víctor antes de que Gregorio se desmayara.

El mayordomo de la casa de la calle San Nicolás se despertó de lo que creía un mal sueño y se encontró esposado a un butacón de la biblioteca. Ante él, dos amenazadores agentes uniformados de fiero aspecto e inmensos bigotes lo miraban con ojos escrutadores.

—Avisa a los jefazos, ha vuelto en sí —dijo uno de ellos.

El otro agente salió y a poco entraron en la estancia Víctor, don Alfredo y don Horacio Buendía, el comisario.

—Vaya, vaya, nuestra bella durmiente ha despertado —dijo el inspector Blázquez.

Los tres se quedaron mirando al asustado mayordomo, que no sabía qué decir.

—Avisen a la familia —ordenó el comisario.

Al momento entraron doña Ana Escurza, doña Clara y don Donato Aranda.

La madre de Aurora se acercó a Gregorio y tras mirarlo con desprecio le dijo:

—Espero que pague en la cárcel todo el mal que ha hecho.

—¿Y doña Aurora? —preguntó el mayordomo.

—Ahí la tiene usted —aclaró Víctor señalando a Clara—. Nos permitimos la licencia de aprovechar el parecido que hay entre las dos hermanas, pero no se preocupe, ¿oye ese ruido de caballos?, creo que ahí llegan en sendos coches sus dos víctimas: doña Aurora y doña Milagros —y añadió, mirando a uno de los policías de uniforme—: Aniceto, que lleven a doña Aurora al dormitorio principal y a doña Milagros al dormitorio que ocupaba don Donato, está a la izquierda de las escaleras, al fondo, el que da al jardín trasero. —Se volvió hacia el mayordomo para decirle—: Bien, Gregorio, bien. Está usted metido en un buen lío.

—No sé de qué me habla. Esto es un atropello —logró articular el mayordomo, abrumado por las miradas inquisidoras de los presentes.

—Es inútil que se haga el tonto —rebatió el subinspector—. El juego ha terminado. Tiene usted la oportunidad de aligerar su culpa y su condena si nos da el nombre de su cómplice o cómplices. Tenga en cuenta que con esto le cae seguro la perpetua.

Todos miraron al mayordomo, que tragó saliva y algo más tranquilo contestó:

—No tengo nada que decir.

El agente Abenza, el grandullón hipocondríaco, acababa de volver, y Víctor le preguntó:

—¿Has transmitido las órdenes que te di?

—Sí, subinspector.

—Bien. ¿Seguro que no quiere contarnos nada, Gregorio?

El mayordomo miró hacia otro lado con desprecio.

—Bien, sea así entonces. Aniceto, ¿han llegado el sargento Amorós y sus hombres?

—Sí, están fuera. Esperan con el paquete en un coche.

—Que pasen con él.

Todos aguardaron expectantes al siguiente golpe de efecto de Víctor. Clara, doña Ana, don Donato y don Horacio asistían asombrados a aquel acto final que había preparado el joven detective como si de un reputado director de escena se tratara.

Renato Minardi, alias «Psíquicus», entró en la estancia escoltado por dos policías de paisano. Iba esposado, mostraba un aparatoso moratón en un ojo y sangraba por un labio.

—¡Querido! ¿Te han hecho daño? —gritó el mayordomo intentando levantarse, lo que impidió Aniceto Abenza, quien lo sentó de un empellón.

El vidente fue sentado a la fuerza en un butacón junto a su compinche. Llevaba una amplia y estridente túnica naranja con unos bordados que a Víctor le parecieron horribles. El sargento Amorós, que iba de paisano, se adelantó e informó al subinspector Ros:

—Nos avisaron de que usted había hecho la señal convenida y procedimos a entrar en la vivienda del sospechoso. Estuvo despierto toda la noche, se veía luz en la casa, quizá esperaba noticias de su cómplice. Derribamos la puerta y entramos por él. Se resistió jurando como un carretero. La verdad es que nos costó reducirlo, tuvimos que emplearnos a fondo.

—Buen trabajo. Puede retirarse. Por cierto, envíe a alguno de sus hombres a avisar a don Alberto Aldanza, en esta tarjeta están sus señas; quiero que esté presente en la resolución del caso, puede sernos de ayuda —ordenó Víctor—. Vaya, Psíquicus, volvemos a vernos; ¿o quizá debería llamarle Incógnitus?

El vidente escupió desde lejos al policía, que lo miró con desprecio.

—Van a pagar ustedes lo que han hecho, pero tienen una oportunidad de reparar en parte el mal causado —comentó don Alfredo—. Arriba están sus dos víctimas, en sus manos está que vuelvan a la vida.

—¡Púdrase! —gritó Gregorio.

Víctor habló entonces con cara de muy pocos amigos y aire amenazante:

—Bien, bien, bien... Parece que aquí, los dos amigos, se hacen los gallitos. Abenza, agarra a Psíquicus y sígueme. Alfredo, por favor, ven con nosotros. Ustedes esperen, si son tan amables; ahora les mandaré aviso.

El fornido Abenza empujó al vidente y siguieron al joven policía y a don Alfredo, que subieron las escaleras muy decididos. Llegaron a la puerta del dormitorio principal y Víctor llamó. Auxiliadora, la doncella de doña Aurora, apareció en el umbral.

—¿Cómo está? —preguntó Víctor.

—Bien, duerme.

—De acuerdo, gracias, déjenos solos. Tú, Abenza, espera aquí; si te necesitamos, te llamaremos. Adentro, Psíquicus.

Los dos detectives y el detenido entraron en el dormitorio. Aurora respiraba con sosiego. Estaba profundamente dormida.

—Siéntese ahí —ordenó don Alfredo a Psíquicus.

El adivino, cabizbajo, obedeció.

—Bien, Renato —le interpeló Víctor—, aquí tiene usted a su víctima. ¡Sí, sí, mírela! ¡Estará orgulloso de su obra!

El vidente no quiso mirar a la joven.

—En fin, le diremos lo que vamos a hacer. Va usted a volverla a la normalidad, ¡y ahora mismo!

—¡No!

Don Alfredo se acercó al vidente y le propinó un soberbio bofetón.

—¡Tranquilo, Alfredo, tranquilo! No pierdas la calma. No será necesario. Veamos, Renato, he deducido, por la reacción de su compinche al verle entrar, que la relación entre usted y Gregorio es..., digamos, que un tanto «especial».

—¡Eso no le importa!

—Bien, bien, veo que he dado en el blanco. Han tenido ustedes la suerte de no matar a nadie, ni hace diez años, con doña Milagros, ni ahora, con doña Aurora. Eso les evitará el garrote vil, pero la cadena perpetua no se la quita nadie, amigo. ¿Ve por dónde voy?

—No sé qué pretende decir.

—Pues quiero decir que si Aurora y Milagros no vuelven a la normalidad, a ser como eran antes, me cercioraré de que no vuelva a ver a su amante en su vida. Me encargaré personalmente de que usted cumpla la pena en Filipinas y su querido amigo en... ¿pongamos Marruecos? A eso me refería, así de simple. En cambio, si usted colabora y ellas se recuperasen...

—¿Sí? —dijo el vidente con vivas muestras de interés.

—Si se recuperan, tiene mi palabra de que ustedes dos cumplirán condena en la misma prisión.

—¿Me ofrece un trato?

—Exacto.

—¿Y qué garantías tengo?

301

—La palabra de un hombre honrado —contestó el detective tendiendo la diestra al preso.

Éste reflexionó unos segundos; parecía un hombre desesperado; al fin, tras mover la cabeza a uno y otro lado, cedió:

—¡Qué más da!

Acercó sus manos esposadas y estrechó como pudo la del policía.

—Quítenme las esposas.

Hicieron lo que pedía. Entonces el vidente sacó un medallón que llevaba colgado al cuello y comenzó a hacerlo girar acercándose a la joven. Un atrayente diseño espiral apareció en el centro del mismo. A Víctor le recordó una pirindola que su madre le había comprado de niño, al llegar a Madrid.

—Aurora, Aurora —llamó Psíquicus; la joven abrió los ojos mirando al frente con aire ausente—. Aurora, ¿me oye?

—Sí —repuso la joven totalmente ida.

—¿Recuerda esas escaleras que veía ante usted en mi casa y que le ordené bajar?

—Sí.

—Pues ahora las vuelve a ver, ahí están, delante de usted. Respira usted despacio, el aire es puro y sus miembros ya no pesan tanto..., su cabeza ya no pesa tanto, su cuerpo..., su cuerpo ya no está tan pesado. El aire puro y fresco llega a sus pulmones y desde ahí viaja a todo su organismo... Lo siente llegar a su mente, refrescante y vivificador, vea la escalera, acérquese a ella. Sube el primer peldaño, sube el segundo, sube otro y otro. Está usted volviendo a la realidad despacio..., despacio... ¡Ya! —ordenó el vidente mientras chasqueaba los dedos.

La joven abrió mucho los ojos, sorprendida. Miró a su alrededor como quien despierta de un pesado sueño.

—¡Psíquicus! —exclamó—. ¿Qué haces aquí, en mi dormitorio? ¿Qué pasa? ¿Quiénes son ustedes?

—Alfredo, haz el favor, avisa a Abenza para que se lleve a Psíquicus al cuarto de don Donato, allí espera Milagros.

Y avisa también a la hermana y a la madre de doña Aurora. Y usted, señora, no se asuste, somos policías, este bribón la hipnotizó, pero ahora está usted a salvo, Clara y su madre se lo explicarán. Calma, calma...

Mientras intentaba serenar a Aurora, Víctor escuchó unos pasos apresurados en la escalera. Clara irrumpió en la habitación y se lanzó en brazos de su hermana, que intentaba levantarse de la cama.

—¡Aurora, Aurora, estás bien! —gritó la joven entre lágrimas.

Víctor sintió que se le partía el alma.

Detrás entró doña Ana Escurza, que se sumó al abrazo de sus hijas deshecha en llanto.

—Pero ¿qué os pasa? —preguntaba Aurora confundida.

Doña Ana se volvió hacia Víctor y exclamó:

—¡Usted me la ha devuelto, don Víctor! ¡Le debo la vida de mi hija, Dios le bendiga!

Víctor sonrió satisfecho y dijo a don Alfredo:

—Alfredo, di a alguno de los guardias que salga a la calle y avise a un joven que, si no me equivoco, todavía está medio escondido tras una acacia de la acera de enfrente.

Don Alfredo bajó las escaleras tras pasar junto a don Donato, quien, situado en la puerta del dormitorio, observaba la escena con cara de satisfacción.

Clara se levantó, se abrazó a Víctor y apoyó el rostro en su pecho llorando de alegría.

—Gracias, Víctor, gracias —musitaba llorando.

Entonces, llegó Fernando Hernández acompañado de don Alfredo. Doña Ana se apartó un tanto y el músico se lanzó en brazos de su amada llorando como una colegiala. Doña Aurora, algo confusa por la presencia de Donato Aranda, no sabía qué hacer, pero terminó llorando como todos los presentes. No recordaba nada de lo que le había ocurrido.

—Dejemos a la familia a solas —dijo Víctor a su compañero—. Psíquicus está aguardando con Abenza para sacar del estado de hipnosis a doña Milagros.

Cuando llegaron a la habitación en que poco tiempo antes se recuperara don Donato, hallaron al vidente acompañado por el robusto agente uniformado. Junto a la afectada velaba una enfermera de su casa de reposo.

—¿Ha traído usted algún sedante? —preguntó Víctor a la enfermera.

—Sí, está todo dispuesto.

—Este rufián hipnotizó a doña Milagros, y ahora la va a devolver al mundo consciente —explicó Víctor—. Debemos tener en cuenta que esta mujer lleva diez años fuera de este mundo. Su marido y sus hijos vienen de camino desde Santander. Es conveniente que tras su vuelta a la realidad, la sede. No es oportuno que un grupo de extraños le cuente todo lo que le ha sucedido, ¿de acuerdo? —La enfermera asintió, así que el joven subinspector añadió—: Adelante, Psíquicus.

El vidente siguió los mismos pasos que con Aurora, y a los pocos minutos doña Milagros despertó, muy confusa.

—¿Qué ocurre? ¿Quiénes son ustedes? ¡Incógnitus! ¿Qué hace usted aquí? Éste es el dormitorio de mi hijo mayor, pero ¿quién ha cambiado el papel de la pared? ¿Qué hora es? ¿Qué sucede aquí?

—Señora, soy Víctor Ros Menéndez, subinspector de policía —se presentó Víctor con mucha tranquilidad—. Este rufián, Incógnitus, la hipnotizó para cometer una fechoría con usted. Ha estado un tiempo en estado de hipnosis. Usted no recordará nada de estos últimos tiempos.

—¿Últimos tiempos? ¿Y mi marido?

—No se preocupe. Su marido y sus hijos vienen de camino. Está usted a salvo. Esta enfermera le va a administrar un sedante para que pueda descansar hasta que lleguen. Ellos le explicarán. ¿Lo entiende?

—Creo que sí —dijo ella con expresión un tanto confusa, y mirando hacia su alrededor como un animalillo asustado.

La enfermera le inyectó una buena dosis de pentotal sódico y la señora quedó dormida al instante.

—Lleve al adivino al cuartelillo y a su compinche también —indicó Víctor a Abenza—. Y usted, señorita, ¿podría inyectar el mismo sedante a doña Aurora? Gracias. Y ahora creo que nos merecemos un café para reponer fuerzas, ha sido una noche muy larga.

Víctor y su compañero bajaron al salón principal, donde Nuria había dispuesto café con leche y bollos para todos. Al poco, Aurora dormía sedada, y a la mesa se sentaron don Horacio, doña Ana, Clara, don Donato, Fernando Hernández y los dos detectives que habían resuelto el caso. El dueño de la casa, Donato Aranda, se sentó algo alejado del músico que conquistara el corazón de Aurora. Comenzaba a amanecer. Don Horacio dijo entonces:

—Bueno, Víctor, ahora que esos dos pájaros están a buen recaudo, ¿nos explicará usted cómo llegó a descubrir esta trama? Debo confesar que en muchos aspectos estoy aún a oscuras.

—Sí, sí. Cuéntanos lo que has hecho para capturarlos, hijo —solicitó doña Ana Escurza—. Se me escapa cómo llegaste a descubrirlo.

CAPÍTULO 24

–Bien –asintió Víctor apurando su café con leche–, creo que a estas alturas puedo describirles de manera bastante aproximada lo sucedido en este caso. Debo reconocer en primer lugar que me ha resultado difícil de resolver y que no he encontrado ningún otro asunto que se le pareciera en los anales del crimen. Creo que estamos frente a un misterio que podemos calificar de único. Evidentemente, ha habido casos más complejos y meritorios de solucionar, pero éste, a su manera, tiene su aquél y hará correr ríos de tinta, ya lo verán. También quiero pedir disculpas a todos por la extraña concatenación de hechos que hemos vivido esta noche, pero me vi obligado a organizarlo así a causa de la inteligencia y perspicacia de nuestros oponentes. Además, necesitaba que Aurora y Milagros estuvieran en la casa para conseguir que, desorientados ante la sorpresa de la detención, estos rufianes accedieran a recuperarlas para nuestro mundo. Un pequeño golpe de suerte final nos ha ayudado, y es que la relación sentimental existente entre Renato Minardi y Gregorio ha jugado a nuestro favor. Yo, lo confieso, desconocía este aspecto, pero al observar la reacción del mayordomo cuando ha visto aparecer a su compinche en tan mal estado, comprendí que ahí tenían ellos su talón de Aquiles. Renato o, si lo prefieren, Psíquicus, sabe lo que es la prisión, pero el pobre Gregorio no duraría solo en la cárcel ni una semana. Necesitará la ayuda de su compinche para sobrevivir. El vidente lo sabe, y por eso he podido hacer un trato con él para que recuperase a sus dos víctimas. Aún me quedan algunos flecos por aclarar con los dos verdaderos protagonistas de esta canallada, pero tengo una idea muy, pero que muy aproximada de lo ocurrido.

—Pero ¿cómo dio con la clave para resolver el caso? —preguntó don Horacio.

—Desde el principio me fui haciendo una idea. Al comenzar la investigación me encontré ante dos opciones bien diferenciadas: esto era un asunto supraterrenal o bien obra de unos desalmados. La primera opción no entraba dentro de las competencias de la policía, así que me incliné por la segunda. Después de decidir que éste era un asunto terrenal, no me quedaba más remedio que apostar por la vía racional para resolver el caso. Me parecía evidente que el suceso debía de tener algún tipo de relación con lo ocurrido a don Diego Vicente Reinosa, «el Indiano». No creía que la filipina lo hubiera asesinado por un libro encantado o por influjo de la casa, pues era evidente que en fechas anteriores a la muerte del Indiano la relación entre ambos cónyuges se había viciado tras la aparición de un misterioso holandés. Escarbé en los archivos y supe que ese súbdito holandés, un tal Kok, había sido detenido por denuncias de don Diego Vicente Reinosa y enviado con una dura condena a Cádiz. Allí murió asesinado en prisión. Me parecía indiscutible que el Indiano, utilizando su fortuna, se había quitado de en medio a aquel molesto individuo. Supe por doña Remedios que la filipina recriminó a don Diego Vicente esta actuación, y que a partir de ahí nada volvió a ser igual hasta el día del crimen. Los Reinosa vinieron de Ultramar con poco equipaje, o sea que salieron de allí huyendo de algo o de alguien. Era obvio. A partir de ahí me centré en el caso actual: el primer detalle que me llamó la atención fue que la madre de Gregorio, doña Remedios, me contara que se decía en su época que la casa estaba llena de pasadizos. Por eso, y pese a la extrañeza de todos ustedes, me dediqué a golpear las paredes de toda la casa con una pesada barra de hierro.

—¡Acabáramos! —exclamó Nuria, la criada, que escuchaba expectante desde el umbral de la puerta.

—Bien, pues buscando zonas que sonaran a hueco caí en la cuenta de que no había pasadizo alguno, pero sí una red de tubos que comunicaban todas las estancias de la casa con la cocina. El papel con que se habían decorado las distintas habitaciones ocultaba las rejillas por las que, desde cada cuarto, uno podía pedir a la cocinera o al servicio lo que se le antojase. Un capricho del Indiano. Recordé entonces que la noche de autos varios de los residentes en la casa declararon que habían soñado con una voz profunda y cavernosa; ¿casualidad? No lo creí así. Me pareció obvio que aquella noche alguien se había dedicado a murmurar algo desde la cocina para que Aurora lo escuchara. Creía yo en aquel momento, y en ello me equivoqué, que habían dado a la joven alguna droga de las que alteran la conciencia y anulan la voluntad, por lo cual pensé que desde la cocina se la dirigió para cometer el crimen. La noche de la agresión los postigos estaban cerrados, de modo que nadie pudo entrar, luego alguien de la casa estaba implicado en el asunto. El siguiente detalle que me llamó la atención fue la segunda desaparición del libro maldito. Como ustedes recordarán, me llevé el libro a mi despacho y lo guardé bajo llave. Saben ustedes que desapareció y lo encontramos en esta biblioteca. Bien. Lo inspeccioné y sentencié que era el mismo, ¿por qué?, muy sencillo: cuando me lo llevé a mi despacho, tuve la precaución de marcarlo en la página treinta y cinco con un punto hecho a tinta azul con mi pluma. Cuando vi que el libro «había volado» hasta esta biblioteca me sentí confundido y llegué a pensar incluso en una intervención del más allá. Ahora sé que debieron de sobornar a alguien del ministerio, ya hablaré con los acusados al respecto, pero en aquel momento me vi bastante apurado. Entonces decidí jugármela y averiguar de una vez por todas si éste era un asunto terrenal o no. ¿Qué hice? Lo quemé en la chimenea con toda la teatralidad posible, con gran consternación por parte de ustedes. Después, en la noche en que se produjo el segundo ataque, todo el mundo pareció fuera de sí al comprobar que el libro «había vuelto». Yo, tranquilamente, lo tomé, lo inspeccioné y comprobé que aquel ejemplar no estaba marcado en la página treinta y cinco. O sea, que no era el mismo que había quemado sino una copia idéntica. Vamos, que el libro no se había reconstituido desde el más allá. Aquello me permitió volver a deducir algo: alguien de la casa había colocado esa copia en su lugar. Corroboraba entonces que, al menos, un cómplice de la trama tenía acceso a la casa. Era alguien del servicio o de la familia. Decidí no descartar a nadie *a priori*.

»Consulté con unos compañeros especialistas en falsificaciones y me dieron las señas de un librero que podía conseguir cualquier ejemplar que se le pidiera. Acudí a él y supe que hacía diez años un hombre alto y de buenas maneras había encargado tres como ése. O sea que aquello estaba preparado desde hacía diez años, cuando Milagros casi mata a su marido. El hombre alto que adquirió los libros era Gregorio, ahora no me cabe duda. Pensé entonces en visitar a Milagros en su casa de reposo en Aranjuez y quedé consternado. Ella fue quien me dio la clave para resolver el caso. Según me dijo el director del manicomio, la pobre mujer murmuraba incoherencias entre las que destacaba una: «Incógnitus.» Eso era lo único que a menudo decía.

»Llegado a este punto hice un repaso de lo que había averiguado y concluí que ya diez años antes alguien había intentado que Milagros matara a su marido. Después repitió lo mismo con Aurora. ¿Qué sentido tenía aquello? Sin duda, que la gente pensara que la casa estaba maldita. ¿Y con qué intención? Pues había dos posibilidades: que bajara de precio o que quedase vacía.

»Hubo otra evidencia que me ayudó mucho. La noche en que reprodujimos las circunstancias del crimen con Nuria y su novio, pensamos por un momento que se había consumado la tragedia. Y en aquel momento, Gregorio reaccionó de manera desmedida: "¡Dios nos ha castigado!", gritó muy sorprendido. ¿Por qué reaccionó de aquella manera? Muy sencillo: no esperaba que sucediera nada, pues él era uno de los instigadores de aquello, por eso, al ver a Antón aparentemente muerto y a su novia murmurando incoherencias, creyó que la maldición se había hecho realidad. Se puso como loco. Más tarde, cuando se vio que todo era un error reaccionó de manera más fría y tranquila. Acudí al librero y le pedí que me acompañara a esta casa. Vimos a Gregorio de lejos y me confirmó que en su opinión era el hombre que le encargó los libros, aunque, según él, entonces tenía pelo. Fui entonces a visitar a Psíquicus. Me llamó la atención que tenía unos ojos azules, profundos y preciosos pero gélidos; luego, con el paso del tiempo, recordé que doña Remedios me había contado que el misterioso holandés que tanto importunó a don Diego Vicente Reinosa tenía unos preciosos ojos azules que quitaban el sentido. Pero eso lo supe después, hace poco. En fin, que el vidente cometió un error: se hacía pasar por italiano. Por mis experiencias previas, supe que aquel acento no era italiano, pero ¿de dónde era aquel hombre? Un golpe de suerte hizo que me cruzara con un diplomático que hablaba con el mismo deje que Renato Minardi, ¡y resultó ser holandés!

»¡Figúrense ustedes, holandés! Como el propio vidente me había dicho que antes había ejercido en Barcelona, decidí pedir un informe sobre sus actividades a la policía de allí. Y observen, cuando recibí el informe, supe que había ejercido en la Ciudad Condal con el alias de Incógnitus. Caí en la cuenta de que aquella era una de las incoherencias de Milagros. ¿Casualidad? No creo en las casualidades. ¿Habría sido Milagros cliente del vidente? Si así era, había encontrado un poderosísimo nexo de unión entre los dos casos. Telegrafié de inmediato a Santander, a don Benjamín, el marido de la pobre desgraciada. El texto fue sencillo: "¿Fue su esposa en Madrid cliente de un vidente llamado Renato Minardi? Conteste urgentemente. Cuestión de vida o muerte."

»Recibí una contestación que decía: "Sí, lo fue."

»Así que me puse manos a la obra. Pensé en qué podía sacar a los criminales de su estado de letargo u ocultación. Sin duda, la evidencia de que sus planes se habían ido al traste. ¿Y cómo?

»Pensé en Clara. Tiene un gran parecido con su hermana, así que concebí mi plan. El resto lo conocen ustedes. Hicimos creer a todo el mundo que Aurora y su marido volvían. ¡Aquello debió de ser un duro golpe para los dos compinches! ¡Todo su trabajo perdido! Tenía la certeza de que no desaprovecharían una oportunidad de actuar. Y así lo hicieron. Ocultos en los dos pesados arcones, don Alfredo y un servidor entramos en la casa y, junto con don Donato y Clara, hemos pasado una noche que se ha hecho larga y agotadora, de veras. Esos rufianes actuaron y los sorprendimos con las manos en la masa.

—¡Brillante! —admiró don Horacio.

—Pero ¿por qué querían que la casa quedara maldita? —quiso saber Clara.

Víctor, con cierto aire de afectación, respondió:

—Me inclino a pensar que querían que la casa quedara vacía para recuperar algo que don Diego Vicente robó a Kok, el holandés, a quien supongo padre de Renato Minardi. Ese algo está relacionado con una pequeña bahía llamada El Rincón del Diablo y con historias de piratas, y no creo equivocarme mucho si digo que en esta casa debe de haber oculto algo valioso, quizá un tesoro. De hecho, tras la agresión de Milagros hace diez años, el inmueble quedó vacío y los vecinos comenzaron a escuchar ruidos que atribuían a fantasmas, cuando no eran otra cosa que los dos compinches registrando a fondo la casa. He consultado el expediente del adivino, y sé que por aquellas fechas fue detenido y condenado por estafar un dineral a la duquesa de Galbín; no salió de la cárcel hasta hace un año. Ambos cómplices debieron de enterarse con horror de que la casa había sido vendida de nuevo, así que decidieron volver a actuar. Debo confesar que pensé que habían usado alguna droga para alterar el comportamiento de ambas mujeres, por eso me sorprendió comprobar que el tal Psíquicus se había valido de la hipnosis para dominar a sus víctimas. Lo siento por Milagros, que ha perdido diez años de su vida sin ver crecer a sus hijos por culpa de unos desalmados, y lo siento por don Augusto, que cargó con toda la culpa de las tropelías de esos dos depravados.

Doña Ana Escurza rompió entonces en sollozos.

—Por cierto —añadió el joven policía—, quisiera dar las gracias delante de todos ustedes a otra de las víctimas de esta pérfida maquinación, don Donato Aranda. Me consta que él ha sido el principal perjudicado de este turbio negocio y, pese a continuar decidido a solicitar la nulidad matrimonial, ha tenido la gentileza de colaborar en esta comedia para detener a ese par de rufianes. Gracias, don Donato.

—Aurora ha sido tan víctima como yo; simplemente fue un medio que ese tal Psíquicus utilizó para hacer el mal.

—Le honra su generosidad, don Donato —reconoció don Alfredo.

—Bueno —intervino don Horacio—, creo que deberíamos retirarnos y dejar que la familia descanse, ¿no?

—Sí, será lo mejor —convino don Alfredo.

—Yo, al menos, necesito dormir un poco —dijo Víctor levantándose—. Llevo dos noches seguidas en pie.

Antes de que pudiera salir de la casa, doña Ana se abrazó al joven policía y le dio las gracias entre sollozos. Clara salió a despedirle a la puerta. Cuando el policía se disponía a subir al coche que le esperaba, la más pequeña de los Alvear lo besó en los labios. A pesar del agotamiento, Víctor se sintió eufórico. ¡Al fin había hecho algo bien! Al menos había resuelto uno de los dos casos. Mecido por el traqueteo del coche de Adolfo tuvo un recuerdo para Lola; ¿estaría viva? Tenía miedo.

Era curioso, pero las cosas no resultan nunca como uno las ha imaginado. Infinidad de veces había fantaseado sobre su minuto de gloria, el momento en que por aclarar aquel caso doña Ana le entregara a su hija Clara plenamente satisfecha. Las cosas habían resultado más o menos como las había imaginado Aquella familia le estaba agradecida, Clara le amaba, al menos eso parecía, y doña Ana le miraba con buenos ojos. Había resuelto un caso de los que llenaban páginas y páginas en los diarios y don Horacio parecía entusiasmado con él; entonces, ¿por qué no se sentía feliz?

Estaba vacío por dentro, sí, y sabía el motivo: Lola.

Debía de estar muerta.

El recuerdo de la joven y la zozobra que le producía no haberla podido salvar le hacía sentirse mal, muy mal. Quizá necesitaba dormir.

Tras dejar a don Alfredo en su casa, el coche de caballos se dirigió hacia la pensión de doña Patro. Junto a Víctor viajaba Aniceto Abenza, el fornido agente al que Adolfo, el cochero, debía llevar después a casa. En el momento en que llegaban, el joven detective hizo una reflexión en voz alta diciendo:

—¡Lástima que don Alberto no haya podido venir!

—¿Cómo dice? —preguntó el agente uniformado cuando Víctor ponía el pie en el suelo.

—Sí —dijo éste girándose—, un amigo mío a quien debían avisar tus compañeros. Es un auténtico lince capturando criminales, un aficionado que domina el arte detectivesco a la perfección.

—Ah, sí. Fueron a avisarle, claro; me dijo Rullán, el cabo, que habían ido a las señas que usted les dio y preguntaron por él. Pero no estaba.

—Sí, creo que está a caballo entre Segovia y Madrid.

—Estos nobles viajan mucho; por cierto...

—¿Sí?

—Nada, que Rullán me comentó muerto de risa que les atendió un ama de llaves horrible de lo fea que era. ¡Una bruja de esas de los cuentos de niños! Parece mentira que siendo tan rico no tenga en casa una mujer más joven y guapa —explicó Aniceto entre risas.

314

—¿Cómo?

—Sí, es una vieja bruja con una verruga enorme en la nariz y...

Antes de que el guardia pudiera terminar la frase, Víctor había subido al pescante e indicado a Adolfo la dirección de don Alberto, gritándole que volara.

¡Una vieja con una verruga!

En los escasos minutos que tardaron en llegar al palacete del conde del Rázes, Víctor reparó en que nunca había visto a la supuesta ama de llaves de don Alberto y recordó que, curiosamente, éste siempre había disculpado su ausencia por motivos familiares. ¡Una vieja con una horrible verruga era el ama de llaves del conde! ¿Estaba don Alberto implicado en aquello? Los acontecimientos se sucedían con más rapidez de lo que su mente era capaz de procesar. Llegaron a casa del conde a eso de las ocho. La mansión de don Alberto se alzaba imponente, ocultando en parte el incipiente sol de la mañana. La luz del astro rey se difuminaba entre los profusos setos que rodeaban el cuidado jardín de la mansión creando junto con el rocío de la mañana una especie de bruma que flotaba en el aire.

—Adolfo, ve a la comisaría más cercana y di que nos envíen refuerzos. Que avisen sin tardanza al inspector Blázquez. Aniceto, ven conmigo —dijo el subinspector.

El fornido agente uniformado contestó:

—¿Qué pasa? ¿A dónde vamos?

El traqueteo del coche de Adolfo hizo que los dos se giraran, comprobando que éste volaba hacia la comisaría más cercana.

—¿Llevas revólver? —preguntó Víctor.

—No, mi porra.

—Yo sí lo llevo; debemos tener cuidado. Te diré que vamos a detener a unos peligrosos criminales que se dedican a matar prostitutas.

—Conozco el asunto, sé que lo lleva usted.

—Exacto —contestó el detective tirando del timbre que había junto a la repujada reja de la puerta de entrada.

315

Nadie abrió. Víctor observó que las cortinas de todas las ventanas estaban cerradas.

—Voy a entrar —decidió el subinspector—. ¿Vienes conmigo o esperas aquí?

—Voy —contestó Abenza.

Víctor ascendió ágilmente por la verja, cuidando de no herirse con las puntiagudas defensas de la misma. Dio un salto y cayó en el otro lado; se volvió para ver a Aniceto saltando a su vez con alguna que otra dificultad.

—Sígueme —ordenó el subinspector.

Se encaminaron hacia la parte trasera de la casa. Víctor no sentía sueño ni cansancio y sólo un pensamiento ocupaba su mente: esperaba que Lola estuviera viva. Tenía que salvarla como fuera. Fue mirando una a una por las ventanas de la planta baja y comprobó que las pesadas y rojas cortinas estaban echadas.

Al llegar a la puerta de la cocina, rompió el cristal con su revólver y, tras introducir la mano, dio con el picaporte. Lo hizo girar y entró con mucho tiento. Toda la casa se hallaba a oscuras.

—Busca algo para iluminarnos, Abenza. Tendremos que descorrer las cortinas de la casa —dijo el detective.

Encontraron una vela, que encendieron. Víctor iba delante. Salieron al inmenso pasillo, que quedaba insuficientemente iluminado con la única luz de la vela, y caminaron uno junto al otro con prudencia.

—Ten cuidado —insistió Víctor.

De repente, un sonido sordo le hizo girarse. Notó que la sangre le salpicaba la cara y vio desplomarse al bueno de Abenza. Delante de él, de la oscuridad, surgió el feo rostro de la vieja; ésta empuñaba un candelabro, y le lanzó un brutal golpe que el subinspector a duras penas logró esquivar. Un disparo sonó en la oscuridad y la vieja, que ya corría hacia las escaleras, rodó como un fardo por el suelo. Víctor, con el revólver aún humeante en la mano, se acercó para cerciorarse de que aquella arpía estaba muerta. Dejó la vela en el suelo. Tiró del pesado manto de la anciana con la zurda mientras le apuntaba con el revólver que sujetaba en la otra mano, hizo girar el cuerpo y volvió por la vela. Se acercó a la cara de la anciana y comprobó que el desagradable y horrible rostro aparecía coronado por una horrible verruga cerca de la nariz. La muerta tenía los ojos abiertos. Unos ojos preciosos, grandes y almendrados, que llamaban la atención en un rostro tan decrépito como aquel. La vieja tenía la piel de una de las mejillas algo levantada. Entonces, Víctor cayó en la cuenta de que aquel ser se había movido con demasiada agilidad para ser una anciana. Corría veloz hacia la escalera en el momento de caer.

Instintivamente tiró del asqueroso pellejo que se levantaba en el pómulo de aquella arpía y comprobó sorprendido que todo el rostro se desprendía detrás de aquel minúsculo trozo de piel. Víctor tiró asqueado aquella especie de máscara blanda que sujetaba en la mano y al iluminar el rostro de la anciana se le escapó un grito:

—¡Helena!

Efectivamente, aquellos hermosos ojos le eran familiares: pertenecían a la hermosa condesa de Archiveles.

—Látex.

La voz sonó tras él, a la vez que alguien amartillaba un arma. Notó que el frío cañón de la misma se apoyaba en su nuca.

—No se mueva y tire el revólver —ordenó aquel tipo, cuya voz le sonó conocida.

Víctor hizo lo que le decían y se volvió con lentitud a la vez que mantenía la vela en la mano derecha. El rostro de su captor quedó iluminado: ¡era don Bernabé, el padre de don Gerardo!

CAPÍTULO 25

—Sí —dijo sonriente don Bernabé de La Calle—. Esa máscara es de látex, una innovación que trajo de Sudamérica don Alberto. Es el producto de un árbol que llaman *Hevea Brasiliensis* y si se dispone sobre la piel, pasados unos minutos se seca adquiriendo una textura similar a la del tejido humano. Fascinante, ¿verdad?

—¡Usted!

Don Bernabé estalló en una risotada de loco.

—¡Sí, yo! Ja, ja, ja, ja... Sorprendido, ¿verdad?

—Pero su hijo...

—Mi hijo era un imbécil que al final resultó molesto. ¡Andando, suba las escaleras!

Víctor tiró la vela a un lado y se lanzó ágilmente hacia la derecha. Sonó un disparo y vio el fogonazo generado por el mismo, a la vez que sentía una quemazón en el brazo. Gritó de dolor. Antes de que pudiera rehacerse, notó que le golpeaban en la cabeza.

Cuando despertó se vio atado a una elegante silla en el comedor favorito del conde del Rázes situado en el primer piso de la mansión. Frente a él, don Bernabé fumaba un cigarro cubano y exhalaba anillos de humo con aire relajado. Sobre la inmensa mesa, un candelabro con apenas tres velas encendidas, que iluminaba tristemente la espaciosa estancia.

—Hombre, ha vuelto usted a este mundo.

Víctor emitió un gemido de dolor y se miró el brazo. Su agresor le había quitado la chaqueta y observó que tenía la camisa arremangada y manchada de sangre. Un sucinto vendaje le cubría el miembro herido.

—He tenido que hacerle un torniquete. Casi se me desangra.

—¿Y Lola?

—¿Lola? ¡Ah, sí, la puta! ¿Qué más da? —repuso aquel loco con tono asqueado.

—¡Miserable!

—Ahorre fuerzas y no se me indigne tanto, joven —aconsejó el otro apagando el cigarro—. Le harán falta. Ha resultado usted un rival demasiado fácil y previsible, aunque debo reconocer que no esperaba esta irrupción suya. De hecho, ya nos había fastidiado un poco con lo de mi hijo, pero...

—¿Su hijo no era el loco?

—¿Mi hijo un asesino? —Don Bernabé volvió a reír como un auténtico demente—. No, hombre. Mi Gerardo era un pequeño sádico, pero en la vida hubiera tenido agallas para matar a nadie. ¡Menudo cabestro! No era digno de mí, la verdad es que no lamenté tener que matarlo.

—¿Usted mató a su hijo? —se asombró Víctor; aquello le sobrepasaba.

—Claro —ratificó el aristócrata muy sereno—. Se acercó mucho a nosotros y tuve que deshacerme de él.

—¿Nosotros?

Don Bernabé miró de reojo con aire divertido al detective.

—Sí, nosotros. Pero ¿en qué mundo vives, hijo? Me permitirás que te tutee, ¿no? Pero ¡qué tontería! ¿Qué hago pidiéndote permiso? Estás en mis manos.

—¿Don Alberto sabe que usted...?

—No seas idiota, Víctor.

—Pero usted, ¿cómo...?

—No eres tan bueno como decía don Alberto, hijo mío. Tendré que aclararte las cosas; total, tengo que matarte... ¿Un cigarro? ¿No? Mejor así. A ver, ¿por dónde empiezo...? Sí, claro, por el principio. Bueno, hijo. Tienes delante de ti a un hombre ejemplar. Y digo ejemplar en todos los sentidos. Tengo sesenta y cuatro años y debo decir que llegué a los sesenta sin saber lo que era tener querida, sin haber pisado un prostíbulo y sin haber visto nunca a una corista. Con eso te lo digo todo. Así era yo, un esposo atento y un padre ejemplar. Pero la perdición entró en mi casa, querido Víctor. Y entró en forma de mujer. Un buen día llegó recomendada una joven, Agapita. Quedé prendado de ella. Despertó instintos en mí que siempre habían permanecido dormidos, ocultos, reprimidos. Era un ángel, no lo puedes imaginar. Desde el comienzo albergué hacia ella los más profundos sentimientos, me excitaba, sí, pero la quería. Tenía que ser mía. Sentí que, hasta aquel momento, mi vida había sido algo inútil y fatuo. Sin ella, más me valía morir. Lógicamente, la hice mía. No fue cosa difícil. Una noche me metí en su cuarto y no quiso dar un escándalo. Era una joven preciosa, de hermosos ojos marrones, generosos senos, y ardiente, muy ardiente. Fíjate tú que por aquel entonces, yo, que nunca había osado pensar en cometer delito alguno, comencé a albergar unos deseos incontenibles de eliminar a mi esposa para poder casarme con Agapita. Ridículo, ¿verdad? Pues bien, a punto de matar a mi santa esposa como estuve, descubrí algo que me hizo sentir como el mayor imbécil de todos los que pueblan esta tierra. Una noche que ella no me esperaba, henchido de deseo y ardiendo de fiebre, logré escabullirme de mi palco en la ópera argumentando que me sentía mal. Volví a casa con la secreta intención de estar con ella, sentirla mía y, ¿sabes?, al llegar a la puerta de su cuarto escuché voces... ¡Mi hijo, mi propio hijo estaba con ella! La oí gemir como una perra en celo, y luego hablaron. Yo, sentado en el pasillo del servicio, escuché aquellas palabras reprimiendo los sollozos. Se rió de mí; «viejo chocho», me llamó. Dijo que fingía conmigo, y que soportaba el asco que yo le daba pensando en él, en «su Gerardo». ¡Hijo de puta! Subí a la sala de armas y bajé con una escopeta de caza mayor dispuesto a hacer una carnicería, pero una luz se encendió en mi mente, un no sé qué. Resolví esperar y vengarme en frío. No iba a arruinar mi vida por una criada putón y el botarate de mi hijo. Lógicamente, la eché de casa. Luego resultó que estaba embarazada. ¿Y si era mía aquella criatura? Me sentí morir. La busqué por todas partes como un idiota y no logré dar con ella. Entonces consulté con don Alberto y él me ayudó. Me agradaba su compañía y éramos compañeros de cartas en el casino, sabía que era hombre de mundo, y por eso me puse en sus manos. Yo estaba como loco. Supe por él y sus agentes que estaba hecha una tirada, que hacía la calle... Vamos, lo más bajo. Sentí un dolor insoportable por aquella nueva traición e intenté olvidarla. Pero la cosa fue a peor, Víctor. Un rufián, un diputado...

—Don Arturo.

—Ése. La recogió y le puso casa. Sentí que ardía de celos y rabia. No podía soportarlo. Fui a verla y me humillé. Le pedí de rodillas que volviera conmigo, que me hiciese el amor, que me permitiera ver a mi hijo. Le prometí mi fortuna, dispuesto a sacrificar incluso mi buen nombre. No me importaba ser el hazmerreír de todo Madrid. ¡Y se rió de mí! Me dijo que el crío era de mi hijo y me echó de su casa. Yo no cejé en mi empeño y le pedí una cita una y otra vez, pero ella se negaba. Dejó de contestar a mis notas y amenazó incluso con acudir a la policía. Don Alberto me solucionó el problema, y a través de Helena, caracterizada de vieja, me consiguió una cita. Me la pusieron en bandeja. Yo estaba hecho una furia. Suplicó que la dejara irse, y aquello me excitó aún más. La maté, sí. Y descubrí un mundo de sensaciones que hasta entonces ignoraba. Me sentí joven, omnipotente y poderoso. Puse treinta reales en su bolso como prueba de su traición, y don Alberto y sus sirvientes se encargaron del resto. A partir de ahí quise olvidarlo todo, pero algo había cambiado en mí. Dicen que el perro que prueba la sangre fresca no puede evitar volver a morder, y fue lo que me ocurrió. Cuando volvía de la ópera o de una fiesta, ya de noche, veía a las desgraciadas de Embajadores o de los bajos de Atocha y no podía evitar pensar que eran como ella, ¡unas putas! ¡Putas,

putas! —repitió gritando fuera de sí—. Seguro que aquellas furcias habían arruinado la vida de muchos decentes esposos como yo. Tendrían historias como la de Agapita. Oía voces que me decían: «¡Mátalas, mátalas, se lo merecen!»

»Tuve que volver a hacerlo. La segunda vez fue aún mejor, y la tercera, y la cuarta... me sentí el hombre más poderoso y feliz del mundo, ¡un Dios!

—¿Y por qué mató usted a María de los Ángeles de Pelayo?

—Ah, eso —dijo riendo aquel loco—. Sí, fue una idea brillante de don Alberto. Cuando María de los Ángeles de Pelayo se fue de su casa, don Alberto me hizo ver que era la ocasión perfecta para cargar las culpas sobre mi hijo. Así, si alguna vez alguien se interesaba por mis andanzas, concluiría que dos de las víctimas tenían íntima relación con el idiota de Gerardo y eso equivaldría a un veredicto de culpabilidad. Ese don Alberto es un genio, está a mucha distancia de todos nosotros.

—¡Qué estúpido fui! —exclamó el subinspector.

No podía creer que don Alberto estuviera metido en algo como aquello, sentía que el suelo se hundía bajo sus pies.

—Tú lo has dicho, querido Víctor, tú lo has dicho, no yo. Bien, ¿hay algo más que quieras saber?

Un ruido de cerrojos que se abrían interrumpió al asesino. Empuñó el revólver y dijo:

—Vaya, parece que nuestro anfitrión ha vuelto a casa. ¡Alberto, estoy aquí! —gritó.

Al instante resonaron unos pasos. Alguien subía las escaleras. Una luz iluminó el oscuro pasillo. Don Alberto y su criado mulato hicieron su aparición.

—Pero, ¡Bernabé! ¿Qué es esto? —gritó indignado el conde del Rázes.

—Alberto, espera..., puedo explicártelo...

—¿Estás bien, hijo? —preguntó el aristócrata acercándose a su protegido—. ¡Dios mío, estás herido! Quítale las ataduras, Lucas.

—Espera —dijo don Bernabé—. ¿No irás a desatarlo?

323

—Pues claro. No hay peligro. ¿Y vosotros dos? ¿Es que no os puedo dejar solos ni un momento?

Víctor se sintió aliviado, aunque no sabía exactamente qué estaba ocurriendo entre aquellos dos hombres.

—No ha sido culpa nuestra. Vinieron a buscarte y este entrometido irrumpió por la cocina. No sé cómo lo supo. Ha matado a Helena.

—Ya lo he visto. ¡Qué pena! —espetó irónicamente el dueño de la casa.

—Las cortinas están echadas y la casa a oscuras, tal como ordenaste, Alberto.

—Inútiles —dijo el conde de Rázes—. Lucas, ¿cómo está esa herida?

—No morirá de ésta —contestó el criado con un exótico acento.

—Bien, véndasela otra vez.

—Pero ¿no vamos a matarle? —preguntó don Bernabé muy alterado.

Don Alberto lo miró con aire divertido y dijo:

—Claro que sí.

Entonces, el conde de Rázes dirigió unas palabras a su criado en un idioma incomprensible para el detective, y luego añadió:

—Pero, antes, tomemos una copa.

Se dirigió a un mueble repujado que abrió y, con parsimonia, sirvió dos copas de Jerez.

—Toma, Bernabé, a tu salud —dijo tendiéndole la bebida.

Los dos hombres apuraron de un trago el contenido de sus copas y se miraron sonriendo.

—Y ahora, mátalo —ordenó don Alberto.

Don Bernabé fue a buscar la pistola de encima de la mesa y comprobó sorprendido que no estaba.

—¡No te lo decía a ti, imbécil! —gritó don Alberto a la vez que Lucas descerrajaba un tiro entre los ojos a De La Calle que le voló la cabeza. El cuerpo cayó al suelo con un ruido sordo.

—No pensarías que iba a dejar que te matase, ¿verdad, Víctor?

El joven policía permanecía mudo y con la boca abierta. Hacía verdaderos esfuerzos para mantenerse consciente.

—¿Quieres beber algo, hijo? —preguntó solícito el conde.

—Agua.

El criado tendió un vaso al detective que éste apuró sediento. Luego quiso saber:

—¿Y Lola?

Le agobiaba pensar que la joven pudiera estar herida. El tiempo debía correr en su contra.

—¡Y yo qué sé! —replicó con hastío don Alberto—. Tenemos asuntos más importantes de que hablar. Hemos de arreglar esto y dar una explicación a lo ocurrido aquí, porque habrás pedido refuerzos, ¿verdad?

Víctor asintió.

—Bien hecho, hijo. Eres un buen policía.

—Don Alberto...

—¿Sí?

El noble se acercó a la ventana y descorrió las cortinas. La cegadora luz del sol hirió los cansados ojos del subinspector.

—Ese hombre, don Bernabé, ha hecho afirmaciones muy graves acerca de usted, y yo, la verdad...

—Quieres saber si son ciertas, claro. Ay, hijo, nunca aprenderás. Tú eres mi obra maestra, tú y sólo tú. ¿Dónde está el bien y dónde el mal? ¿Quién lo sabe? ¿Quiénes somos para juzgar a nadie? Podemos contar que Helena y Bernabé se colaron aquí aprovechando que yo estaba de viaje y tú, que habías venido a verme a casa, entraste... para descubrir a los asesinos de prostitutas.

—Eso no es verdad. Además, no ha contestado usted a mi pregunta.

—Sí he contestado a tu pregunta, hijo —respondió el conde mirándole con ternura—. Las cosas no tenían que haber sucedido de este modo; primero lo estropeó don Gerardo de La Calle, que casi nos descubre, y ahora tú. Esto se me ha escapado de las manos. Te has adelantado, hijo, eres mejor incluso de lo que yo pensaba. La culpa ha sido mía. Me he visto obligado a ausentarme unos días y..., en fin, ya sabes lo que dicen, que si quieres estar seguro de que algo se hace bien, debes hacerlo tú mismo. Y es cierto.

—Parece que era usted el jefe de estos despiadados asesinos.

—Se puede decir así. Pero no es tiempo de acusaciones, aún se pueden arreglar las cosas. Tú serás el héroe, habrás resuelto un caso muy difícil.

—¿Va a matarme? No le servirá de nada. Vienen de camino.

Don Alberto se sentó como agotado, dejándose caer en una butaca frente a Víctor.

—Insobornable, ¿verdad?

—Verdad. ¿Va a matarme o no?

—No digas tonterías. ¿Qué artista destroza su obra maestra?

—¿Va usted a contarme qué está sucediendo aquí, don Alberto?

—Es una larga historia, hijo.

—Me gusta escuchar. Por otra parte, cuando lo detengan tendrá tiempo de sobra para hablar conmigo.

—A mí no va a detenerme nadie —negó el aristócrata mirando a su criado—. En fin, sea como dices. Te contaré una historia. No temas, es breve. Yo no nací en España y mi nombre no es Alberto Aldanza. Me llamo Pierre, Pierre-Marie Bertrand y nací en París hace ahora cincuenta y un años. Mi padre murió antes de que yo viniera al mundo, en un duelo por el honor de mi madre. ¡Ya ves, qué ironía! Debía de ser un auténtico idiota. Dejarse matar defendiendo la virtud de la puta más viciosa de París. Mi madre tenía más dinero del que podía gastar, y digamos que la vida de la aristocracia parisiense ofrece muchos placeres y deleites. Vamos, que crecí en un ambiente decadente y frívolo, hedonista, diría yo. En fin, ella se encargó de iniciarme en el arte del amor cuando tenía once años. Repugnante, ¿verdad? Hace unos años me hice visitar en Boston por un psiquiatra eminente, Fergusson se llamaba. Yo creía que aún tenía salvación. Él situaba la causa de mi «desequilibrio» en esta primera experiencia incestuosa. Psicópata me llamó, según creo. En definitiva, que a los quince estaba ya asqueado del mundo de la carne. Sabía lo que era estar con un hombre, con una mujer, con..., bueno, te ahorraré los detalles de mis primeros años. Ya se sabe, Víctor, que a veces huimos de lo que nos imponen nuestros padres, así que a los veinte me fui a Chile. No creas, llegué allí con lo puesto. No quería recordar nada de mi vida anterior y adquirí un nuevo nombre: Alberto Aldanza. Conocí allí, sírveme vino, Lucas, a un geólogo alemán con el que me asocié. Localizamos dos yacimientos de nitratos que parecían vírgenes. Fue un juego de niños comprar aquellas tierras a dos campesinos analfabetos que no sabían lo que valían. Así que explotamos dos minas que nos hicieron ricos y a los cinco años las vendimos por un dineral. Tenía veinticinco años y más dinero del que podría gastar en varias vidas. Por cierto, senté la cabeza y me casé con una joven perteneciente a la nobleza criolla de aquel país: era una belleza y una dama ardiente, muy ardiente. Yo, por mi parte, iba a la iglesia, pagaba mis impuestos y llevaba una vida totalmente normal. Una noche, lo recuerdo bien, haciendo el amor con mi esposa, Inmaculada, salió la bestia que llevaba dentro. Ella tenía los senos al aire, la blusa abierta y jadeaba. Comencé a golpearla suavemente con una fusta. Ella disfrutaba y me pidió más. Parecía excitada con aquello. Me sentí muy exaltado. En fin, supongo que me dejé llevar por la pasión, tomé un abrecartas de su mesita de noche y... Te ahorraré detalles una vez más. Después de aquello tuve que salir por piernas de Chile, porque su familia era poderosa. Pasé a Argentina, luego a Brasil, Perú, conocí toda Sudamérica. Luego fui a Estados Unidos y Canadá. Deberías visitar Alaska, un lugar indómito e inexplorado. Por cierto, recordando pasadas fechorías, te diré que me hace mucha gracia cuando te veo convertido en tan convencido defensor de la justicia y la ley. Eso no existe. No hay justicia en este mundo, Víctor. Si las víctimas son pobres, nadie se interesa por ellas, y en aquellos países casi no hay policía. Tampoco creas que hay mucha diferencia en ello con el Viejo Continente; aquí todas las policías son ineptas, ineficaces y, en la mayoría de los casos, corruptas. El caso es que un par de veces estuvieron a punto de capturarme: una en Brasil y otra en Bolivia. Pude salir con bien aflojando la bolsa. Luego, mis gustos fueron variando. Comencé con las jovencitas, ya sabes, sexo y dolor (según mister Fergusson, soy lo que se dice un sádico). Luego continué con los jovencitos, niños, viejas, grupos, en fin...

—Me ahorrará detalles, ¿verdad?

—Sí.

—Se lo agradezco.

—No hay de qué. Fui perdiendo interés, ¿sabes? Y tiene gracia, Víctor, porque resulta que una de esas jovencitas, a la que yo creía virgen e inexperta, me contagió nada menos que la sífilis. Se vengó de mí, rediez. Me la diagnosticaron en América del Norte. Me muero, Víctor. Por eso voy tanto a Segovia. Hay allí un curandero que entre purgas, tisanas, infusiones y sangrías me mantiene medio en pie. No me quedan ni tres meses. El mal ha llegado al cerebro y no pienso acabar medio lelo, te lo aseguro. Cuando supe que me moría, perdí el interés por matar. Ya no disfrutaba como antes. Si pudiera sentir remordimientos, el doctor Fergusson decía que no, diría que comencé a sentirlos. O algo parecido. Pensé que, en efecto, en este mundo no había justicia. ¿Sabes la de gente que muere quedando impunes sus asesinatos? ¿Sabes cuántos pervertidos como yo he conocido en los cinco continentes? Pensé que no era justo que todas esas pobres criaturas de los arrabales de Río, Lima o Nueva York no tuvieran defensor alguno y decidí legar a la humanidad algo especial: el detective más preparado del mundo. Mi obra maestra. Y ése eres tú. Simplemente quise nivelar la balanza en la lucha entre el bien y el mal. Jugué a Dios desarrollando un escenario más justo para el futuro. Yo lo tuve demasiado fácil, ojalá hubiera tenido que vérmelas con alguien como tú. Todo habría sido menos aburrido. Vamos, que decidí hacer una buena obra. Por aquel entonces recalé en Madrid y conocí a don Armando.

—¿Don Armando sabía que usted...?

—¡No, hombre, no! El bueno del sargento me tenía por un noble excéntrico pero de buenas intenciones que disfrutaba cazando criminales en lugar de faisanes. Hablaba de ti como de un hijo. Te describió a la perfección y supe que eras mi hombre. Tenías la capacidad intelectual, la perspicacia, el talento, y yo, la sabiduría y el dominio de las más modernas técnicas. No podía fallar. Pero un gran detective necesita un gran caso que le haga famoso y yo te lo fabriqué. Don Bernabé se puso en mis manos y pensé que era el medio ideal. Lo preparé todo concienzudamente. Hice que todo apuntara hacia Gerardo de La Calle. Helena me ayudó. Se caracterizaba muy bien, y el detalle del acento extranjero ayudaba a disimular que era española. Tú lo hiciste bien, aunque es cierto que yo te iba enseñando lo que necesitabas: dactiloscopia, antropología forense, discriminar fibras y conocimientos de botánica. Te fui modelando como se hace con un trozo de barro. Un pegote de tierra mojada que el alfarero, el artista, puede convertir en algo sublime.

—¿Y permitió que cometieran los crímenes sólo para darme un gran caso?

Don Alberto se echó a reír golpeándose la parte superior de los muslos.

—Para hacer una tortilla hay que romper algunos huevos, hijo; además, ¿de dónde crees que salieron los hígados, los riñones, los pulmones y los huesos que utilizábamos en nuestros estudios? ¿De verdad crees que me los daban en el cementerio? ¿En un país tan profundamente católico como éste? Si no fuera por esas pobres chicas, no sabrías distinguir el hígado de un envenenado de una morcilla.

Víctor comenzó a sentir arcadas.

Se sintió morir. Aquel era el precio para convertirse en un gran investigador, un detective a la última, de los nuevos tiempos. Sólo había un problema: que él no quería pagarlo y llevar sobre la conciencia tanta muerte.

Pensó que ese estigma le perseguiría toda la vida; era el juguete de Aldanza, el subproducto de una mente enferma, retorcida. Le invadió una insoportable sensación de asco y se repitieron las arcadas.

—No seas débil, Víctor.

—¡Es usted un monstruo!

—Sí, ahora insúltame, pero gracias a mí no habrá detective que te iguale en Europa. ¡Qué digo Europa, en el mundo! Yo lo preparé todo a conciencia. Tú detendrías a ese bufón obeso de don Gerardo llevándote la gloria. Todo iba como la seda, pero el muy imbécil sospechó de su padre y se presentó aquí en medio de una de nuestras orgías. Tuvimos que eliminarlo. Supe entonces que tarde o temprano tendría que ponerte sobre la pista de don Bernabé. A fin de cuentas, éste era tu gran caso.

—Por eso no quería usted que investigara el caso de la mansión de los Aranda e insistía tanto en que me centrara en éste.

—Ese caso era una nadería.

—Pues sepa que lo he resuelto.

Don Alberto miró a su protegido con indiferencia y continuó hablando:

—Estaba meditando qué pasos debía seguir, cómo entregarte a don Bernabé sin que él me delatara, pero tuve una recaída. Eso me ha apartado un poco de la capital, lo suficiente para que el asunto se me fuera de las manos. Además, sucedió lo del palco. Esa zorra de Helena casi lo estropea todo.

—Está usted loco —dijo furioso el policía.

—Sí, eso mismo me dijo el doctor Fergusson antes de que lo matara —replicó el conde soltando una extraña carcajada—. Pero no te hagas el escrupuloso conmigo. Sé que debes de estar afectado por lo ocurrido. Conociendo tu débil y maniquea moral, comprendo que estés enfadado. Pero sé pragmático, hombre de Dios, y aprovecha todo lo que has aprendido para hacer el bien desempeñando brillantemente tu trabajo. De acuerdo, unas putas han muerto, pero tú podrás evitar muchísimas más muertes de cara al futuro.

—Muchas gracias, pero yo no pedí esto.

—Sí, ya veo, estás disgustado. Pero se te pasará, confía en mí, hijo. ¿Llegamos a un acuerdo?

—Sepa que si no le vuelo la tapa de los sesos es porque no puedo. Máteme de una vez si quiere, mis compañeros le llevarán al garrote. Ahora vienen.

La desesperación se reflejó en la cara del conde, como en el profesor que explica algo que nadie entiende. Miró entonces a su exótico criado y dijo:

—En fin, Víctor, no me dejas otra opción. Lucas, la jeringa —ordenó.

—¡Pero señor...! —protestó el otro.

—No me repliques. Haz lo que se te ha indicado.

El mulato extrajo un estuche de cuero del bolsillo de su levita y acercándose al conde lo abrió, sacando una jeringa. Quitó una pequeña funda de cuero que cubría la aguja y se la tendió a don Alberto, que ya se había arremangado la manga de la camisa.

—Éste es otro de mis descubrimientos en Sudamérica. ¿Sabes?, hay allí una serpiente que llaman «tres pasos». Te preguntarás por qué, ¿verdad? Pues la respuesta es bien sencilla. Una vez que te muerde, la muerte es instantánea, das tres pasos... y te desplomas. —Víctor hizo ademán de levantarse, pero el noble ordenó al criado—: ¡Lucas, si se levanta, le pegas un tiro en la rodilla! ¿Por dónde iba? Ah, sí, el veneno. Unas pocas gotas bastan para matar a un hombre adulto y en esta jeringa hay cuatro mililitros, así que...

—¡No haga eso! —gritó el detective antes de que el aristócrata clavara la jeringa en su antebrazo e inoculara el contenido de la misma en su torrente sanguíneo. En apenas dos segundos, don Alberto Aldanza dejó caer la cabeza a un lado y quedó inerte. Entonces el mulato miró al policía y dijo:

—Creo que la chica está en «el taller». Dese prisa.

Y, dicho esto, giró el arma hacia su sien y se disparó un tiro.

Víctor se levantó como buenamente pudo y se acercó al cadáver del aristócrata que yacía sentado en el butacón. Le tomó el pulso para asegurarse de que había muerto. No quería sorpresas desagradables. Comprobó que el corazón de aquella alimaña no latía y se dirigió a toda prisa al «taller». Se sintió invadido por la ansiedad, el miedo y la impotencia. Toda la casa estaba a oscuras, así que anduvo tanteando la pared hasta llegar a la inmensa puerta que, para su desesperación, estaba cerrada. Usando el hombro que no tenía herido empujó y logró saltar el pestillo. No veía nada. Se acercó a la ventana y abrió las inmensas cortinas. La luz del sol inundó la amplia habitación. Entonces la vio. Lola descansaba sobre una mesa que parecía de quirófano. Tenía clavado un fino estilete en el costado, donde se veía una gran mancha de color rojo oscuro. Gritando una maldición se acercó a ella tomando su cabeza entre las manos. El rostro de la joven prostituta estaba pálido y sus labios morados. Víctor tiró del estilete sacándolo del cuerpo de la chica y ésta dio un respingo abriendo los ojos.

—¡Víctor! —murmuró.

—Lola... —dijo él, sorprendido de que aún viviera.

—Sabía que vendrías. Mi caballero andante...

—No, no hables —dijo él tapándole la boca—. Te voy a sacar de aquí, te llevaré a un médico, te curarás.

Estaba desesperado.

—Te he querido siempre —dijo la joven sonriendo como un ángel pálido, de hielo—. Siempre, desde el primer día que entraste en mi habitación. Te quiero, Víctor Ros, eres lo único bueno que me ha pasado en este sucio mundo.

Aquellas palabras desgarraron al joven detective.

—No hables. No hables... —acertó a decir entre lágrimas y sollozos.

Ella lo miró con rostro relajado y expresión beatífica.

—Bésame, Víctor, bésame.

La besó en los labios y sintió que estaban fríos.

—Lola...

Había cerrado los ojos. Para siempre.

Víctor la incorporó como pudo con el brazo sano, ayudándose a duras penas con el herido, que a cada contacto le dolía como si le clavaran mil agujas. No importaba. Salió con la joven al pasillo y bajó a ciegas la escalera. Se asfixiaba. Se sentía agotado, pero tenía que llevar a la joven a un médico. Atravesó el sombrío e interminable vestíbulo y abrió como pudo la puerta principal. Otra vez le cegó la luz del sol. Vio el carruaje en que habían llegado don Alberto y Lucas, su criado. La verja estaba abierta. Se dirigió arrastrando los pies hacia la calle.

Los primeros agentes que llegaron encontraron a don Víctor Ros Menéndez, subinspector de policía, de rodillas, en medio de la vía pública y con el menudo cuerpo de una mujer en su regazo. Lloraba como un niño y acariciaba el rostro de la joven con ternura. Estaba conmocionado y no pudo decirles nada. Tenía una herida en el brazo que sangraba profusamente, pero ni se daba cuenta. Parecía delirar. Entraron en la casa y se toparon con un panorama dantesco.

Capítulo 26

Víctor tardó más de tres semanas en recuperar la salud. La infección producida por la herida del brazo tuvo sumido al joven en un continuo delirio que duró más de cuatro días, entre altísimas fiebres que incluso llegaron a hacer temer por su vida. Los amorosos cuidados de doña Patro y de don Remigio de las Heras, galeno personal del propio ministro, evitaron que el detective abandonara este mundo que tanto le había decepcionado. La patrona velaba al enfermo asustada por la violencia de las pesadillas que sufría aquel atormentado hombre, mitad debido a las altas temperaturas, mitad a los espantosos acontecimientos que le había tocado vivir.

Don Remigio decía que el estado de debilidad y agotamiento nervioso al que le habían llevado dos días sin dormir y sin apenas probar bocado, unido a la naturaleza de las pruebas que aquel hombre había tenido que soportar, eran la causa de que su organismo hubiera sido vencido por la más virulenta de las infecciones. Al quinto día, Víctor recobró la consciencia, y poco a poco fue capaz de sentarse en su butaca, junto a la ventana, donde pasaba las horas muertas leyendo o contemplando embobado el ir y venir de transeúntes y carruajes. Sólo aceptó que lo visitara don Alfredo, por supuesto, y nunca para hablar de los dos casos que con tanta brillantez había resuelto.

La verdad era que Víctor Ros vivía atormentado por los remordimientos que sentía al no haber podido evitar la muerte de Lola. La joven le había dicho que lo amó desde el primer momento, y eso le partió el alma, ya que él se había limitado a utilizarla, como hacía el resto de clientes del burdel de Rosa. Él no era mejor que éstos, al contrario, y se sentía sucio y miserable por ello. Lola sólo había conocido el lado oscuro del ser humano, desde niña. Ningún hombre se había acercado a ella de manera altruista, generosa, ni siquiera él. La había utilizado. Y ahora estaba muerta.

Ni se le había pasado por la cabeza que la joven tuviera un interés romántico por él. Era una furcia, y él una persona decente.

No podía evitar evocar las palabras de Lola recordándole que nunca podría casarse con una Alvear. No es que ya no amara a Clara, por descontado. Los últimos acontecimientos no habían hecho sino acrecentar su amor por la joven, pero el policía era consciente de que nunca conseguiría en matrimonio a alguien de su clase. Se había rendido definitivamente y le daba igual. Él era un hijo del pueblo de Madrid, del pueblo llano, claro, porque ya apenas recordaba su Extremadura natal; se había convertido a todas luces en un madrileño. De La Latina. Y, a pesar de ello, deseaba abandonar aquella ciudad. Había traicionado el espíritu liberal que tanto le importaba por una mujer, Clara. Trató de introducirse en los círculos más selectos de la alta sociedad madrileña de la mano del psicópata de don Alberto con la sola intención de contraer matrimonio con ella. Llegó a alternar como si nada con aquella gente que vivía un mundo de lujo y esplendor a costa de explotar al pueblo que los mantenía. Se sentía decepcionado consigo mismo, don perfecto. Por segunda vez en su vida, había traicionado sus ideales liberales anteponiendo su bienestar personal a la verdadera causa.

Pensaba esto y cosas peores mientras contemplaba a la gente pasar por la calle desde la seguridad de su cuarto. Sólo hallaba descanso cuando leía o cuando contemplaba los miles de partículas que, iluminadas por los rayos solares, flotaban moviéndose en el aire de su cuarto. Siempre había sentido como una fascinación por esos minúsculos corpúsculos cuya observación le sumía en una especie de relajante sopor en el que su atribulada mente quedaba de momento en blanco.

Cuando su cerebro volvía al doloroso presente, recordaba a Lola y se veía a sí mismo reparando en el pasado los errores cometidos, y entonces contemplaba a la joven lozana, hermosa y, sobre todo, viva. Luego, volvía a la insoportable realidad. De entre todos sus errores, lamentaba uno sobremanera: había pecado de inmodestia. Se creyó el ombligo del mundo, adulado, querido e inmerso en los círculos más selectos, había sido engañado por una panda de asesinos sin moral ni piedad. Lo embaucaron como a un pardillo. A él, que se creía tan listo, tan racional, tan innovador. Había terminado por creerse esa historia del «joven y prometedor policía» y ése fue su talón de Aquiles.

Y Lola había muerto por su culpa.

Sólo consintió en recibir una visita, además de don Alfredo: la del agente Abenza. Cuando el abatido policía vio entrar en su cuarto al fornido y uniformado agente con un aparatoso vendaje en la cabeza esbozó una triste sonrisa y alcanzó a decir:

—Al menos a usted no lo he matado.

El bueno de Aniceto le rectificó:

—Usted no ha matado a nadie; al contrario, ha evitado más muertes y ha resuelto de una tacada dos casos muy complicados. Es usted el mejor policía que he conocido en mi vida y, créame, llevo muchos años en esto. Y eso sin contar con que es usted joven aún. Déjeme estrecharle la mano, don Víctor, para poder contarlo en comisaría.

Ni siquiera esto animó al joven detective, que tampoco leyó los elogios que sobre su persona vertían todos los periódicos de la capital. Era imposible ojear un diario sin encontrar alguna referencia al joven héroe de la policía que había resuelto dos difíciles casos a la vez. El vulgo encontró fascinante el caso de la casa de los Aranda, una complejísima trama desarrollada por dos estafadores que, aprovechando una leyenda de fantasmas, pretendían hacerse con un fabuloso tesoro. Tampoco le andaba a la zaga el «caso Aldanza», en el que una red de maníacos encabezada por un sofisticado súbdito francés había torturado y asesinado en macabras orgías a más de veinte prostitutas y jóvenes madrileñas.

En definitiva, Víctor Ros Menéndez era el hombre del momento, a quien el todo Madrid se jactaba de haber conocido algún día en cierta fiesta y al que los hijos de La Latina, chulos y chulapas, identificaban con el modesto emigrante que desde la miseria había llegado a lo más alto de la sociedad.

Al cabo de tres semanas, el joven policía comenzó a salir a dar algún corto paseo. Le ayudó mucho un jarabe que le había prescrito don Remigio: Licor del Perú de Rojas. Doña Patro lo trajo de la farmacia de Sánchez Ocaña, en Atocha, 35, y luego le obligó a ingerirlo todos los días. Se elaboraba en Bolivia a partir de una planta fresca, *Erythroxilum coca*, y, según el galeno del ministro, era el mejor tónico que había conocido jamás. Aniceto Abenza era un encendido defensor de aquel jarabe.

A Víctor le hizo bien.

Salía a ratos y reflexionaba caminando bajo la tupida sombra de los grandiosos árboles del Paseo del Prado, pensando si abandonar aquella desgraciada profesión o no. Veía a Lola en sus sueños. Al fin llegó a una conclusión.

El 2 de noviembre, después del día de Todos los Santos, don Alfredo acudió a buscar a Víctor a sus habitaciones. Al parecer, Renato Minardi, alias «Psíquicus», quería efectuar una declaración en toda regla. Había pedido hacerla ante el hombre que le descubrió.

Víctor, que había obtenido ya respuesta favorable a su solicitud de traslado a Figueras, accedió a hacer aquel último favor a don Horacio en agradecimiento por los desvelos que éste había tenido para con él durante su convalecencia. A petición del joven detective, Psíquicus fue llevado a las instalaciones del ministerio en Sol. Víctor llegó acompañado por don Alfredo y, tras saludar a don Horacio, bajaron al calabozo donde se hallaba el despiadado vidente. Le pareció que el adivino estaba algo más delgado. El hombre se levantó respetuoso al verle entrar escoltado por don Horacio y don Alfredo. Estaba sentado en una sencilla silla de madera. Ante él, dos agentes de uniforme sentados a una alargada mesa se disponían a tomar nota de las palabras del acusado. Había tres sillas vacías para los recién llegados. Se sentaron como si aquello fuera un tribunal dispuesto a examinar a un alumno en el mes de junio.

—¿Va usted a declarar al fin? —preguntó don Horacio.

—Sí, y he insistido en hacerlo ante don Víctor por un motivo...

—Ahórreme las tonterías —cortó escéptico el subinspector.

—¿Ve? Usted me juzga con dureza, y las cosas no son tan sencillas. Detrás de todo gran crimen hay una historia de injusticia y vileza.

—O no —repuso Víctor.

—Cuando escuche mi historia comprobará que en este caso es así.

—Diga lo que quiera de una vez —urgió don Alfredo viendo que su joven compañero parecía impaciente.

—Bien, ya saben ustedes que no me llamo Renato Minardi, sino Ron Kok. Soy natural de Holanda y como ya han averiguado mi padre era Fons Kok, el holandés. Cuando yo apenas contaba un año de edad, ahora tengo sesenta y tres, mi padre emigró a Filipinas, en concreto a la isla de Luzón. Quería hacer fortuna. Allí trabajó en las obras del ferrocarril que había de unir Manila con Cabanatuán y trabó amistad con un español, Diego Vicente Reinosa, un avispado joven de Logroño que, tras unos extraños negocios en Cuba que le enriquecieron para luego arruinarse, buscaba salir de la pobreza como fuera. Y quiso la fortuna que se cruzaran en el camino de un español de los que viven en aquella isla, vamos, nacido allí; Braulio

Ramírez, se llamaba aquel tipo. Lo conocieron trabajando en las obras del ferrocarril, y una noche de farra y borrachera aquel les contó una historia que al principio les sonó a fantasiosa o extraordinaria. En el año 1775, un bergante inglés, el *Lady Macbeth*, trasladaba a medio centenar de presos a Canberra, donde habían de purgar sus penas cumpliendo cadena perpetua. Los presos lograron amotinarse en un descuido y, para resumir, diré que se hicieron con el barco pasando a cuchillo a toda la tripulación. Los mandaba un tal Harrison, un bribón de cuidado del puerto de Brighton. Rebautizaron al barco como *City without law*. Aparte de huir de la Armada Británica se dedicaron a la piratería y hay constancia de que asaltaron varios barcos repletos de oro y mercancías. Al fin, tras cinco años de correrías, un buque inglés dio con ellos y, tras cañonearlos, consiguió hundir el bergantín pirata. Y esto sucedió en las costas de Filipinas, en la misma isla de Luzón donde la presencia de los ingleses no era, digamos, bienvenida. El barco, muy dañado, se refugió en una especie de abrigo natural situado al este de la isla, más al sur de la bahía de Baler, tras pasar el cabo Encanto, conocido por los nativos como El Rincón del Diablo. Y no es llamado así por casualidad.

»La curiosa orografía de la zona originó esta suerte de pequeña bahía rodeada de acantilados a la que sólo se puede acceder por mar. Como ustedes estarán pensando, dicha ensenada reúne las características necesarias para ser un puerto perfecto, pero unas afiladas rocas situadas a ambos lados de la entrada de la bahía hacen, junto con las fortísimas corrientes, que el acceso al interior de la misma sea poco menos que imposible. El caso es que, huyendo de sus perseguidores y con la bodega inundada, los piratas lograron entrar en la pequeña bahía, donde el barco se hundió sin remisión. Sólo unos trece piratas pudieron abandonarlo, pero casi todos perecieron destrozados contra las rocas. Tres llegaron al pie del acantilado y sólo uno consiguió trepar hasta arriba. Era un grumete llamado James, que, tras grabar en la mente el lugar del naufragio, decidió alejarse para regresar con hombres y equipo suficientes para vaciar las bodegas del barco de Harrison, que, según decían, contenían hasta cinco cofres repletos de oro.

»El tal James fue de mal en peor y, como buen delincuente, terminó condenado a muerte por las autoridades españolas por matar a un cura en una taberna. ¡Menuda pieza! Por entonces tenía ya treinta años y contó sus penas a su compañero de celda, un español condenado por estafador a quien relató sus peripecias de joven y describió el lugar donde se había hundido el barco. Ya en libertad, el compañero de James, de nombre Toribio Ramírez, trasladó su residencia a la población más cercana al Rincón del Diablo, Diabuyo, un pueblecito de casas blancas, donde la gente vive sin excesiva preocupación gracias a la riqueza de aquellas tierras. El hombre murió poco después de llegar a Diabuyo, pero antes se lo explicó todo a su hijo, Braulio, el español nativo al que mi padre conoció en las obras del ferrocarril. Quizá porque el alcohol le aflojó la lengua o porque necesitaba ayuda en aquel asunto, Braulio contó la historia y el caso fue que ganó dos socios: Diego Vicente Reinosa y mi padre. Volvieron los tres al pueblo de Braulio Ramírez, quien por cierto tenía una hija de quince años, al parecer una joven de una extraordinaria hermosura. Se llamaba Genoveva y era una belleza oriental, de las que pueblan aquellos lares, que por su exotismo y carácter embelesan a los españoles. Diego Vicente se encaprichó de ella, aunque, según me contó mi padre, la joven no correspondía al español ni mucho menos, sino que se interesaba por mi padre, Fons Kok. Quizá fuera ése el principio de su desgracia. El caso es que, tras preparar durante un tiempo la operación, acudieron pertrechados con cuerdas y dos mulas a aquel agreste paraje, al que se accedía por una empinada y estrecha cuesta que nadie solía frecuentar.

»Llegaron al pie del acantilado y decidieron que el español nativo, cincuentón ya, se quedara arriba con la mulas. Pasaron varios días allí. Diego Vicente y mi padre se descolgaron por la mañana con sendas cuerdas al cinto para realizar numerosas inmersiones para dar con la bodega del barco. Aprovechaban para ello los días de menos oleaje y aun así volvían llenos de moratones y rasguños porque, como he dicho, las corrientes son allí fuertes e imprevisibles. Estaban desesperados porque lo más que llegaban a conseguir era acercarse un poco a la cubierta del bergantín para volver de inmediato a la superficie, por la falta de aire y no veían forma de llegar a la bodega. Luego, por la tarde, Ramírez los izaba ayudado por las cuerdas y las mulas y descansaban hasta la jornada siguiente. Un día, cuando estaban ya a punto de renunciar, mi padre vio bajo el agua un orificio por el que se introdujo. Totalmente a ciegas y sintiendo que los pulmones le iban a estallar, palpó un bulto que le pareció un arcón o algo similar, de hecho, llegó a agarrar una argolla que soltó de inmediato para subir rápidamente a la superficie. De no ser por Diego Vicente, mi padre habría muerto destrozado contra los acantilados, porque al salir perdió el sentido. Llegó a vomitar sangre. Creían haber encontrado lo que buscaban, así que, trabajando codo con codo y golpeando con sendas piedras, lograron agrandar el boquete, facilitando el acceso al lugar donde, según creían, estaba el arcón.

»Lo intentaron entonces con una cuerda atada a un saliente metálico y, de nuevo al límite de sus fuerzas, mi padre llegó donde la argolla y la ensartó con la pieza que llevaba en la mano. Las mulas hicieron el resto y consiguieron sacar un arcón de tamaño mediano que entre los dos izaron a las escarpadas rocas. Al menos habían logrado sacar uno de los cinco cofres que descansaban para siempre en aquella bodega. Braulio Ramírez, con ayuda de las mulas, lo subió con cuidado y luego izó a Diego Vicente. Cuando el español llegó arriba, mi padre creyó escuchar un grito, pero al momento asomó Diego Vicente y le lanzó la cuerda. Mi padre no sospechó y se la ató al cinto. Enseguida sintió que las mulas lo izaban. Cuando estaba a unos veinte metros del suelo, el español se asomó de nuevo, le dijo a mi padre «hasta la vista» y cortó la cuerda, dejándolo caer contra el acantilado.

A consecuencia de aquella brutal caída, mi padre se fracturó una pierna, y aunque sentía un atroz dolor, como sabía que la marea subiría en breve y que las olas lo destrozarían, sacó fuerzas de flaqueza y ascendió unos metros hasta encontrar un abrigo en el que pudo tumbarse. Fue presa de la fiebre, pues estaba malherido, y a los dos días de estar allí escuchó voces, muchas voces. Pensó que debía de estar delirando pues nadie se acercaba nunca a aquel lugar recóndito y apartado, pero, por si las moscas, gritó pidiendo ayuda. Quedó petrificado cuando vio que una cuerda llegaba a su altura. Se la ató a la cintura y lo izaron medio inconsciente. Cuando despertó comprendió a qué se debía la presencia de tanta gente en El Rincón del Diablo. Un indígena que iba en busca de cocos por aquella selva había encontrado el cadáver de Ramírez con la cabeza machacada. Le echaron la culpa a mi padre, claro, y fue condenado a pena de muerte. Un indulto de su majestad propició que se la conmutaran por la de cadena perpetua y fue trasladado a Marruecos, donde cumplió trabajos forzados. Tras tres años de cautiverio, una rebelión de los rifeños le facilitó la huida y pudo pasar a España en la bodega de un mercante de bandera francesa. Le costó más de dos años volver a casa. Me contó la historia cuando yo tenía diez. Estuvo en La Haya tres años, y cuando reunió dinero suficiente para el billete volvió a Filipinas con una identidad falsa. No volví a verle más. Se enteró de que Diego Vicente y la filipina, Genoveva, que había terminado siendo su esposa, se habían trasladado a Manila, adonde se dirigió de inmediato.

»Diego Vicente supo de su presencia en la isla y salió rumbo a España tras malvender sus posesiones. Aún tenía el tesoro. Mi padre los localizó en Madrid. Reinosa no quiso saber nada de repartir el botín, así que mi padre le contó la verdad a la filipina. El otro montó en cólera y sobornó primero a las autoridades para que encarcelaran a su antiguo socio, y luego a unos rufianes para que lo mataran en prisión. Mi padre supo entonces que el pérfido Diego Vicente había contado a la filipina que el holandés había matado a su padre y que él, en legítima defensa, lo había arrojado al vacío en el acantilado. Engañada por aquella infamia, la joven acompañó al español, que quería dejar la isla para no vérselas con las autoridades. Evidentemente, cuando la dama supo la verdad mató a su marido, el verdadero asesino de su padre, un ladrón y un traidor, eso era aquel gusano. Por eso ojeó ese párrafo de Dante referente a los ladrones antes de matarlo. Por mi parte, mi madre, sola, con un hijo y en un puerto de mar, se convirtió en prostituta y murió de sífilis. Viví de cerca la dureza del orfanato, viví con una familia de adopción, por lo que hasta me cambiaron el apellido, y juré que algún día me haría con la fortuna del Indiano. Yo conocía toda la historia y sabía que Diego Vicente Reinosa llevaba siempre consigo el tesoro, así que me vine a España. Por aquel entonces ya me ganaba la vida con mi oficio. Conocía las leyendas de fantasmas acerca de la casa y supe que estaba deshabitada, así que pensé que me resultaría fácil deslizarme en ella por las noches y buscar el tesoro. De ahí los ruidos que la gente escuchaba de noche. Decían que la casa estaba encantada, y debo reconocer que aquellos rumores me venían de perlas, así que, mientras buscaba y buscaba, lanzaba algún que otro alarido para asustar al vecindario y hacer crecer la leyenda. Y cuando apenas llevaba unas semanas de búsqueda, un tipo de Santander compró la casa. Me desesperé. Llegaron los nuevos inquilinos y contacté con el mayordomo, Gregorio. No les negaré que surgió una relación especial entre nosotros. Un día, tuve un golpe de suerte: Milagros, la señora de la casa, entró en mi consulta para preguntarme si quedaría de nuevo embarazada. Fue entonces cuando comencé a madurar mi plan. Fue una idea brillante para dejar la casa vacía. Yo dominaba la hipnosis, pues fui ayudante del famoso médium Ennio Villalta en la época en que viví en el circo. Tenía mi maestro un número de hipnosis que cautivaba al público. Allí aprendí a dominar la mente de los demás con esa técnica. Lo tuve fácil con Milagros, era una mujer timorata y de mente débil. Todo me salió redondo, y a los dos meses la vivienda estaba desocupada y el vulgo no dejaba de hablar de fantasmas; y en ese preciso momento me encarcelaron por nueve años. Cumplí condena y, cuando volví a salir, me encontré con que una pareja de recién casados se iba a mudar a la casa. Me encargué de que Gregorio volviese a trabajar en la mansión y él, a su vez, le recomendó a su ama un vidente muy serio. Lo demás es historia. Hipnoticé a la dama, de manera que cuando escuchara la palabra «Mórbidus» bajara a la cocina y tomara el cuchillo y luego el libro. Le ordené también que después subiera al dormitorio, leyera el mismo párrafo que la filipina y acuchillara al marido. Un patrón de conducta que ella había interiorizado y llevaría a cabo al escuchar la palabra clave. Y así fue como ocurrió. ¿Pueden darme un vaso de agua?

—¿Han tomado nota de todo? —preguntó Víctor muy serio y con tono cortante.

—Sí, está todo —contestó uno de los agentes uniformados.

—Sólo quiero que me diga una cosa, Psíquicus...

—¿Sí?

—¿A quién sobornó para sacar el libro de mi cajón?

—Eso no puedo decírselo. Créanme, no es relevante para la resolución del caso y arruinaría la vida de una persona a la que tenté con un buen dinero. No tiene importancia y me permitirán que no haga más daño desvelando su identidad.

Víctor miró con dureza al vidente y añadió:

—Pues entonces les dejo, señores.

—Pero ¿no va usted a decir nada más? —se extrañó Psíquicus—. ¿No le parecen mis circunstancias...?

—Sí, diré algo: adiós. Me importan un comino sus circunstancias, se comportó usted como un monstruo con dos mujeres a las que arrastró a la locura, casi mata a dos caballeros decentes y provocó el suicidio de don Augusto. ¿Cree que todo eso tiene justificación alguna? Yo, no. Esta tarde salgo en tren y tengo cita con un notario. No tengo tiempo para tonterías. Señores... —repitió el joven detective saliendo del calabozo a la vez que se ponía el sombrero.

Todos quedaron sorprendidos al ver el nulo interés que mostraba el subinspector por aquel caso que semanas atrás le quitaba el sueño. Parecía otro hombre.

Víctor salió algo asqueado y caminó hacia la calle del Carmen. Había recibido una citación de don David Segura, notario, de manera que, algo perplejo, acudió a la cita para ver de qué se trataba. La nota que le entregaron decía que se requería su presencia por un asunto de mucha importancia.

El ahora taciturno policía apenas tuvo que aguardar unos minutos en la lujosa sala de espera de don David, quien lo hizo pasar a su despacho con muchos cumplidos y alabanzas. Víctor tomó asiento escrutando el cuarto de trabajo de aquel estirado hombre de negro con finos bigotes y preguntó:

—¿Y bien?

—Bueno, bueno, don Víctor. No todos los días tiene uno la satisfacción de hacer millonario a un hombre.

—¿Cómo?

—Sí, soy el encargado de comunicarle que don Alberto Aldanza, conde del Rázes, le ha legado toda su fortuna, la mansión del barrio de Salamanca, la casa de Biarritz, sus plantaciones de Carolina y su residencia de Boston.

Víctor se quedó boquiabierto. Ahí estaba la solución a todos sus problemas. Era millonario. Podría casarse con Clara y vivir con ella toda una vida de felicidad. Era rico. Ya no lo mirarían por encima del hombro todos los petimetres de Madrid.

—No —se oyó decir a sí mismo.

—¿Cómo dice?

—Es dinero sucio.

–No, no. Le aseguro que no. Todo el dinero del conde es de origen totalmente legítimo, de la venta de sus min...

–Minas de nitratos en Chile, lo sé. Y la respuesta es no. ¿Se puede renunciar a una herencia?

–Sí, claro, es un trámite complejo, porque en tal caso habría que iniciar un procedimiento de declaración de herederos, averiguar si el conde tenía familia en su Francia natal y...

–Hágalo.

–¿Cómo?

–Que lo haga. No quiero saber nada de ese dinero. ¿Es que ese maldito desgraciado no va a dejarme en paz ni después de muerto?

–Joven, no está bien hablar así de un difunto.

Víctor se levantó de pronto y golpeó la mesa con los puños cerrados. Parecía a punto de estallar, por lo que el notario temió que fuera a darle algún sopapo. Por último, con las venas de la frente hinchadas y la cara escarlata de indignación, el joven policía dijo sorprendentemente:

–Tenga usted muy buenos días.

Y dándose la vuelta, tomó su bastón y su sombrero y salió muy digno del despacho del notario. Decididamente, aquel Víctor Ros estaba loco.

Capítulo 27

Cuando pasaba por la Puerta del Sol escuchó que alguien le chistaba y se volvió. El cochero de un carruaje de alquiler desde su pescante le interpeló:

—¿Es usted don Víctor Ros?

Asintió con la cabeza.

—Pues hay alguien ahí detrás que quiere verle —contestó el otro.

Víctor se asomó al habitáculo y exclamó sorprendido:

—¡Doña Ana!

—Hola, Víctor —contestó la viuda de don Augusto Alvear.

—Buenas —dijo él muy serio.

—¿A dónde vas?

—A mi pensión.

—Sube, te llevo. Da las señas al cochero.

Víctor no quería subir al coche, pero no supo decir que no a la dama.

—Esperábamos que vinieras a visitarnos —comenzó ella muy seria.

—He estado enfermo.

—Lo sabemos, y también que no quisiste que nadie te viera.

—No me encuentro bien de ánimo, doña Ana.

—Me consta, hijo, me consta. Bien podías habernos hecho aunque fuera una sola visita; pero no, no has venido.

—He estado muy ocupado —eludió él mirando por la ventanilla a la altura de la Carrera de San Jerónimo.

—Ya; he oído que has pedido el traslado.

—Sí, esta tarde sale mi tren. Vuelvo a Figueras.

349

—¿Y no vas a despedirte?

—¿De Clara?

—Sí, de Clara.

—Creo que es mejor así.

—¿Sabes, hijo, que hubo un tiempo en que pensé que me pedirías su mano?

—No me extraña. Me comporté como un imbécil.

—Yo no lo veo así; el verdadero amor sólo se encuentra una vez en la vida.

—Eso sólo vale para personas de la misma clase social.

—No estoy de acuerdo —rebatió la señora jugueteando con su sombrilla.

—Mire, doña Ana, si he aprendido algo de estos dos casos que acabo de resolver ha sido eso. Una joven murió por mi culpa y no me lo perdonaré jamás.

—Lo sé, pero me consta que no pudiste hacer nada.

—Eso no es del todo exacto, pero qué más da. ¿Sabe?, esa joven era una prostituta. Ella me dijo que me amaba. Un amor imposible, ¿y sabe por qué? Porque ella era lo que era y yo, un decente funcionario de policía. Yo no la quería, doña Ana, pero ahora sé lo que debió de sufrir. Ella no podía ni soñar en casarse conmigo, porque yo pertenecía a otra clase, a la gente honrada. Y la pobre Lola, en cambio, era sólo un miembro de un submundo habitado por seres que consideramos infrahumanos y que no pueden ni llegar a tocarnos. ¿No le suena eso? Yo era tan inaccesible para ella como Clara lo es para mí. Pertenecemos a mundos distintos, a compartimentos estancos que no tienen relación alguna. Cuando Lola me dijo que me quería, se me partió el corazón por ella y también comprendí que nunca podría acceder a Clara. Fui un idiota e intenté convertirme en lo que no era para conseguirla, sin ver que yo nunca dejaré de ser un pobre emigrante extremeño, mientras que ustedes pertenecen a la más rancia nobleza de este país. ¿En qué estaba pensando?

—Hablas como un resentido, y te entiendo. Te habría gustado salvar a esa joven y no lo conseguiste, de acuerdo, pero ya no puedes hacer nada por cambiar lo sucedido. Eres humano, Víctor, no eres Dios, bienvenido al mundo real, pero ahora debes mirar hacia delante y luchar por lo que de verdad anhelas. Muy bien, no pudiste evitarlo o no supiste, deja ya de intentar ser perfecto.

—De haber tenido en cuenta que Clara estaba fuera de mi alcance, no hubiera ocurrido todo esto.

—No hablas con el corazón sino con el cerebro.

—Sí, exacto. Y eso es lo que tenía que haber hecho desde un principio. Mire, doña Ana, siempre he tenido a gala ser un hombre racional, frío, moderno. Y con este asunto no sé qué me ocurrió. Me dejé llevar por el corazón, y debo añadir que con desastrosos resultados.

—Has resuelto dos casos muy complejos, lo publican todos los periódicos.

—Eso ya no me importa.

—Entonces, vas a huir, ¿no?

—Puede decirlo así, sí.

—Ella te quiere, Víctor.

—Tiene veinte años y yo veintisiete, eso que ella siente puede ser fruto de la admiración que profesa por un atrevido detective que ha salvado a su hermana.

—Las cosas han cambiado, Víctor. ¿No te has enterado?

—¿De qué? He estado alejado de todo durante tres semanas.

—De lo del dinero; tú has salvado a la familia.

El coche se detuvo frente a la pensión de doña Patro.

—Siga hasta el Prado —ordenó la dama al cochero—. Mira, Víctor, tú dijiste que el tesoro del Indiano tenía que estar oculto en la casa y si una cosa vi con claridad en todo este asunto era la de que había que hacerte caso en todo lo referente a la investigación. La casa era de mi propiedad, porque don Donato pidió la nulidad matrimonial y revocó el contrato que había suscrito con mi marido para la cesión del título nobiliario. No creía poder vender a buen precio la mansión, dado que, aunque se sabe que todo era una maquinación de Psíquicus, la gente no ignora que allí se cometió un crimen de verdad, el de la filipina. Así que ordené a una cuadrilla de albañiles que empezaran a derribar paredes. No fue difícil: en la primera mañana de trabajo apareció el tesoro. ¿Sabes?, el conducto que sale de la cocina, el que usaba Gregorio, tenía varias ramificaciones. La que iba a la biblioteca estaba rellena con unos cilindros de acero que contenían el tesoro del Indiano en libras esterlinas. ¡Una fortuna, Víctor, una fortuna!

El brillo de los ojos de don Víctor reapareció por un momento. El sabueso se sentía interesado por el suceso.

—Claro, debí intuirlo, el tubo no sonaba a hueco en la biblioteca; ¿cómo no me di cuenta? —se preguntó con la mirada perdida de nuevo.

—¿Comprendes lo que eso supone? Mi marido arruinó a la familia y casi la destroza intentando recuperar el esplendor de épocas pasadas, pero tú nos has hecho ricos de nuevo y nos has devuelto a Aurora para siempre. No debemos temer a la ruina, hijo. Estamos en deuda contigo, Víctor.

—No hay deuda ninguna —rechazó cortante el subinspector.

—¿No has pensado en Clara?

—Yo no podría hacerla feliz. Su hija creció en una mansión con criados, institutriz, piano y salones de baile. Yo sólo podría ofrecerle una vida modesta de madre de familia y esposa de policía. Eso no es para ella. No la han educado para vivir así. No la veo haciendo las tareas del hogar.

—Ya no hay problemas económicos, Víctor. He dividido el dinero en tres partes y las he invertido, así que tanto Aurora, como Clara y yo misma disfrutaremos de unas rentas que nos permitirán vivir con holgura toda la vida. Aurora se «fugó» con Fernando y están en Estoril esperando que algún día le sea concedida la nulidad. Tienen mi bendición. El padre de don Donato es hombre adinerado, de modo que la cosa será más rápida de lo que esperamos. Así funciona la Iglesia Católica. Mi Clara tiene el futuro asegurado. Podríais vivir juntos y felices para siempre. Lo hemos hablado, ella sabe que has salido escamado de tus relaciones con la alta sociedad, y estaría dispuesta a compartir contigo una casa de tamaño... digamos mediano. Tú aportarías tu salario y ella el suyo, el de sus rentas. Tan sólo llevaría consigo una cocinera y una criada. Piénsalo, una vida sencilla. No estarías obligado a acudir a fiestas de ningún tipo, ella sólo te quiere a ti. No quiero ver sufrir a otra hija por un amor imposible. Piénsalo, Víctor, vivirías con holgura sí, pero con sencillez, tenéis mi beneplácito. No traicionarías por ello a nada ni a nadie.

El detective quedó pensativo por un instante. El carruaje se paró al final del Paseo del Prado.

Doña Ana Escurza miró por la ventanilla y dijo al joven detective:

—Baja un momento, Víctor. Habla con ella.

El detective vio a Clara sentada de espaldas en un banco. Parecía tomar el sol pensativa. Víctor bajó del coche y se dirigió caminando muy despacio hacia la joven. Parecía dudar. Ella debió de intuir su llegada, pues se levantó de repente y se giró viéndolo llegar. Se lanzó a sus brazos.

—¡Clara! —suspiró Víctor lloroso.

Sintió un inmenso dolor en aquel instante. Pensó en su madre, Ignacia, en don Armando, en Lola, y siguió con el llanto.

Pensó que en cierto modo era culpable de la muerte de Lola. Ella le amaba y él, en cambio, ni siquiera había podido salvarla. Notó que le afloraban las lágrimas y pensó en las chicas asesinadas y en Milagros, que había perdido diez años de su vida sin ver crecer a sus hijos. Se sintió invadido por un gran desconsuelo que le desbordaba y experimentó en un momento el dolor de todas las víctimas que había visto a lo largo de su carrera profesional. Las imágenes se agolparon en su mente haciéndole la realidad insoportable. ¿Cuántas escenas del crimen había visitado? Miles de rostros pasaron frente a sus ojos en aquel instante, anónimos, fríos y lejanos, muy lejanos.

Se lamentó en silencio y maldijo para sus adentros percibiendo con toda su crudeza el daño que causa el peor mal de este mundo, el hombre. Se preguntó por qué.

Entonces pensó en todas las Lolas del mundo y lloró amargamente por ellas en los brazos de Clara Alvear en el mismo lugar en que la vio por primera vez.

Epílogo

San Sebastián, agosto de 1878

Se levantó temprano y, tras vestirse con cuidado para no despertar a Clara, salió a caminar un rato. Fue al paseo de La Concha, a admirar una vez más la hermosa playa bañada por el frío Cantábrico. No podía sustraerse a su hipnótico sonido arrullando aquella ciudad mimada por el océano, donde la lluvia y el viento creaban una verde y fértil tierra donde el verano era fresco y agradable. Permanecía sentado una hora en el mismo banco cada mañana, absorto en la contemplación de las olas que rompían en la orilla, hasta que Clara pasaba a recogerle y acudían a tomar café y charlar con las amistades. Pensó que aquel otoño haría un año exacto de la resolución de los dos casos que lo habían convertido en un detective famoso. Un escalofrío le recorrió la espalda. A veces tenía la sensación de no haberse recuperado del todo de aquellas tortuosas vivencias.

—¿Don Víctor? —preguntó un botones del hotel, portador de una bandejita en la mano con un sobre.

—Sí, soy yo.

—Ha llegado esto para usted. Es urgente.

El policía dio una generosa propina al joven y quiso saber antes de despedirle:

—¿Qué hora es, hijo?

—Deben de ser las nueve y media, señor.

—Gracias —contestó abriendo el sobre.

Leyó el telegrama y sonrió. Vio cómo Clara se acercaba por el paseo. En un instante, la joven llegó a su lado y tomó asiento mientras preguntaba:

—¿Eso es un telegrama?

355

Él asintió, dejándose acunar por la brisa marina.

—No requerirán tu presencia por algún caso...

—No, tranquila, no es nada, sólo que estás casada con el inspector más joven de la historia de la policía española.

Ella sonrió abrazándolo con ternura:

—¡Te han ascendido! —exclamó jubilosa a la vez que lo besaba y le susurraba al oído—: Pues te diré que ésa no va a ser la única buena noticia del verano.

Él la miró sorprendido.

—¡Estás embarazada!

Clara asintió confirmando la noticia:

—Vaya, qué perspicaz. ¡Menudo detective!

—Pero ¿estás segura? —preguntó él incrédulo.

Clara abrazó a su marido y lo besó por toda respuesta.

LA ABADESA

María, la Excelenta

María Esperanza, la abadesa del monasterio de Nuestra Señora de Gracia, descubre que es hija ilegítima de Fernando el Católico.

LA CALLE DE LA JUDERÍA

Una familia judeoconversa en el siglo xv

Vitoria, siglo xv. Las vidas opuestas de dos hermanos de procedencia judía, Yosef y Jonah.

LA VOZ DE LUG

La epopeya del pueblo astur

Año 25 a.C. La resistencia del pueblo astur frente a la invasión de las tropas del emperador Augusto.

LOS HIJOS DE OGAIZ

Dos familias enfrentadas en el siglo de la peste negra

La historia de los Ogaiz y los Bertolín, en 1328, tras la muerte del rey Carlos I y ante un futuro incierto en Navarra.

LA HERBOLERA

Una joven curandera acusada de brujería

Catalina de Goiena, hija y nieta de curanderas, se ve involucrada en una cruel caza de brujas.

LA COMUNERA

María Pacheco, una mujer rebelde

La historia de amor de María Pacheco y Juan de Padilla, los líderes de un movimiento revolucionario, la revuelta de las Comunidades de Castilla.